**Collection Littérature**
**dirigée par André Vanasse**

Déjà parus dans
la même collection:

Claude Racine
*L'anticléricalisme dans*
*le roman québécois*
*(1940-1965)*

Maurice Edmond
*Yves Thériault*
*et le combat de l'homme*

Yves Dostaler
*Les infortunes du roman*
*dans le Québec du XIXe siècle*

Jean-Pierre Boucher
*Instantanés de la condition*
*québécoise*

Denis Bouchard
*Une lecture d'Anne Hébert*
*La recherche d'une mythologie*

Gérard Bessette
*Mes romans et moi*

Robert Major
*Parti pris:*
*idéologies et*
*littérature*

René Lapierre
*Les masques du récit*

Robert Harvey
Kamouraska *d'Anne Hébert:*
*Une écriture de La Passion*
suivi de
*Pour un nouveau* Torrent

Les Éditions du Jour

Une génération d'écrivains

**Les Cahiers du Québec**

# Claude Janelle

# Les Éditions du Jour

## Une génération d'écrivains

Préface d'André Major

Cahiers du Québec Collection Littérature

Hurtubise HMH

*Le Conseil des Arts du Canada*
*a accordé une subvention pour*
*la publication de cet ouvrage*

*Photographies:*
Kèro

*Maquette de la couverture:*
Pierre Fleury

*Photocomposition:*
Atelier LHR

Editions Hurtubise HMH, Limitée
2050, de Bleury, bureau 500
Montréal, Québec
H3A 2J4
Canada

Téléphone (514) 288-1402

ISBN 2-89045-580-7

*Dépôt légal / 1er trimestre 1983*
*Bibliothèque nationale du Québec*
*Bibliothèque nationale du Canada*



*Imprimé au Canada*

Merci à:

Jacques Hébert,
Jean-Marie Poupart,
Michel Beaulieu,
André Major,
Victor-Lévy Beaulieu,
Pierre Turgeon,
Michèle Mailhot,
Alfred Lespérance,
Claude Béland,
Pierre Sanche,

qui ont accepté de me rencontrer;

André Vanasse,
Michel Bélil,
Gérard Tremblay,

pour leur aide précieuse au moment de la révision du manuscrit;

Lise Maranda,

pour l'excellent travail de dactylo.

# *Préface*

Un après-midi de l'hiver 1962, je rencontrais Jacques Hébert pour la première fois: il me rendait le manuscrit d'un roman qui ne lui semblait pas mûr et que je devais jeter peu après. Visiblement déçu de me décevoir, il ne se résignait pas à me laisser partir comme ça avec mon manuscrit refusé sous le bras. Il me demanda ce que je faisais dans la vie en plus d'écrire des histoires déplaisantes; je lui avouai que je travaillais comme *helper* dans une boulangerie et il me proposa, un peu embarrassé, de prendre la relève de sa secrétaire qui le quittait pour accoucher. Dès le lendemain, à neuf heures, j'occupais la pièce qui faisait face à son bureau et j'apprenais à corriger des épreuves, à lire des manuscrits et surtout à taper d'assez adroites lettres de refus — il y en avait à la tonne, de celles-là. A cette époque, les éditions du Jour tenaient, au rez-de-chaussée, une petite librairie où eurent lieu plus tard des lancements quasi hebdomadaires.

La maison existait depuis un an, guère plus. Ce n'était donc pas son catalogue d'édition qui pouvait attirer un jeune auteur, c'était la personnalité de Jacques Hébert tout d'abord et une certaine façon de pratiquer le métier d'éditeur, qui consistait à vendre le plus possible mais pas n'importe quoi, de préférence des ouvrages susceptibles de secouer notre conscience collective. Les éditions du Jour étaient en quelque sorte le foyer intellectuel de la Révolution tranquille. Et je me sentais tout à fait à l'aise dans la boîte: j'avais l'occasion de discuter avec des gens que je lisais, les rédacteurs de *Cité libre* notamment, et André Laurendeau surtout qui avait, on l'a dit, une faculté d'écoute et une disponibilité assez exceptionnelles dans ce milieu où, comme je m'en rendis bientôt compte, pullulent les monologuistes.

Au début de cet été-là, je dus quitter la maison qui fermait temporairement ses portes pour des raisons financières. J'y suis revenu en 1964 à titre de lecteur et de réviseur de manuscrits pour un bon moment — jusqu'en 1974 plus exactement. Entre temps, étant engagé dans l'aventure de *Parti pris,* revue qui ne fut pas étrangère à la chute de *Cité libre,* j'avais pris mes distances avec Jacques Hébert. Mais ce refroidissement ne dura guère plus d'un an et je me retrouvai, une fois par semaine, dans le bureau du patron, comme l'appelaient affectueusement ses employés d'origine belge, à discuter de cas litigieux, à plaider pour tel manuscrit ou à m'opposer à tel autre. Il ne se ralliait pas toujours à mon opinion et il est arrivé que paraissent des titres aujourd'hui oubliés, mais c'était l'amitié qui lui faisait commettre de telles erreurs de jugement.

Nos rencontres, toujours chaleureuses, se prolongeaient parfois au restaurant sans que la conversation se risque dans l'intimité. Le monde des livres nous réunissait. Sa démission soudaine mit fin à nos rapports. Lui parti, les éditions du Jour tentèrent misérablement de lui survivre; elles ne firent qu'agoniser lamentablement. Créature d'un tempérament, la maison avait été un lieu d'accueil unique au Québec, un carrefour aussi. Cela ne pouvait pas durer sans la présence de celui qui en avait été l'animateur. D'assez sombres gestionnaires firent de leur mieux, dès 1975, pour faire comprendre aux écrivains du Jour qu'une ère de dialogue venait de se terminer et qu'ils entendraient désormais le langage de la calculatrice. Il n'y eut pas de véritable discussion entre les successeurs de Jacques Hébert et nous. Un choc plutôt et puis une bataille que personne ne remporta, en fin de compte, car Sogides finit par récupérer ce qui restait des éditions du Jour après n'avoir fait qu'une bouchée des Quinze, maison pourtant créée par les écrivains pour échapper aux longues dents des comptables.

J'avais vingt ans quand j'entrai au service des éditions du Jour; j'en ai quarante au moment où je lis l'ouvrage de Claude Janelle. Un peu de nostalgie me vient, bien sûr, en refaisant avec lui l'itinéraire de la maison ponctué de coups d'éclats — *Une saison dans la vie d'Emmanuel,* par exemple — et d'embardées administratives. Mais c'est la colère qui l'emporte sur la nostalgie, particulièrement à la lecture du rapport confidentiel de Jacques Hébert sur les raisons de sa démission. On y trouve des éléments manquant jusque-là à la pleine compréhension de cette histoire qui finit en queue de poisson, comme Janelle ne se fait pas faute de le montrer. On découvre que l'inspiration généreuse d'un Jacques Hébert était bien plus profitable, finalement, que la politique d'efficacité de ses successeurs.

Je crois avoir suffisamment suggéré que les éditions du Jour avaient d'abord été l'affaire d'un esprit ouvert et généreux, et c'est cela que le travail patient et exact de Claude Janelle met en lumière de la première à la dernière page de son document. Sa reconstitution de l'histoire des éditions du Jour, si elle ne cache pas les partis pris de l'auteur, s'appuie sur une documentation de première main, ce qui en fait tout le prix. Des données éclairent l'état financier de la maison au moment où Hébert la déserta, complètement écœuré, et mettent en cause l'équipe qui tentait alors de lui confisquer ce qu'il lui restait d'autorité.

On peut également suivre pas à pas le programme d'édition de la maison tout au long de son existence, Janelle ne se gênant pas, chemin faisant, pour l'évaluer et en faire une critique que, dans l'ensemble, je fais mienne.

Ce qu'il montre très bien, c'est que si les éditions du Jour n'ont pas été une école littéraire — Hébert était trop ouvert pour poursuivre un tel objectif —, elles ont permis à la littérature québécoise, celle qui mûrissait comme celle qui naissait, de connaître un essor sans pareil et de bénéficier d'une vogue dont on voudrait bien, aujourd'hui, retrouver l'inspiration.

Une précieuse bibliographie des titres parus aux éditions du Jour clôt l'ouvrage de Claude Janelle. Il faut remercier ce dernier de s'être fait l'historien passionné de ce qu'il faut bien appeler une aventure collective.

André MAJOR

# *Avant-propos*

Si la génération qui me précède a été initiée à la littérature québécoise par les auteurs qui ont publié au Cercle du Livre de France au cours des années 50, soit André Langevin, Claire Martin, Gérard Bessette, Jean Simard, moi, ce sont les éditions du Jour qui m'ont vraiment fait découvrir la littérature d'ici.

Je me souviendrai toujours du premier contact personnel que j'ai eu avec un auteur québécois. C'était à la fin de l'hiver, vers le mois de mars 1971. Je faisais alors partie du petit club littéraire du CEGEP de Drummondville. Nous avions invité un jeune écrivain à venir répondre à nos questions lors d'un souper-causerie.

Je n'avais jamais entendu parler de Michel Clément, qui venait pourtant de publier *Confidences d'une prune* aux éditions du Jour, et je pense que la majorité de mes confrères ne le connaissaient pas plus que moi. Néanmoins, Michel Clément s'était présenté au rendez-vous et avait gentiment satisfait notre curiosité littéraire.

Je me rappelle même qu'il nous avait promis de nous inviter au lancement de son deuxième livre, prévu pour la fin du printemps. Inutile de dire que l'invitation n'est jamais venue... Cela se comprend: le livre n'a jamais paru! Il semble que l'auteur, découragé par l'accueil froid qui avait été réservé à son premier roman, a renoncé à une carrière d'écrivain.

Dans l'enthousiasme de cette rencontre littéraire, j'avais acheté le roman de Michel Clément. A vrai dire, je ne pouvais tomber sur une œuvre aussi peu représentative pour m'initier à la littérature publiée par les éditions du Jour dont j'avais entendu louer les qualités. Cette mauvaise expérience était suffisante pour m'éloigner à tout jamais des œuvres de la collection «Romanciers du Jour». A part *Le Jour est noir* de Marie-Claire Blais, que j'ai dû lire parce qu'il était au programme de l'un de mes cours, je n'ai plus fréquenté cette collection pendant six mois.

Il a fallu toute la force de persuasion d'un ami pour que je tente une seconde chance avec *J'ai mon voyage!* de Paul Villeneuve. Déjà, c'était mieux mais j'étais encore réticent. Par la suite, *Les Voleurs* de Jacques Benoit et, surtout, *La Nuitte de Malcomm Hudd* de Victor-Lévy Beaulieu ont vaincu mes dernières résistances. C'est à partir de ce moment, en avril 1972, que j'ai commencé à identifier mes goûts littéraires à une maison d'édition en particulier.

J'avais lu et j'avais aimé les romans d'Yves Thériault, les pièces de Marcel Dubé, les poèmes d'Emile Nelligan, mais je ne m'étais jamais soucié de la maison d'édition qui me les rendait accessibles. Pour la première fois, je développais un sentiment d'appartenance à une maison d'édition, j'entretenais une sorte de dialogue avec des auteurs qui, souvent, n'avaient en commun que le fait d'être publiés dans une même collection. Une solide amitié était née entre un lecteur et une collection.

Ma curiosité me poussait à lire tous les romans nouveaux qui y paraissaient de même que ceux qui avaient été publiés depuis la création de la collection. Puis, les romans s'espacèrent et, brusquement, cessèrent de paraître aux éditions du Jour. Que s'était-il passé? Les auteurs étaient-ils à court d'inspiration? Certes non, puisqu'ils continuaient de publier dans d'autres maisons d'édition.

Jacques Hébert était-il si indispensable? Pouvait-il y avoir un lien entre son départ et le déclin de l'entreprise qu'il avait édifiée?

Il m'apparaissait important, en tout cas, que cette énergie, cette foi en la littérature québécoise et ce travail de pionnier ne tombent pas dans l'oubli, car éditer un livre n'est pas un geste gratuit. Ecrire un livre est l'acte individuel par excellence, mais sa mise en marché est un acte collectif et social parfois lourd de conséquences. Si la littérature ne peut changer le monde, elle contribue peut-être à transformer les hommes un tant soit peu.

Alors, j'ai conçu le projet d'écrire une histoire littéraire des éditions du Jour qui témoigne de la vitalité de cette maison et de sa nécessité pour l'épanouissement de la littérature québécoise. Puisse une autre maison d'édition prendre la relève des éditions du Jour, une institution littéraire dont la pérennité semblait aller de soi au début des années 70, mais qui a été sacrifiée sur l'autel de la finance.

*Partie I*

# *Histoire littéraire de la maison*

*Partie I*

# *Histoire littéraire de la maison*

Entreprendre une histoire littéraire des éditions du Jour, c'est en partie faire l'analyse du monde de l'édition au Québec au cours des vingt dernières années. Ce milieu est si petit au Québec que vouloir évaluer l'importance d'une maison d'édition sans jeter un coup d'œil sur la production et les lignes de force des autres éditeurs est inconcevable et irréaliste.

Autant la poésie a été le château fort de l'Hexagone depuis plus de vingt-cinq ans, et le théâtre, la chasse gardée des éditions Leméac depuis une douzaine d'années, autant le roman (ou la prose en général) a été le fer de lance des éditions du Jour de 1968 à 1974. Nulle part ailleurs ne retrouvait-on une meilleure équipe de jeunes romanciers novateurs qui ont prouvé, depuis, leur importance et leur originalité.

Cet âge d'or des éditions du Jour a pris fin avec le départ de Jacques Hébert, fondateur de cette entreprise littéraire, et la mainmise sur celle-ci des hommes de la Fédération des caisses d'économie du Québec. Ce changement d'administration a considérablement ralenti la production littéraire de la maison, les nouveaux administrateurs ayant été incapables de garder chez eux les auteurs découverts et mis sous contrat par Jacques Hébert.

Au cours de la période qui a suivi, les éditions du

Jour ont perdu beaucoup de leur prestige et n'ont jamais réussi à atteindre le rayonnement qu'elles avaient au moment du règne de Jacques Hébert. Confinées aux livres pratiques, sans politique littéraire connue, elles ont donné dans l'édition alimentaire et, par le fait même, sont tombées dans l'anonymat le plus complet. Cela était peut-être dû à la personnalité des dirigeants de cette entreprise qui ne connaissaient à peu près rien au domaine de l'édition. Une maison d'édition n'est florissante que dans la mesure où la personnalité de son président-directeur général est forte. C'est pourquoi il est essentiel, avant de retracer l'histoire des éditions du Jour, de brosser le portrait du fondateur, Jacques Hébert.

*Chapitre 1*

# *Jacques Hébert, journaliste et éditeur*

*Chapitre 1*

# *Jacques Hébert, journaliste et éditeur*

Journaliste aventureux, Jacques Hébert acquiert la notoriété publique au cours des années 40 grâce à ses chroniques de voyage autour du monde. Il signe d'abord une série d'articles dans *la Patrie* du dimanche entre 1946 et 1949, avant de passer au *Devoir* qu'il alimente quotidiennement de reportages lors de son périple autour du monde en 1950-1951 et en Afrique en 1952-1953. Lorsqu'il revenait au pays, Jacques Hébert donnait pendant un an une série de conférences dans tout ce que le Québec comptait de salles que les spectateurs envahissaient, leur intérêt ayant déjà été éveillé par les articles du reporter.

De son côté, la maison d'édition Fides publie plusieurs récits de voyage de Jacques Hébert. C'est à ce moment-là que le journaliste globe-trotter commence à s'intéresser au livre. Il obtient de son éditeur d'avoir la main haute sur la production de ses livres. Il pouvait, à l'époque, se targuer d'être l'un des rares auteurs à contrôler la conception complète du produit qui sortait, sous sa signature, des éditions Fides.

En 1954, Jacques Hébert fonde le journal *Vrai,* hebdomadaire de combat dont la parution cesse en 1959. Encore là, même si la production d'un journal diffère de la production d'un livre, Jacques Hébert se familiarise avec le travail de composition, de montage, d'impression et de distribution. Déjà, quand il était étudiant, il avait été directeur du *Quartier Latin,* journal des étudiants de l'université de Montréal.

Puis, arrive l'affaire Coffin, l'histoire de ce prospecteur accusé d'avoir tué trois touristes américains en Gaspésie. Condamné sur une preuve circonstancielle, Wilbert Coffin est pendu à la prison de Bordeaux, le 10 février 1956. Quelques mois auparavant, Jacques Hébert avait rédigé des articles enflammés dénonçant la justice expéditive du gouvernement Duplessis dans cette affaire.

Si j'insiste ainsi sur cet événement qui ne semble entretenir aucun rapport avec la littérature, c'est que ce fait judiciaire, qui a divisé l'opinion publique de cette époque, a été l'occasion pour Jacques Hébert de fonder sa propre maison d'édition. On oublie trop souvent, en effet, que les éditions de l'Homme ont été fondées par Jacques Hébert en 1958, avec l'appui financier de l'imprimeur et distributeur Edgar Lespérance, père de Pierre Lespérance, actuel président du consortium Sogides.

Aucun éditeur ne voulait prendre le risque de publier le pamphlet de Jacques Hébert, *Coffin était innocent,* de peur de s'exposer à des poursuites judiciaires. «On n'est jamais si bien servi que par soi-même», dit le dicton. Ce que démontra Jacques Hébert. Mais ce dernier avait aussi ses idées sur le commerce du livre et il innova en ce domaine en publiant le premier livre à bon marché (1,00$), distribué partout dans les tabagies et imprimé sur papier journal. A cette époque, le Québec ne comptait qu'une vingtaine de librairies, ce qui donne un aperçu de la petitesse du réseau de distribution qui s'offrait alors aux autres livres. Jacques Hébert a mis à profit cet élargissement du réseau de points de vente et son bouquin est rapidement devenu un best-seller avec une vente de 12 000 exemplaires.

Continuant sur cette lancée, les éditions de l'Homme publient *Les Insolences du frère Untel*. Là encore, Jacques Hébert avait vu juste, car ce livre, imprimé avec réticence par Edgar Lespérance qui craignait quelques représailles du clergé tout-puissant de cette époque, connaît un succès retentissant.

Quand il s'était associé à Lespérance, Jacques Hébert avait signé un contrat de deux ans, s'engageant à publier entre 8 et 10 livres par année. Or, il s'agissait essentiellement de livres d'actualité, conçus comme des reportages plus étoffés que ceux qu'on pouvait trouver dans les journaux. Cette politique de publication ne satisfait pas pleinement Jacques Hébert qui ne pouvait éditer des romans, des recueils de nouvelles ou de poésie.

Aussi, dès que son contrat prend fin, le 1er mai 1961, Jacques Hébert fonde les éditions du Jour. Ayant déjà en main des manuscrits qui l'intéressaient quand il était directeur des éditions de l'Homme, mais que celles-ci se refusaient à publier, il amorce sa saison littéraire (!) le 9 mai 1961, par le lancement du *Nouveau Parti* de Stanley Knowles. Quatre autres livres paraissent, à raison d'un par semaine. Ce sont: *Les Doléances du notaire Poupart* de Carl Dubuc, *L'Ecole laïque* en collaboration, *En pleine forme* d'Alphonse Gagnon et *La Cruauté des faibles* de Marcel Godin.

Au fil des ans, Jacques Hébert occupe différents postes dans les organismes reliés au monde de l'édition et du livre. J.-Z. Léon Patenaude, dans un article paru dans *le Devoir* du 7 septembre 1974, tout en se servant de la personnalité et de la carrière de Jacques Hébert pour se mettre en évidence d'une façon presque indécente, résume le travail accompli par l'éditeur dans divers organismes pour promouvoir et défendre les intérêts de sa profession. Il a assumé notamment la fonction de président de l'Association des éditeurs canadiens (AEC) en 1963, puis de 1966 à 1969, et de 1971 à 1974. Il a été trésorier et membre du bureau de l'Union internationale des éditeurs de langue française depuis sa fondation en 1965 jusqu'en août 1974.

Engagé à fond dans son travail d'éditeur, Jacques Hébert a atteint une stature internationale qui lui a permis de conclure des ententes de coédition, avec Robert Laffont tout particulièrement, pour qui il avait beaucoup d'estime. Hébert rappelle que Robert Laffont n'a jamais voulu participer aux intrigues qui entourent l'attribution des prix littéraires en France et il le considère comme «l'éditeur français le plus profondément québécois».

Au cours de ses dernières années aux éditions du Jour, Jacques Hébert s'est également intéressé au Tiers-Monde. Ainsi, dès 1972, il a fondé Jeunesse Canada Monde, un organisme qui favorise les échanges entre les jeunes du Canada et ceux des pays en voie de développement. En outre, en tant que commissaire du Conseil de la radiodiffusion et des télécommunications canadiennes (CRTC), il a participé à plusieurs audiences publiques à travers le Canada. Récemment, il a coprésidé la commission Applebaum-Hébert chargée d'étudier la politique culturelle fédérale.

Jacques Hébert a marqué le monde de l'édition au Québec comme personne n'avait su le faire avant lui. Il fut peut-être le seul véritable éditeur au Québec, ce qui ne signifie pas qu'il était un administrateur chevronné. La situation financière de la maison a souvent été incertaine. Même s'il ne dédaignait pas le succès, sa principale préoccupation était de rendre accessibles les livres en lesquels il croyait. Il préférait de beaucoup publier le roman d'un jeune écrivain qu'un livre de recettes, mais il savait aussi que le succès du deuxième rendait possible la publication du premier.

Jacques Hébert possédait au suprême degré les

qualités essentielles d'un bon éditeur: avoir du flair, être capable de prendre des risques calculés et, surtout, aimer les auteurs. Tous les écrivains à qui j'ai posé la question ont été unanimes à reconnaître la cordialité, l'harmonie et la simplicité de leurs relations avec Jacques Hébert. Pour tous, l'aventure des éditions du Jour demeure la plus belle expérience qu'ils aient vécue avec un éditeur.

C'est bien d'une aventure qu'il s'agit, car rien n'est moins stable que le marché du livre. Quand j'analyse la fortune des éditions du Jour, je ne puis m'empêcher de penser à l'arc que décrit le soleil au cours d'une journée. Le zénith a correspondu à la période 1968-1974, alors que la période suivante ressemble fort au crépuscule, sinon à la nuit. A cet égard, il est ironique de constater que le répertoire des titres disponibles aux éditions du Jour en 1978 est illustré d'une photo représentant un coucher de soleil... Triste adéquation entre l'image et la situation de la maison...

*Chapitre 2*

# *Les débuts (1961-1968)*

*Chapitre 2*

# *Les débuts (1961-1968)*

Au début, les éditions du Jour sont situées au 3411, rue Saint-Denis, à Montréal, dans l'édifice même où Jacques Hébert est né, son père y résidant encore après avoir installé son cabinet de médecin, quelques décennies plus tôt. Au cours des premiers temps, Jacques Hébert publie surtout des livres d'actualité qui ont beaucoup de retentissement: *Les Fous crient au secours* de Jean-Charles Pagé, *J'accuse les assassins de Coffin* par l'éditeur lui-même, *Les Doléances du notaire Poupart* de Carl Dubuc, *Pourquoi je suis séparatiste* de Marcel Chaput.

En juin 1968, soit sept ans après la fondation des éditions du Jour, la collection «Romanciers du Jour» ne compte que 31 titres, ce qui représente moins de cinq publications par année. Cependant, la maison avait commencé à recruter des jeunes auteurs, et ce travail de prospection porte ses fruits pendant l'apogée des éditions du Jour.

Roch Carrier fait ses débuts en 1964 avec un recueil de contes fantastiques intitulé *Jolis Deuils.* D'une certaine façon, ce livre est un condensé de tous les thèmes chers à Carrier, qui ne fait que les ébaucher ici. Ces «petites tragédies pour adultes» illustrent des sentences morales qui constituent un appel à la sagesse, à l'équité et à l'humilité des êtres humains. L'auteur y aborde aussi le thème de la guerre, qui sera plus amplement développé dans *La Guerre, yes sir!*, l'un des trois romans les plus importants publiés au Jour pendant cette période.

***Trois romans importants***

Ce roman met en situation un village québécois au temps de la Deuxième Guerre mondiale et c'est à travers ce prisme qu'est vue la guerre. Si, dans l'est de Montréal, les chômeurs voyaient dans l'enrôlement volontaire un gagne-pain et une occasion de sortir de la misère, tel Azarius Lacasse dans *Bonheur d'occasion* de Gabrielle Roy, les habitants des campagnes percevaient la guerre comme une voleuse qui venait chercher leurs fils.

Le roman de Carrier est important parce qu'il marque un retour de la vie rurale dans la littérature québécoise, après le mouvement d'urbanisation de la société amorcé au milieu des années 40, qui s'est également traduit par une prédominance du roman citadin. Carrier est l'un des premiers romanciers à fouiller les racines de la société québécoise et à remonter à ses sources. Il rappelle à propos que tout n'a pas commencé avec la Révolution tranquille. Le roman suivant, *Floralie, où es-tu?*, retourne encore plus loin dans le temps, jusqu'au début du siècle, en fait.

Les premiers livres de Carrier contiennent des passages à caractère ethnologique, tant ils s'alimentent au folklore et à la tradition populaire. D'une certaine manière, Carrier est le dépositaire de la littérature orale quand il reprend les vieilles légendes fantastiques. Comme dans plusieurs contes et romans de Jacques Ferron, le diable est présent dans *Floralie, où es-tu?* et il se fait flouer aussi par les Québécois. Il y a de la sorcellerie, de la magie et du démonisme dans l'air.

Mais toute la différence entre ces deux auteurs réside dans leur approche du passé. Ferron cultive une approche politique du passé en le subordonnant au thème omniprésent du pays. Par contre, Carrier adopte une approche sociologique qui aide à mieux comprendre nos origines, les idéologies et les valeurs anciennes et, par voie de conséquence, notre présent. Il pense en termes de culture et de société, alors que Ferron se réfère au concept nationaliste de peuple.

Cette différence marque bien qu'ils n'ont pas la même conception du rôle de l'écrivain dans la société. Carrier se rapprochera de la position de Ferron avec *Il n'y a pas de pays sans grand-père,* publié en 1977 chez Stanké, dont le titre parle par lui-même.

La même année que Carrier fait son entrée au Jour, Jean Basile publie le premier tome de sa trilogie, *La Jument des Mongols,* dont la suite paraît toutefois aux éditions Estérel, puis chez HMH. Il avait exigé, pour *Le Grand Khan,* que les sommes perçues en droits de traduction, de reproduction ou d'adaptation lui soient versées entièrement, alors que le contrat type en vigueur aux éditions du Jour prévoyait une redevance de 50%. Déjà, Jacques Hébert avait consenti à verser 75% de ces droits pour *Joli Tambour.* Cette fois-ci, il en fait une question de principe et Jean Basile quitte son éditeur.

Il est ironique de constater que la première édition du *Grand Khan* a été publiée par les éditions Estérel, une petite maison animée par Michel Beaulieu qui offrait certainement moins de débouchés que celle de Jacques Hébert.

*La Jument des Mongols* représente le deuxième roman marquant de cette période, car ce roman annonce la naissance de Réjean Ducharme environ deux ans plus tard. La composition des personnages, la description d'un mode de vie, une sensibilité et une tendresse nouvelles, l'ambiance, tout s'apparente à l'univers romanesque de Ducharme, et particulièrement *L'Hiver de force.* On oublie toujours que, dans quelque domaine artistique que ce soit, des signes avant-coureurs précèdent l'éclosion imprévisible de la grande œuvre qui marque une génération littéraire. Le roman de Basile constitue ce signe précurseur.

Et pourtant, qui aurait pu croire que Jean Basile écrirait une œuvre aussi moderne par son contenu et par sa forme quand il a publié son premier roman en 1963? *Lorenzo* ne révolutionne rien sur ces deux plans alors que l'époque, en littérature, était marquée par un bouleversement des formes reflétant les changements sociaux d'un Québec en pleine mutation. Bien plus, ce premier roman semble tourner le dos à la situation d'alors.

*La Jument des Mongols* s'inscrit au contraire dans la réalité quotidienne en décrivant le petit monde affectif de trois Montréalais. L'étroite relation de ces êtres, leur communion d'esprit et leur interdépendance affective tissent un réseau de complicité, de fraternité et de tendresse qui en fait un roman novateur, très moderne et intéressant par son écriture, mais surtout par les thèmes qu'il développe.

La trilogie de Basile constitue le portrait le plus juste d'une certaine jeunesse de cette époque, influencée par la culture américaine et les courants d'idées en provenance de la côte ouest des Etats-Unis. Même si les deux derniers tomes paraissent ailleurs qu'aux éditions du Jour, le crédit de la découverte de cet auteur revient à Jacques Hébert qui lui avait permis de faire ses classes en publiant ses quatre premiers livres: un recueil de poèmes, un récit, une pièce de théâtre et un roman. Le premier éditeur de Basile n'a pas profité de l'investissement qu'il avait mis en lui. Il peut toujours se consoler à la pensée qu'il a contribué à faire entendre une voix nouvelle et originale qui a atteint son maximum d'audience au début des années 70, à l'époque de la contre-culture, par l'entremise du magazine *Mainmise* dont il fut le cofondateur.

Le troisième roman capital de cette période appartient à Marie-Claire Blais. *Une saison dans la vie d'Emmanuel* est couronné du prix Médicis en 1966 et cet honneur rejaillit sur toute la maison. Cette distinction littéraire n'est pas étrangère à l'augmentation de la production de romans aux éditions du Jour au cours de la période suivante. La maison étant plus connue, les manuscrits affluent en plus grand nombre sur le bureau du directeur, ce qui contribue à relever le niveau de qualité des œuvres soumises.

Outre le prestige qu'il apporte, le roman de Marie-Claire Blais retient aussi l'attention par sa qualité littéraire. L'auteur analyse la famille québécoise traditionnelle avec une lucidité et un réalisme impitoyables. L'originalité de ce court mais dense roman réside dans le point de vue du narrateur. Les événements de la vie quotidienne sont vus par Emmanuel, cet enfant au berceau qui vient tout juste de naître. Et Jean-Le Maigre, l'inoubliable personnage principal, cet être condamné à brève échéance comme les héros tragiques et forts de Marie-Claire Blais, vivra le temps d'une saison, pour Emmanuel.

Dans l'histoire de cette maison, la mise sous contrat de Marie-Claire Blais en 1962 constitue certes la première acquisition importante de Jacques Hébert. Quelques années plus tôt, la jeune écrivaine avait publié deux romans remarqués par la critique, *La Belle Bête* et *Tête blanche,* à l'Institut littéraire de Québec. Paul Michaud, le propriétaire de cette maison d'édition, avait refusé le manuscrit suivant. Jacques Hébert saute sur l'occasion et accepte de publier *Le Jour est noir,* même si l'œuvre n'est pas facile d'accès. Ce roman poétique ouvert à plusieurs interprétations explore l'univers évanescent de l'enfance au moyen d'une écriture très symbolique.

C'est dire que la publication de ce livre prend l'allure d'un pari que Jacques Hébert remportera, car elle marque le début d'une longue et fructueuse collaboration entre l'auteure et l'éditeur. Onze œuvres, dont neuf romans, naîtront de cette association.

Cependant, le coup de filet le plus prestigieux de Jacques Hébert pendant cette période a été la venue d'Yves Thériault, auteur prolifique et avantageusement connu. Il publie *Si la bombe m'était contée* en 1962, titre récupéré par la collection «Romanciers du Jour» en 1969, puis *Le Grand Roman d'un petit homme* en 1963 et *La Rose de pierre* en 1964. Au total, Yves Thériault confie sept manuscrits à Jacques Hébert. Malheureusement pour l'éditeur, ces œuvres ne comptent pas parmi les meilleures de Thériault. Aucune d'entre elles n'atteint la force d'évocation et la qualité d'*Agaguk,* d'*Ashini* ou des *Commettants de Caridad* écrits antérieurement, même si elles abordent des thèmes qui sont propres à l'univers romanesque de l'auteur.

### *Thériault, chef de file*

*Le Grand Roman d'un petit homme* et *L'Appelante* présentent les deux types de héros thériausiens. Arsène, le barbier de village, fait partie des héros fatalistes comme Antoine dans *Antoine et sa montagne.* Par contre, Henri, l'infirme, rejoint les grands personnages mythiques de Thériault qui luttent contre la nature, dans un corps à corps qui ne peut que déboucher sur le drame. L'auteur décrit d'une part l'envers et, d'autre part, l'endroit de ses personnages dans ces deux romans qui tiennent lieu aussi de chroniques de village. Ils comportent donc une critique sociale assez poussée sur la société québécoise, ce qui caractérise un bon nombre de romans parus au Jour au cours de cette période.

Ainsi, Andrée Maillet analyse la bourgeoisie à travers une héroïne qui se révolte et qui veut échapper à cette classe dans *Les Remparts de Québec.* La romancière ajoute une dimension politique à son discours en juxtaposant le destin de son héroïne à celui de la collectivité québécoise.

Mais le discours d'Andrée Maillet est récupérateur. Même s'il véhicule une critique de la bourgeoisie et de ses institutions, il nourrit aussi un désir discret de ne pas couper définitivement les ponts avec cette même bourgeoisie. Aussi, la jeune fille conteste moins son appartenance à cette classe, qui assure sa sécurité financière, que son manque de liberté. Il ne s'agit donc pas pour elle de renier son statut, mais d'en changer les règles. La liberté, oui, mais pas à n'importe quel prix!

De même, la dimension politique et la bourgeoisie canadienne-française sont au cœur du roman de Charlotte Savary, *Le Député*. L'auteure décrit le sombre complot ourdi par des profiteurs pour dépouiller le Québec de ses droits fondamentaux. En faisant de l'éducation un domaine de juridiction fédérale, c'est l'assimilation à plus ou moins long terme qui attend le Québec. Charlotte Savary montre comment un politicien comme le député Jean-Pierre Bouchard peut être manipulé sans qu'il s'en rende compte par certains représentants de la bourgeoisie qui sont prêts à toutes les trahisons, pourvu qu'ils y trouvent leur intérêt personnel.

Dans *Perdre la tête*, Roland Lorrain s'en prend également aux valeurs conservatrices de la bourgeoisie canadienne-française: la religion, la moralité publique et la richesse financière. Par le biais d'un égarement amoureux de la part de Martine Boisclair, l'auteur analyse les remous qui en découlent dans l'univers familial de l'héroïne et les mécanismes de défense mis au point par cette classe sociale pour préserver ses valeurs. On a l'impression que Lorrain donne à voir une famille de la bourgeoisie du XIX^e^ siècle, tant ses principes, son éducation et ses idées relèvent d'un conformisme vieillot et dépassé.

Hélène Ouvrard accuse la société en général pour son intolérance dans *Le Cœur sauvage*. Elle met en scène des personnages marginaux rejetés par les bien pensants du village. Véritable microcosme de la société québécoise de naguère, ce village de Gaspésie réprime toute individualité et se montre incapable de se régénérer. La lucidité de Lucien représente un danger parce qu'elle pourrait faire prendre conscience aux gens de leur asservissement. Hélène Ouvrard propose la nature comme modèle de la liberté sur lequel l'homme devrait calquer son comportement. La thématique d'Yves Thériault n'est pas loin.

A l'inverse de ces œuvres qui entretiennent une préoccupation sociale à travers leurs personnages principaux, il s'en trouve qui sont d'abord et presque exclusivement tournées vers l'individu. L'œuvre de Thériault représente bien ces deux facettes, car elle compte des romans d'un individualisme forcené. C'est le cas de la majorité des romans de Thériault, qui sont l'expression de la volonté d'un individu d'affirmer sa personnalité et sa dignité d'homme, sans égard à la nature ou à la société dans laquelle il s'insère. L'individualisme a toujours primé le grégarisme chez Thériault. Les deux recueils de nouvelles, *La Rose de pierre* et *L'Ile introuvable*, en rendent compte de façon éloquente. Ces histoires d'amour et de quête d'identité concernent au premier chef l'individu dans ses sentiments profonds et dans ses relations avec la femme, être de désir et de complicité muette.

L'expression la plus exacerbée de cet individualisme et de cet égocentrisme est fournie par le roman de Claire Mondat, *Poupée*, qui confine au narcissisme. Catherine est littéralement éprise de son image. Elle est belle, elle le sait, elle joue de sa beauté et elle l'entretient. Ce souci constant de la beauté, chez Catherine, trahit ses prétentions intellectuelles, à savoir qu'elle n'a pas seulement un beau corps, mais aussi un esprit vif et intelligent. *Poupée* présente une image de la femme que les féministes s'acharnent aujourd'hui à combattre, une image de femme-objet.

Cet individualisme prend la forme de la solitude chez Jean-Paul Filion dans *Un homme en laisse.* Frid, vieil éleveur de chiens de race, n'a pas assumé complètement sa solitude cependant. Son indépendance vis-à-vis la société le culpabilise, de sorte que son périple à travers les bois, à la poursuite de son chien qui suit une piste mystérieuse, a symbole de voyage d'expiation. Le chasseur qu'il ramène à la civilisation est, en fait, l'incarnation de l'autre homme en lui, la personnification de celui qu'il fut au début de son mariage. Mais ce voyage vers le passé, malgré toute la bonne volonté de l'homme, ne pouvait se solder que par l'échec.

Tous ces romans appartiennent à une tendance qui domine la production littéraire de cette période. Il s'agit des voix traditionnelles des romanciers, dont le représentant naturel est Yves Thériault, qui comptent plusieurs années de métier à leur crédit. Andrée Maillet, Charlotte Savary, Jean-Guy Pilon et François Hertel composent ce groupe d'écrivains recrutés pour assurer une crédibilité aux éditions du Jour et pour établir les bases de l'édifice.

D'autres auteurs moins connus rallieront ce groupe mais ces voix, pour être nouvelles, n'en pratiquent pas moins une littérature aussi traditionnelle que celle des aînés. Jean Tétreau, Claire Mondat, Roland Lorrain, Jean-Louis Gagnon et Marcel Godin proposent des œuvres qui ne font pas avancer la littérature. En fait, pendant cette période, c'est du côté de Parti pris qu'il faut regarder pour découvrir ces romans qui marquent une étape dans les lettres québécoises. C'est là en effet que sont publiés *Le Cabochon* d'André Major, *Le Cassé* de Jacques Renaud, *La Ville inhumaine* de Laurent Girouard et *La Nuit* de Jacques Ferron.

Néanmoins, la maison de Jacques Hébert n'est pas

fermée aux œuvres qui s'éloignent du conservatisme littéraire, puisque Jean Basile publie *La Jument des Mongols* avant même que Marie-Claire Blais ne cautionne cette nouvelle littérature avec le succès d'*Une saison...* Mais ce n'est qu'au début de la période qui constitue l'apogée du Jour que divers courants littéraires se manifesteront, car les jeunes écrivains qui font leurs débuts comme Jacques Benoit (1967), Michel Tremblay (1966), Jacques Poulin (1967), Hélène Ouvrard (1965), Jean-Claude Clari (1968) et Claire de Lamirande (1968) exercent une écriture qui ne s'éloigne pas beaucoup du modèle des aînés.

Ainsi, les deux tendances qui marquent la production littéraire, de 1961 à 1968, se trouvent-elles incarnées en deux représentants, Yves Thériault d'une part, et Marie-Claire Blais d'autre part. Parce qu'ils ont publié respectivement cinq et quatre œuvres dans cette période, parce qu'ils représentent une conception différente de l'écriture, parce qu'ils étaient auréolés d'une gloire acquise différemment mais également prestigieuse, ces deux écrivains de première importance résument la production du Jour. Il ne s'agit pas de les consacrer chefs de file d'un mouvement littéraire derrière lequel s'aligneraient les autres écrivains, mais d'en faire les figures dominantes d'une période marquée par deux courants littéraires.

L'importance de Thériault se trouve cependant diminuée par le fait qu'il n'est pas homme à s'attacher à un éditeur. Tout en publiant aux éditions du Jour, il a éparpillé plusieurs livres pour les jeunes mais aussi des romans solides comme *Les Temps du carcajou* et *Mahigan* dans d'autres maisons d'édition. De ce point de vue, sa présence au Jour est moins déterminante que celle de Victor-Lévy Beaulieu, par exemple, car Thériault n'a pas présidé aux destinées de la maison et n'a pas développé un sentiment d'appartenance exclusif.

Par contre, il s'est joint à la maison d'édition dès ses premières années et lui a apporté le prestige dont elle avait besoin pour se développer. De son côté, Thériault pouvait compter sur un éditeur intéressé à le garder dans son équipe de romanciers. Dans cet échange de bons procédés, il n'est pas dit que l'auteur a eu la meilleure part aux dépens de l'éditeur, quelle que soit la valeur relative de l'œuvre qu'il a laissée au Jour. L'un était déjà arrivé à maturité, l'autre venait à peine de naître.

***Dépistage de talents***

Si les débuts littéraires de la maison sont modestes, c'est que Jacques Hébert veut découvrir de jeunes auteurs plutôt que d'attirer chez lui des écrivains qui sont liés à d'autres éditeurs. Il mise sur de jeunes romanciers qui en sont à leur première œuvre d'imagination et ceux-ci constitueront plus tard l'image de marque des éditions du Jour. On conçoit l'importance du travail de dépistage de talents qui sera effectué par André Major, sorte de directeur littéraire avant la lettre. Plusieurs romans paraîtront parce que ce dernier les aura âprement défendus devant Jacques Hébert.

Dès l'automne 1961, ce jeune poète âgé d'à peine dix-neuf ans agit comme secrétaire particulier de Jacques Hébert et comme conseiller littéraire. André Major venait de soumettre un manuscrit à Hébert qui, un peu embarrassé d'avoir à le refuser, demande au jeune homme comment il vit. Comme celui-ci vit d'expédients, plutôt mal que bien, Hébert lui propose de remplacer sa secrétaire qui le quitte justement.

Le lundi suivant, Major occupe la pièce voisine, lisant ou corrigeant des manuscrits et des épreuves, répondant au courrier. Comme la situation financière de la maison est fort difficile à la fin du printemps 1962, Major n'y travaille plus que de façon sporadique, se contentant de lire des manuscrits et de rédiger les lettres destinées aux auteurs. Cette collaboration dure jusqu'à l'automne 1963, alors que Major quitte Hébert pour se joindre à l'équipe, composée d'André Brochu, Paul Chamberland, Pierre Maheu et Jean-Marc Piotte, qui fonde la revue *Parti pris.*

Son départ jette un froid dans ses rapports avec Jacques Hébert, car la nouvelle revue s'opposait à l'idéologie véhiculée par *Cité libre,* revue rivale dont le secrétaire à la rédaction était nul autre que Jacques Hébert. En 1968, les éditions du Jour fondent une collection ayant pour titre «Cahiers de Cité libre», qui assure en quelque sorte la continuité de la revue, dont la parution comme telle a cessé avec le n° 88-89 de juillet-août 1966. L'équipe de rédaction de la revue annonce dans ce dernier numéro qu'elle produira dorénavant, sur une base bimestrielle, des «Cahiers de Cité libre».

En 1965, André Major quitte la revue *Parti pris.* En fait, la rupture idéologique est survenue vers le milieu de 1964, mais le comité de rédaction essaie de la camoufler en conservant le nom de Major dans la liste des membres de l'équipe. Il reprend alors son ancienne fonction de lecteur conseiller aux éditions du Jour jusqu'en septembre 1974, à l'exception d'une période d'un an chevauchant 1970 et 1971 où il séjourne en France comme boursier du Conseil des Arts du Canada.

André Major demeure le seul lecteur de la maison jusqu'en 1968 outre, évidemment, Jacques Hébert. C'est lui qui a défendu *Jos Carbone* de Jacques Benoit, le premier roman de Pierre Turgeon, de Jean-Marie Poupart et de Jacques Poulin. Comme André Major occupe déjà un poste de chroniqueur au *Devoir* depuis 1967, il demande à Jacques Hébert d'alléger ses responsabilités. En s'éloignant quelque peu des opérations quotidiennes de la maison et du centre de décision, Major favorise la venue de nouveaux animateurs qui injecteront du sang neuf à la direction littéraire.

Il aura donc fallu sept ans avant que le travail de recrutement de jeunes auteurs porte ses fruits, amorçant ainsi une période qui marque l'apogée du Jour.

*Chapitre 3*

# *L'apogée (1968-1974)*

*Chapitre 3*

# *L'apogée (1968-1974)*

La période qui s'étend de 1968 à 1974 constitue l'âge d'or de la maison en raison de l'abondance de la production, de la participation des auteurs à la direction littéraire de l'entreprise, de l'importance de certaines œuvres et de l'émergence de nouveaux courants littéraires. La saison 1968-1969 est à l'image de cette période, car elle est marquée par une extraordinaire vitalité dans le roman.

Ainsi, de septembre 1968 à juillet 1969, dix-neuf œuvres s'ajoutent à la collection «Romanciers du Jour». Au cours de cette saison mémorable, la maison complète le recrutement des jeunes auteurs qui lui permettront de dominer la scène littéraire pendant plusieurs années et de devenir une véritable institution dans le domaine de l'édition au Québec.

Elle se termine de façon spectaculaire par le déménagement du Jour dans un nouvel édifice, situé au 1651, rue Saint-Denis. Pour souligner cet événement, Jacques Hébert lance cinq romans en cinq jours à compter du lundi 5 mai: *Antoine et sa montagne* d'Yves Thériault, *Le Fou de la reine* de Michèle Mailhot, *Floralie, où es-tu?* de Roch Carrier, *Que le diable emporte le titre* de Jean-Marie Poupart et *Race de monde!* de Victor-Lévy Beaulieu.

## *La direction littéraire*

La présence plus discrète d'André Major dans la direction littéraire de la maison ouvre la voie à Jean-Marie Poupart qui publie son premier roman, *Angoisse Play,* en septembre 1968. Dès le moment où il met les pieds aux éditions du Jour, Jacques Hébert se l'accapare en lui confiant toutes sortes de rôles inhérents à l'édition : lecteur de manuscrits, conseiller littéraire, correcteur d'épreuves, rédacteur de communiqués de presse, publicitaire. Il sera l'homme à tout faire jusqu'à l'arrivée de Victor-Lévy Beaulieu, en avril 1969.

Jean-Marie Poupart continue à lire des manuscrits et à fréquenter la maison d'édition, mais le véritable travail de directeur littéraire incombe alors à Beaulieu. C'est la première fois, d'ailleurs, que Jacques Hébert se dote d'un directeur littéraire, cette fonction n'ayant jamais existé auparavant dans la structure administrative de son entreprise.

Victor-Lévy Beaulieu aboutit aux éditions du Jour en raison des difficultés financières des éditions Estérel qui cessent d'ailleurs leurs activités au printemps 1969. Il y avait publié son premier roman, *Mémoires d'outre-tonneau,* et son deuxième avait été accepté. Voyant que son éditeur est sur le point de fermer boutique, il propose son manuscrit aux éditions du Jour qui le publient sous le titre de *Race de monde!*

La présence de Victor-Lévy Beaulieu aux éditions du Jour n'est pas étrangère à la venue de plusieurs auteurs qui avaient publié précédemment aux éditions Estérel. Mais le fait que Michel Beaulieu lui-même, qui avait fondé cette maison en 1965 et qui était très connu dans les cercles de poésie, se joigne au groupe des écrivains du Jour constitue un point tournant dans l'histoire de la maison d'édition de Jacques Hébert. Non seulement certains titres seront publiés sous sa recommandation expresse, mais sa présence aura un effet d'entraînement auprès des poètes de sa génération et de celle qui suit.

C'est ainsi qu'on y retrouve, outre Michel Beaulieu: Nicole Brossard, Claude Beausoleil, Michèle Lalonde, Roger Des Roches, Gilbert Langevin, Luc Racine, Germain Beauchamp, Louis Geoffroy, Jacques Bernier. Ils contribuent grandement à l'effervescence qui se manifeste dans le domaine de la poésie au Jour, jusqu'en 1974.

Personne, cependant, ne contestera que Victor-Lévy Beaulieu a marqué la maison d'édition comme directeur littéraire, tant par la durée de son mandat (de septembre 1969 au 29 octobre 1973) que par l'influence qu'il a exercée auprès des jeunes auteurs et de Jacques Hébert lui-même. En analysant la production littéraire de ces quatre années, titre par titre, aucune autre période n'offre une aussi constante qualité littéraire sur le plan de la recherche de nouvelles formes d'écriture et du renouvellement des thèmes.

Pendant le «règne» de Beaulieu, la maison est devenue le lieu où tout jeune écrivain débutant aspire à être publié, honneur insigne qui remplace pour ces auteurs la consécration qu'apportait la publication d'un premier livre en France, au début des années 60.

Plusieurs réaliseront cette ambition. Pierre Turgeon publie ainsi son premier roman, *Faire sa mort comme faire l'amour,* en mars 1969. Ce livre, qui se présente comme une entreprise de liquidation du déterminisme de l'hérédité et du milieu familial, entretient tant de ressemblance avec *Mon fils pourtant heureux...* qu'il fait de Turgeon le fils spirituel de Jean Simard. Quelques semaines plus tard, Paul Villeneuve, sur qui on fonde de grands espoirs, signe *J'ai mon voyage!*

Même si les jeunes auteurs récemment découverts et quelques aînés (Jacques Ferron, Gérard Bessette, Marie-Claire Blais) assurent la majeure partie de la production romanesque dès 1969, la maison cherche toujours à mettre en valeur de jeunes talents prometteurs. Ainsi, quelques nouveaux noms (Marc Doré, Emmanuel Cocke, Michel Clément, Yvon Paré, Pierre Billon, André Brochu, André Carpentier) tentent de s'imposer, mais ils souffrent de la comparaison qu'établissent forcément les commentateurs littéraires entre eux et les jeunes turcs de la maison. Pour diverses raisons, ces auteurs auront une carrière éphémère, à l'exception d'André Carpentier qui bâtit petit à petit une œuvre intéressante en fantastique urbain.

En fait, Gilbert LaRocque est l'un des derniers à faire une entrée remarquée en littérature lorsque paraît *Le Nombril* en mai 1970, car Louis-Philippe Hébert avait déjà publié deux œuvres dans d'autres collections du Jour avant que *Récits des temps ordinaires* ne soit édité en 1972 dans la prestigieuse collection «Romanciers du Jour».

Bon an, mal an, le rythme des publications se maintient et la saison littéraire 1973-1974 s'annonce aussi riche de promesses que les précédentes. Bruno Samson lance la rentrée littéraire avec *L'Amer noir.* Le roman de cet instituteur retraité, dont la prose verbeuse et incantatoire avait créé une impression favorable sur Victor-Lévy Beaulieu, déclenche un petit scandale dans le milieu littéraire. *L'Amer noir* est constitué d'un collage incohérent d'idées qui ne parvient pas à masquer l'aspect frauduleux de l'entreprise, soit le pillage d'œuvres des meilleurs romanciers français. La fumisterie de Samson est d'ailleurs démasquée par un critique littéraire au *Courrier de Saint-Hyacinthe,* qui relève une série de phrases empruntées à l'œuvre de Camus, de Flaubert et de Céline.

Les romanciers québécois n'échappent pas à cette spoliation. Bruno Samson a réussi une manière de tour de force, soit «écrire» un roman qui soit à la fois du mauvais Ferron, du mauvais VLB et du mauvais Ducharme. Dès qu'il est mis au courant de ce plagiat, Jacques Hébert expulse ce scribouillard de son écurie, pour s'être rendu coupable de ce manquement grave à l'éthique professionnelle. Ce petit maître illusionnera Beaulieu pendant encore un certain temps puisqu'il publiera *Une histoire sans nom* aux éditions de l'Aurore. Mais depuis, qui en parle encore? Les cinq autres romans supposément en préparation en 1975 peuvent toujours attendre un éditeur naïf ou ignorant.

Cependant, l'événement retentissant de cette saison littéraire à peine amorcée est la décision prise par Victor-Lévy Beaulieu de quitter les éditions du Jour en claquant la porte. La production ne souffre pas du départ de Beaulieu, sans doute parce que le choix des diverses parutions avait déjà été effectué par lui-même, mais cette démission forcera les romanciers du Jour à s'interroger sur leur engagement politique et à remettre en question leur rôle social.

A quelques exceptions près, la saison littéraire 1973-1974 mise sur les œuvres d'auteurs maison: Marie-Claire Blais, Roch Carrier, Jean-Marie Poupart, Claire de Lamirande, etc. Les nouvelles figures sont Marie-Christine Deyglun, qui poursuit un dialogue au-delà de la mort avec son mari Serge Deyglun dans *Juste à côté d'elle,* et Pierre-A. Larocque, qui, dans *Ruines,* mène une recherche sur l'atmosphère proche de la démarche de l'Eskabel, groupe théâtral avant-gardiste dont il est un des membres. Quant à Yves Dupré, s'il en est à son premier roman avec *Chélée ou la Passion selon Sainte-Catherine,* sa présence s'explique du fait qu'il est devenu directeur littéraire à la suite de Victor-Lévy Beaulieu, soit à compter du 4 janvier 1974.

Jacques Hébert l'avait choisi parce qu'il n'appartenait pas au milieu littéraire. En fait, il semble que la tâche de Dupré, qui avait une formation en marketing et en administration, consistait plus à mettre de l'ordre dans l'organisation de la maison et à produire un plan de relance de l'entreprise qu'à se prononcer sur le choix des manuscrits susceptibles d'être publiés. Les éditions du Jour comptent alors sur plusieurs lecteurs: Michel Beaulieu, Jean-Marie Poupart, André Major, Michèle Mailhot et André Bastien.

Du moins, c'est ce qui se dégage d'un rapport écrit par Dupré, quatre mois après son entrée en fonction aux éditions du Jour. Dans ce document confidentiel, il met en lumière les carences de l'administration et propose un plan de redressement. L'auteur décèle une «guerre froide» entre les messageries du Jour et les éditions du Jour, confirmant les propos de Jacques Hébert dans un rapport accablant remis à la Fédération des caisses d'économie du Québec, alors actionnaire de la compagnie, au moment de sa démission.

Yves Dupré conclut que «le groupe de compagnies a besoin d'un nouveau souffle de dynamisme. L'instauration des systèmes de planification, de contrôle et de gestion y contribuera sûrement mais ne sera véritablement efficace que dans la mesure où nous serons capables d'innover et d'encadrer chacune de nos actions par des programmes appropriés. Il m'apparaît urgent que l'on s'engage sérieusement dans cette direction.» Ce rapport, qui abonde en vœux pieux et démontre une certaine naïveté de la part de son auteur, n'avait pas impressionné Jacques Hébert.

### *La sortie de Beaulieu*

Le départ fracassant de Victor-Lévy Beaulieu survient au lendemain des élections du 29 octobre 1973 qui devaient reporter Robert Bourassa et les libéraux au pouvoir avec une majorité écrasante de sièges. A sa façon coutumière, Beaulieu se sert des journaux pour expliquer les raisons qui ont motivé son geste.

Jacques Thériault, dans un article du *Devoir* du 31

octobre 1973, rapporte les propos du démissionnaire:

> Victor-Lévy Beaulieu, directeur fondateur de la collection québécoise aux éditions du Jour et l'un des romanciers importants de cette maison, a démissionné hier de son poste afin de dénoncer la «collusion» de l'éditeur Jacques Hébert avec le Parti libéral, a-t-il dit.
>
> Considérant que les écrivains québécois publiés au Jour constituaient tout au plus une façon «de donner bonne conscience à son directeur», Victor-Lévy Beaulieu a pris la décision de fonder une nouvelle maison d'édition dans les plus brefs délais et de retirer deux de ses manuscrits qui étaient en voie de publication: *Don Quichotte de la Démanche,* un roman et *Nos misérables,* un essai sur ce qu'il appelle «la petite littérature québécoise».
>
> «J'ai démissionné à la suite de l'élection, réalisant qu'il ne fallait plus composer avec les fédéralistes, a-t-il déclaré. Si on ne peut plus avoir de maisons d'édition québécoises dirigées par des Québécois, moi je décroche. Et j'ai l'intention de ne plus jamais publier un seul livre au Jour. Maintenant qu'il n'y a plus d'opposition en chambre, il faut la faire ailleurs.»
>
> Précisant qu'il avait la ferme intention de convaincre ses confrères de ne plus publier aux éditions du Jour, puis de les réunir dans le but de fonder une maison d'édition vraiment québécoise, Beaulieu dénonce avec virulence le caractère «propagandiste» de plusieurs ouvrages publiés par Jacques Hébert.
>
> «D'un côté, dit-il, on publie des œuvres québécoises pour se donner une façade, puis parce que ça rapporte évidemment; de l'autre, on lance des ouvrages comme *La Baie James.* C'est de la propagande déguisée et à plus forte raison lorsqu'on sait

que les tirages sont achetés par les partis politiques concernés.»

Au cours de l'entretien qu'il nous a accordé, Beaulieu s'en est pris également à l'aspect «colonialiste» de l'entente que les éditions du Jour ont signée avec l'éditeur français Robert Laffont.

«Le problème est sensiblement le même, souligne-t-il. C'est une entourloupette commerciale, c'est du colonialisme. Pour quelque quarante coéditions par année de livres français qui se vendent très cher chez nous, on publie à peine deux ou trois auteurs québécois en France, chez Laffont. Là aussi, je décroche.»

Et d'ajouter encore: «Je viens de recevoir une copie de mon roman *Les Grands-pères* qui a été récemment réédité par Laffont. Sur un bandeau entourant le livre, on lit la phrase suivante: 'Public: amateurs de récits ruraux'. Eh bien, j'ai sauté au plafond!»

Cette réaction d'indignation n'a pas tardé, d'ailleurs, à se manifester chez quelques-uns des écrivains du Jour, note Beaulieu.

André Major entre autres, dont on devait publier très prochainement *L'Epouvantail,* déclare: «J'ai la ferme intention de retirer mon manuscrit. Je veux qu'on cesse de se donner bonne conscience sur notre dos. Il faut se radicaliser... pratiquement revenir à l'époque de *Parti pris.* Il faut reprendre cet élan puisque les gens ont décidé de revenir en arrière. On a fini de nous sous-étiqueter: on ne peut plus être dupes.»

Mais certains préfèrent pour le moment éviter de se prononcer définitivement sur cette question.

Pierre Turgeon, par exemple, dont la publication

de *Prochainement sur cet écran,* est imminente, nous a fait la déclaration suivante: «Etant donné que mon roman est à l'étape finale, et comme il porte sur la situation actuelle au Québec, il est important qu'il soit publié maintenant. Et je me fous de savoir si l'éditeur est fédéraliste ou non. A choisir entre être publié ou de ne pas l'être, je choisis d'être publié et d'exister en tant qu'écrivain. Autrement, c'est suicidaire. Mais je suis tout à fait d'accord pour fonder une maison d'édition avec des écrivains québécois, si la politique de base est viable. A ce moment, je me retirerais des éditions du Jour.»

Apprenant la démission de Victor-Lévy Beaulieu, Jacques Hébert émet un communiqué de presse pour commenter cette décision.

> C'est avec beaucoup de peine que je viens d'apprendre la démission de mon collaborateur Victor-Lévy Beaulieu, directeur littéraire aux éditions du Jour. Au cours des dernières années, il a été un collaborateur précieux et un excellent camarade de travail. En dépit de son geste, qui me semble mal inspiré, je lui conserverai toute mon amitié et, bien sûr, toute mon admiration pour son talent d'écrivain. Si vraiment les éditions du Jour perdaient aussi Victor-Lévy Beaulieu comme auteur, elles perdraient un des meilleurs écrivains qu'a produit le Québec jusqu'à ce jour.
>
> Comme bien des jeunes écrivains d'ici, Victor-Lévy Beaulieu est un militant de l'indépendance, option que je respecte sincèrement. Je comprends donc sa profonde déception devant le résultat des élections du 29 octobre. Ce que je comprends mal, c'est qu'il fasse porter sa colère sur moi et sur la maison d'édition à laquelle il avait jusqu'ici donné le meilleur de lui-même. Bien sûr, je suis fédéraliste,

mais les éditions du Jour ne le sont pas. Elles ont même le rare mérite d'avoir ouvert largement leurs portes à toutes les options politiques de notre milieu. Au cours des années, nous avons publié les ouvrages de tous les partis politiques sans exception. Entre *Pourquoi je suis séparatiste* de Marcel Chaput et *La Baie James* de Robert Bourassa, il y a eu des ouvrages de Pierre Trudeau, Camille Laurin, Jean-Guy Cardinal, etc. Jusqu'à récemment, on pouvait voir dans le bureau de Victor-Lévy Beaulieu un placard publicitaire annonçant le 90e mille exemplaire du programme du Parti québécois, publié par les éditions du Jour lors des élections de 1970.

Il suffirait de consulter n'importe lequel de nos jeunes romanciers ou de nos jeunes poètes, dont plusieurs sont d'ardents indépendantistes, pour savoir que jamais une ligne de leurs œuvres n'a été censurée pour des raisons politiques. Et il faut lire leurs livres pour comprendre qu'il s'y trouvait souvent «matière à faire frémir un fédéraliste».

Enfin, je regrette que Victor-Lévy Beaulieu ait pris à partie l'éditeur Robert Laffont, sans doute le plus profondément québécois des éditeurs français. Depuis un an, il a lancé en France cinq romanciers québécois, dont Victor-Lévy Beaulieu, et il en publiera d'autres encore en 1974. Presque toujours, il s'agit pour Laffont d'un acte de foi dans notre littérature mais aussi d'une opération commerciale non-rentable. Par contre, quand les éditions du Jour décident de publier un livre de Laffont en coédition, c'est que nous jugeons l'opération rentable.

Je souhaite à Victor-Lévy Beaulieu tout le succès possible dans l'entreprise d'édition qu'il se propose de lancer. Ayant vécu de l'intérieur la belle aventure des éditions du Jour, il sait mieux que quiconque les misères de ce métier qui, au Québec, est avant tout une sorte d'apostolat.

Quant aux auteurs du Jour, ils regretteront le départ de Victor-Lévy Beaulieu autant que moi, mais ils continueront de se sentir chez eux dans cette maison de la rue Saint-Denis qui n'existe que pour eux.

Avec le recul, la démission de Beaulieu paraît avoir eu plus d'échos que de suites. Les romanciers attachés à la maison demeurent fidèles à Jacques Hébert. Leur position s'exprime en quelque sorte dans une lettre ouverte d'Hélène Ouvrard reproduite dans *le Devoir* du 17 novembre 1973. Elle fait le point sur la démission de Beaulieu et sur les questions d'engagement et de conscience qu'elle pose aux intellectuels québécois.

Les éditions du Jour viennent de publier leur centième roman et le hasard a voulu que ce centième roman soit le troisième que j'y publie. Je considère cette coïncidence comme un honneur car peu de maisons d'édition ont poussé aussi loin leur apport à la littérature québécoise. Cette situation me confère un «devoir de parole» vis-à-vis un événement qui conteste en quelque sorte l'engagement des éditions du Jour: la récente démission de Victor-Lévy Beaulieu de son poste de directeur littéraire de la maison, pour des raisons d'ordre politique.

Je dirai tout d'abord que ce geste démontre, de la part de son auteur, un courage certain et qu'il a une valeur exemplaire incontestable. Il faut périodiquement de tels gestes, téméraires et provocateurs, pour faire avancer l'idée d'indépendance, ne serait-ce que parce que, avant même d'engendrer l'action, ils provoquent la réflexion.

Ce qui s'est produit chez moi est sans doute arrivé à beaucoup d'autres écrivains: la démission fracassante de V.-L. Beaulieu a heurté de front ma conscience indépendantiste et l'a forcée à l'examen. Conscience qui s'interroge vivement, d'ailleurs, chaque fois que revient sur le tapis la question de nos rapports avec les pouvoirs fédéralistes: devrions-nous démissionner en bloc de Radio-Canada, de l'ONF, (qui donc resterait-il dans nos sociétés d'Etat?), du CN, du CP, du Devoir (!), refuser de payer nos impôts et retourner nos chèques d'allocation? J'en doute. Comme le faisait remarquer Roch Carrier, le Québécois est prompt à démissionner. Cela fait partie de son caractère idéaliste et... indépendant. Mais qui le remplacera aux postes clefs qu'il occupe? De même, si nous refusons tout argent fédéraliste (nos taxes et nos impôts qui nous reviennent sous une autre forme) comment pourrons-nous agir?

Au départ, il n'est pas à notre avantage de dire: «Fédéraliste, je ne boirai pas de ton vin.» Simple question de bon sens. Même dans un Québec séparé, il faudra transiger avec des pouvoirs étrangers.

Les éditions du Jour présentent actuellement l'image d'une maison d'édition aux tendances pluralistes: de Chaput et Lévesque à Bourassa et Trudeau, des recettes de sœur Berthe aux *Grands-pères* de V.-L. Beaulieu. Cette maison est dirigée par un patron fédéraliste qui se trouve plus minoritaire au sein de son personnel et des auteurs en grande partie indépendantistes qu'il publie, que la députation du PQ elle-même au sein du Parlement. Dans cette maison, aucun auteur n'a jamais été refusé ou forcé de changer une virgule à son texte en raison de son option politique. Tout ceci suppose de la part de ce patron un respect assez extraordinaire de la liberté d'expression!

J'ignore si, du simple point de vue de la stratégie politique, la radicalisation des positions est souhaitable. L'attitude du PQ, en tout cas, ne semble pas incliner dans ce sens. Or, c'est précisément ce que veut V.-L. Beaulieu: forcer les éditions du Jour à se déclarer fédéralistes en les privant de l'aspect culturel qui, actuellement, leur servirait de couverture. Je me demande ce que nous gagnerions à ce que les éditions du Jour changent leur fusil d'épaule et je doute que l'assertion de base (aspect culturel égale couverture) soit fondée dans leur cas, même si elle semble bien l'être dans le cas du gouvernement Bourassa. Cela revient à poser la question: les éditions du Jour publient-elles les auteurs québécois par opportunisme ou par suite d'un engagement valable envers notre littérature?

Or, si je retourne en arrière, je constate que les éditions du Jour ont donné à cette littérature l'essor qu'empêchaient les maisons éteignoirs qui ont été ses prédécesseurs dans le monde de l'édition. Quelques années à peine avant la publication de mon premier roman, la question que se posaient les jeunes écrivains et qui en paralysait plusieurs était celle-ci: où publier? Pour peu que nous affichions une pensée libre ou un esprit avant-gardiste, nous pouvions être sûrs qu'aucune des maisons existantes ne risquerait sa réputation et sa clientèle pour nous. Ceux qui étaient le plus d'attaque passaient par-dessus l'obstacle en disant, non sans snobisme: «Moi, je publierai en France.» Ce qui était le plus sûr moyen de ne jamais rejoindre ceux pour lesquels déjà nous écrivions: les Québécois. En publiant en très grand nombre les jeunes auteurs québécois, les éditions du Jour ont permis un déblocage sans précédent, le déblocage de notre littérature. Cela, je crois que nous le devons à Jacques Hébert lui-même, à sa passion pour la littérature du Québec, à sa passion pour la liberté. Pour le respect qu'elles ont de leur engagement et de la liberté d'expression, les éditions du Jour méritent à leur tour notre respect.

Cependant, la démission de V.-L. Beaulieu — démission qu'il n'a pas remise sans déchirement, semble-t-il — et la prise de position qu'elle implique, mettent à jour un problème non moins crucial que ne l'était autrefois celui d'être publié, le problème de l'engagement collectif des écrivains du Québec — qui se défendent par ailleurs fort bien à titre individuel. Evoluant par mon travail dans d'autres milieux artistiques que celui de la littérature, je suis forcée de constater que le milieu littéraire est sans doute le moins structuré de tous. C'est pourtant celui qui, comme dans d'autres pays du monde, serait le plus apte à exprimer notre conscience nationale. Je regrette que nous ne soyons pas représentés collectivement par une association courageuse, écoutée, respectée. Sans doute n'avons-nous pas encore la maturité nécessaire pour nous la donner. A défaut toutefois de cette représentation globale, des groupes ont, tour à tour, assumé ce rôle avec courage et dignité: L'Hexagone, Parti pris. Victor-Lévy Beaulieu a vu juste et je crois moi aussi qu'il y a place maintenant, à cause du résultat des élections qui bafoue notre plus élémentaire sens de la justice et nous fait douter plus que jamais que la démocratie au Québec existe encore ailleurs que dans le PQ, pour une nouvelle maison d'édition politiquement engagée. Cependant, son action, en soi positive, n'avait pas besoin d'un point de départ négatif. Je ne puis personnellement endosser aucun des reproches qui ont été faits aux éditions du Jour.

### *Emergence de nouveaux courants*

La période de l'apogée du Jour se distingue de la période précédente par l'émergence de nouveaux courants littéraires: le «nouveau» roman, le roman nationaliste, le roman formaliste et le roman féministe. Les tendances notées antérieurement continuent cependant de s'exprimer, ce qui donne lieu à un formidable foisonnement des genres. Ainsi, le roman populaire et le roman psychologique revitalisent ces œuvres plus traditionnelles, qui assurent une continuité entre ces deux périodes.

### *Le «nouveau» roman québécois*

Le premier roman qui appartient à la tendance du «nouveau» roman québécois, marquée par le désir de provoquer et de choquer, est publié en 1968. *Angoisse Play* de Jean-Marie Poupart bouleverse les données du roman traditionnel. L'auteur conteste le récit linéaire et l'analyse psychologique des personnages. Son livre constitue une interrogation sur l'écriture et la littérature, préfigurant ainsi l'avènement, quelques années plus tard, du roman formaliste.

Dans l'esprit de Poupart, l'écriture doit rendre compte de la réalité, saisir la vie. Or, Poupart ne peut se résoudre à utiliser un style réfléchi et travaillé pour traduire la spontanéité, qui est l'essence de la vie. Ainsi, selon l'auteur, le style éminemment poli et raffiné de Flaubert, par exemple, présente un divorce entre l'écriture et la vie, entre la façon de dire les choses et les choses elles-mêmes.

Poupart condamne aussi la psychologie des personnages, parce que cette science vise à définir, à connaître et, par là, à limiter l'homme. Cette prise de position s'oppose à la conception de l'écriture chez Marie-Claire Blais, dont les personnages s'analysent beaucoup et s'explorent à la lumière de leurs actes. Mais tout en dénonçant cette introspection de l'homme, Poupart tombe dans le paradoxe, puisqu'il truffe son récit d'aphorismes dignes de La Rochefoucauld.

Le projet de l'auteur apparaît finalement très idéaliste, car sa conception de l'écriture marginalise son œuvre. Poupart associe volontiers imperméabilité et profondeur pour justifier l'hermétisme de son œuvre. Malgré tout, on peut se demander s'il n'a pas quelque peu dérogé à sa doctrine littéraire. Le roman constitue-t-il le premier jet de son imagination, ou est-il le résultat d'un manuscrit retravaillé? Quoiqu'il en soit, dans la dernière page de *Angoisse Play,* Jean-Marie Poupart anticipe les difficultés auxquelles se bute le lecteur et l'ampleur de son utopie littéraire.

Aussi, dans *Que le diable emporte le titre* qui paraît neuf mois seulement après son premier roman, Poupart tente de faire l'éducation du lecteur en s'adressant régulièrement à lui pour qu'il comprenne bien sa démarche et le but premier de son projet littéraire. Il place ici et là des clés qui aident à la compréhension des personnages, afin que l'attention du lecteur ne soit pas monopolisée par leurs caractères, car l'essentiel du roman doit demeurer l'écriture contestée par l'émotion.

Dans un même temps, l'auteur constate que l'écriture peut s'avérer futile mais qu'il ne peut employer d'autres moyens de rejoindre le monde. Cela explique son engagement qui s'exprime par une écriture rompant avec toute forme établie. Cependant, la dernière intervention de l'auteur est visionnaire. Cessera-t-il d'écrire dans cette forme qui mène à une impasse? Poupart rêve à l'efficacité qu'il ne peut atteindre. La fin de ce roman annonce, en fait, le silence de trois ans qui sépare le troisième roman, *Ma tite vache a mal aux pattes,* du quatrième.

Au cours de cette période, Poupart fait le point sur son entreprise romanesque, car *Ma tite vache...* n'a pas dissipé le malaise que ressent l'auteur, même s'il est devenu un maître de la prestidigitation. S'il ne se sert pas de l'outil désuet de la psychologie pour cerner ses personnages, il ne peut nier que ses aphorismes s'alimentent beaucoup à la source de la psychologie. C'est pour cette raison qu'il tente de les dévaloriser dans une mise en garde qui clôt le roman. Poupart, déchiré par cette contradiction, essaie de renier ce qu'il vient d'écrire, ces maximes qui en fait un Chamfort contre son gré.

Aussi n'est-il pas étonnant que *Chère Touffe, c'est plein plein de fautes dans ta lettre d'amour* marque une rupture avec les trois romans précédents. Cette œuvre constitue une tentative de renouveler le roman traditionnel sur son propre terrain en utilisant les recettes éprouvées, soit la psychologie des personnages, l'intrigue et l'alternance des temps forts et des temps faibles. Malgré la richesse de la relation amoureuse d'un couple de jeunes qui compose la trame narrative du roman, celui-ci abonde en longueurs et cache un vide immense.

*C'est pas donné à tout le monde d'avoir une belle mort,* le dernier roman de Poupart publié aux éditions du Jour, renoue avec la démarche initiale de l'auteur qui abandonne ici les balises qui orientaient le lecteur dans l'expérience personnelle et solitaire de la lecture. Le roman est marqué par un dépouillement de moyens et d'artifices, comme si l'auteur poussait l'expérience de la voie qu'il avait choisie d'explorer dans ses premiers romans jusqu'à ses limites extrêmes.

Ses œuvres ultérieures, parues aux éditions Leméac, consacrent la conversion de Poupart à une littérature plus traditionnelle. Même si ces romans conservent l'humour et la propension au canular propres à l'auteur, il n'ont plus rien dans leur structure qui rappelle le Jean-Marie Poupart première manière. L'écrivain y a gagné en audience, mais il a perdu cette image d'enfant terrible de la littérature québécoise qui était accolée à son nom à l'époque des éditions du Jour. L'entreprise poupartienne constituait un véritable happening littéraire qui sortait des sentiers battus et bouleversait les idées reçues.

C'est ce même esprit d'improvisation qui anime le roman d'André Carpentier, *Axel et Nicholas,* suivi de *Mémoires d'Axel.* Il apparaît comme un collage de poèmes, de citations tirées de romans, de partitions musicales, de notes biographiques d'artistes, de dessins. Carpentier a vraiment raison de parler de «roman puzzle»: cette œuvre multiforme participe de tous les genres et toutes les formes d'art. «Sans doute à suivre... car un jour je replacerai les morceaux autrement», conclut-il à la fin de son livre qui le situe entre Poupart, pour l'écriture, et Réjean Ducharme, pour la nature des rapports entre les personnages.

Une autre manifestation du «nouveau» roman a été prise en charge par Victor-Lévy Beaulieu. Chez ce romancier, le parti pris de la provocation se situe autant dans l'écriture que dans le choix des thèmes. Beaulieu utilise le calembour comme moteur principal d'un comique gros et croustillant dans *Race de monde!,* mais aussi comme forme de contestation du mot. L'auteur abandonnera peu à peu cette dislocation du mot dans les romans suivants et pratiquera plutôt une dislocation de la phrase qui se traduira par une absence de ponctuation.

Quant aux thèmes, celui de l'écriture s'impose tout naturellement, car plusieurs romans de Beaulieu mettent en scène un écrivain. *Race de monde!* oppose d'ailleurs deux types d'écrivains et deux conceptions différentes de l'écriture. Par la poésie, Steven peut sublimer les choses et les hommes, tandis que Bibi Gomm aboutit dans un cul-de-sac avec le genre romanesque. Bibi n'a d'ailleurs aucun respect pour l'écrivain. Sa violence s'exprime stérilement dans le sexe et la boisson, par opposition à celle de Steven qui trouve son accomplissement dans l'écriture.

Comme Victor-Lévy Beaulieu a choisi de centrer son œuvre autour du romancier dépravé ou de son avatar, comme Malcomm Hudd dans *La Nuitte...* et Joseph-David-Barthélémy Dupuis dans *Un rêve québécois,* les scènes de soûlerie, d'orgies sexuelles (homosexualité, bestialité, inceste, fétichisme), de violence et de délire verbal sont monnaie courante et font partie de la stratégie de l'auteur qui veut provoquer les bien pensants.

C'est sans doute *Jos Connaissant,* par son contenu, qui est le plus représentatif de tous les romans de Beaulieu publiés aux éditions du Jour, car il en fait la synthèse. Le personnage principal expose ici toute la philosophie du romancier, met à nu le ressort qui articule la création littéraire chez Beaulieu en posant le problème du souvenir et du passé. Jos considère qu'en évoquant le passé, on le déforme et on le modèle selon ce que nous sommes dans le moment présent.

Cela explique l'embarras et la confusion du lecteur face à l'œuvre de Beaulieu qui, à partir d'un même événement du passé, en tire plusieurs versions. On cherche alors à discerner la véritable version des faits, mais elle n'existe pas. Jamais Victor-Lévy Beaulieu n'avait expliqué aussi clairement jusque-là sa théorie: le passé est toujours dénaturé au niveau des émotions et des actes.

Quant au personnage lui-même de Jos, il est loin, à première vue, de composer une synthèse des autres héros. Jos poursuit une expérience de mysticisme et d'ascétisme qui s'oppose carrément à l'alcoolisme et à la perversion sexuelle des autres personnages. Cet anachorète des temps modernes se fait fort d'avoir une conscience universelle du monde. Il veut mettre un cran d'arrêt à la décomposition du monde et il s'est donné pour mission de veiller la nuit afin de faire échec à l'Apocalypse.

C'est la première fois dans l'œuvre de Beaulieu que se manifeste une conscience qui ne soit pas strictement individuelle. L'influence de Jacques Ferron commence à opérer sur l'œuvre de Beaulieu à tel point que dans *Oh Miami Miami Miami,* le romancier tombe dans le piège de l'admiration béate qu'il porte à l'œuvre de Ferron en le pastichant et en lui empruntant ses thèmes favoris.

Cependant, si l'itinéraire personnel de Jos diffère de celui des autres héros, il aboutit finalement dans la même impasse. Il s'est rendu compte que la voie contemplative est trop imparfaite pour le satisfaire, car la lucidité qu'elle suppose ouvre la porte à l'obsession même de la décomposition du monde. Pour y échapper, Jos choisit l'oubli et la folie qui s'exprime par la simulation. Jos jouera le personnage de Paquet Pollus avec une telle conviction qu'il va non seulement mystifier les autres, mais endosser l'identité de son nouveau personnage. La folie de Paquet Pollus rejoint ainsi celle de Malcomm Hudd et de Dupuis.

*Les Grands-pères* et *Un rêve québécois* représentent les deux meilleurs romans de Beaulieu dans sa production au Jour. L'auteur y développe plus en profondeur les thèmes du souvenir, de l'enfance et de l'aliénation. En même temps, le thème du pays se précise de plus en plus pour devenir très important dans *Oh Miami Miami Miami,* à tel point que ce roman entretient des liens étroits avec le courant nationaliste, une des tendances qui s'expriment avec vigueur au Jour à cette époque par la voix de Jacques Ferron.

Pour Abel Beauchemin, le pays représente le temps, univers de l'imaginaire et du vécu indissociables, et quand ce temps s'appelle passé, il fait appel nécessairement à la mémoire. Par contre, chez Ferron, le pays représente le temps et l'espace, car c'est grâce au temps de l'enfance retrouvé, grâce à la mémoire que peut se réaliser l'accomplissement d'une conscience collective. Il en résulte la possibilité de l'établissement du pays dans un espace donné, en l'occurrence le Québec.

Si la notion de pays chez Beaulieu n'a pas ce prolongement historique comme chez Ferron, le thème de la mémoire représente cependant un même point de départ à partir duquel s'élaborent différemment deux œuvres très importantes de notre littérature. Victor-Lévy Beaulieu ne serait pas devenu le romancier qu'il est aujourd'hui s'il n'avait pas rencontré Jacques Ferron. Son œuvre s'est enrichie à son contact et sauf pour *Oh Miami...* où l'auteur perd toute distance critique et aliène sa personnalité, elle fait preuve d'une originalité et d'une maturité qui le placent en tête des romanciers de sa génération.

Les éditions du Jour ont été un banc d'essai formidable pour V.-L. Beaulieu, mais ses œuvres ultérieures, quoique mieux maîtrisées, appartiennent au même vaste projet littéraire, qui est de définir la création romanesque, ses mécanismes et son but. Il faut se demander où le romancier puise le courage de se livrer régulièrement à une telle introspection. La démarche de Beaulieu m'a toujours fasciné parce que ses personnages sont excessivement pitoyables et tragiques. Ce sont des êtres continuellement brisés, véritables jouets de cette complicité qui existe entre le rêve et la réalité.

Il est assez étonnant qu'il répugne aujourd'hui à parler de cette période d'apprentissage riche en découvertes et stimulante pour l'esprit. Ce n'est là qu'un autre des mystères de Beaulieu qui a réussi, au cours des ans, à se brouiller avec tout le monde dans le milieu littéraire, même avec ceux qui étaient naguère ses meilleurs amis.

L'ouverture aux nouvelles formes d'écriture qui caractérise la seconde période des éditions du Jour se trouve confirmée par la parution du *Cycle* de Gérard

Bessette. Que *L'Incubation* ait été publié chez Déom en 1965 et non au Jour indique assez clairement que la première période n'offrait pas une telle ouverture. *L'Incubation* marquait en effet une rupture très importante par rapport à l'œuvre antérieure de Bessette puisque l'écrivain y pratiquait une forme de «nouveau» roman.

*Le Cycle* participe du même courant littéraire. L'auteur emploie à maintes reprises la parenthèse pour glisser des commentaires et il n'hésite pas à laisser une phrase en plan pour introduire spontanément une autre idée. Tout fonctionne comme si l'auteur se livrait à une libre association d'idées sur le divan du psychanalyste. Les réflexions n'étant jamais systématiquement ordonnées, cette façon d'écrire épouse bien plus fidèlement le déroulement d'un monologue intérieur que ne le ferait une phrase soigneusement construite et rigoureusement équilibrée. Cette conception de l'écriture n'est pas sans rappeler celle que Jean-Marie Poupart exposait dans ses premiers romans.

*Le Cycle* est une œuvre forte et souligne l'intelligence et la maîtrise de l'écrivain. Chacun des sept monologues intérieurs introduit une vision différente de la société et de la vie, tout en conservant son unité de ton au roman. Jacot, Gaétane, Vitaline, Julien, Berthe, Roch et Anita sont autant de points multipliables sur un cercle dont le centre est le chef de tribu décédé, Norbert-Onésime Barré. Cette image de la prostration et du repliement sur soi autour d'un cercueil serait-elle une représentation du Québec d'alors? Le dépouille mortelle de Norbert-Onésime n'est-elle pas plutôt le symbole d'un Québec révolu?

Le regard que Bessette pose sur la société québécoise n'a rien de complaisant. Il tient cette lucidité du fait qu'il a longtemps analysé les choses de l'extérieur, avec un certain recul, en raison de son exil volontaire à Kingston. Cette indépendance d'esprit est d'ailleurs manifeste dans son roman autobiographique *Le Semestre.*

Si l'apport de Gérard Bessette aux éditions du Jour ne se mesurait qu'au seul roman qu'il y a publié, il ne serait pas suffisant, malgré la qualité de l'œuvre, pour le considérer comme un écrivain de premier plan. Mais il faut savoir qu'entre 1968 et 1973, il a aussi fait paraître deux essais, *Une littérature en ébullition* et *Trois romanciers québécois,* de même qu'une réédition de *Poèmes temporels.* Le premier titre a particulièrement fait sa marque et constitue encore aujourd'hui un document exceptionnel.

*Le Cycle* n'est donc pas le fruit d'une association passagère avec la maison de Jacques Hébert, comme en témoignent la publication des travaux de l'essayiste et sa participation active au Front des écrivains du Jour, dont il sera question plus loin. L'éloignement physique et son côté solitaire ne prédisposaient pas Gérard Bessette à participer aux activités hebdomadaires de la maison, mais sa réputation enviable de romancier et d'essayiste ajoutait au prestige des éditions du Jour.

C'est à cette époque, en outre, que remonte l'admiration mutuelle que se portent Gérard Bessette et Gilbert LaRocque. *Serge d'entre les morts,* le quatrième roman de LaRocque paru chez VLB Editeur en 1976, est un récit de la circularité, sans commencement ni fin, qui entretient plusieurs rapports avec *Le Cycle.* Sans doute est-ce pour cette raison que Bessette est fasciné par ce roman et qu'il le dissèque dans *Le Semestre.*

Les trois premiers romans de LaRocque, qui furent publiés aux éditions du Jour, ne diffèrent pas fondamentalement de *Serge d'entre les morts,* car les préoccupations et le style sont sensiblement les mêmes. *Après la boue* est le mieux réussi, en raison de la richesse du personnage principal. L'auteur délaisse ses «héros» précédents, représentants de la «normalité», et s'attache à une femme qui présente un cas de névrose sexuelle. Le roman s'apparente en quelque sorte à l'étude d'un cas clinique précis qu'éclairent les événements importants qui ont marqué l'existence de Gaby, une neurasthénique.

Ici et là dans le roman apparaissent les symptômes de la folie finale qui se traduisent notamment par la négation de toutes choses de la part de Gaby: refus de la maternité perçue comme une dépossession; négation de l'acte sexuel interprété comme un assaut du mâle; refus de l'égalité, puisque l'inégalité est une loi inhérente à la nature. Mais au fond, ce qu'elle recherche, comme les personnages des autres romans, c'est ce sentiment de vivre: «Sentir et savoir qu'on vit et pouvoir le vérifier à tout instant.» Gaby a ressenti pleinement son existence au seuil de la folie qu'elle a franchi, mais dont elle reviendra, sommes-nous en mesure de supposer à la fin du roman.

L'œuvre de Gilbert LaRocque s'apparente à celle de Victor-Lévy Beaulieu par l'utilisation de thèmes communs: la folie, la sexualité et la mort. Elle s'inscrit dans la même volonté de choquer, voire de scandaliser. L'auteur cultive aussi une certaine répugnance en se montrant très sensible aux odeurs, de telle sorte que ses descriptions sur le sujet confinent au naturalisme zolien.

Depuis qu'il a quitté les éditions du Jour, Gilbert LaRocque a réduit son rythme de production. Il s'est surtout concentré sur ses activités de directeur littéraire. Mais LaRocque est encore jeune et il pourrait devenir, avec les années, un auteur aussi important que son alter ego, Gérard Bessette.

Une autre variante du «nouveau» roman se manifeste dans les romans de Michel Beaulieu. Dans *Je tourne en rond mais c'est autour de toi,* l'auteur remet en question plusieurs règles romanesques concernant l'intrigue, la progression du récit et la construction syntaxique. Son propos s'éloigne de ces recettes éprouvées et prend plutôt la forme d'une longue mélopée lyrique et poétique sur l'amour et sur la séparation de deux êtres qui vivent l'un pour l'autre.

Comme le narrateur ne s'astreint à aucune rigueur dans ses réflexions, tout ce qu'il évoque se décompose quelques instants plus tard. De la même façon, le livre se construit et se défait continuellement; les phrases s'annihilent tout comme les souvenirs se contredisent sans cesse. L'auteur ayant voulu accorder la forme au fond, il en résulte un nombre considérable de répétitions qui finissent par agacer. La composition de la phrase témoigne de cette immobilité, de cette stagnation: la phrase se recroqueville sur elle-même, se dénie et se dynamite constamment.

Le roman-colimaçon de Beaulieu est l'un de ceux qui s'apparentent le plus à l'improvisation, avec les défauts ou excès que cela comporte. *Je tourne*... se révèle finalement un exercice futile d'écriture en raison de l'absence de surprises dans le récit, d'un manque de rigueur dans la construction, d'un abus de la répétition.

Les mêmes préoccupations, soit le temps et l'amour, traversent l'œuvre romanesque de Michel Beaulieu. Dans *La Représentation,* elles atteignent une densité remarquable car elles débordent l'expérience amoureuse personnelle pour s'ouvrir à l'ensemble du genre humain. L'auteur se tourne vers la société de l'avenir qui consacrera l'emploi des ordinateurs et minimisera la pratique des sciences humaines. Le poète se révolte à l'idée que les ordinateurs accoupleront l'homme et la femme sans tenir compte des sentiments et des émotions. Cette perspective explique, jusqu'à un certain point, le désir effréné d'expériences, d'aventures affectives et sexuelles que connaît présentement la société. L'époque actuelle pourrait bien en effet sonner le glas de l'apprentissage des techniques d'approche amoureuse qui font appel à l'intuition et à l'expérience.

La nouveauté la plus étonnante de ce roman a trait à un procédé d'écriture qui permet à l'auteur de mettre en parallèle le discours intarissable du narrateur et les pensées intérieures du jeune homme à qui il s'adresse. Ce récit, en partie écrit à la deuxième personne du singulier, maintient un rythme vivant et dynamique. Dans ce qui est ni plus ni moins qu'une interpellation adressée au lecteur en plein milieu de l'œuvre, l'auteur définit son écriture comme «un langage écrit qui ressemble à un langage parlé idéal».

Cette définition ne s'applique pas entièrement au langage qu'il emploie dans *Sylvie Stone*. Le mouvement de la phrase, qui se distingue par une organisation pénible des éléments syntaxiques, par des séquences très longues sans ponctuation, par un abandon systématique des poncifs de l'esthétique, emprunte effectivement sa dynamique interne au langage parlé. Cependant, le vocabulaire utilisé par Beaulieu, la démesure même de la phrase et le lyrisme amoureux rapprochent ces romans de la poésie.

Michel Beaulieu ne s'embarrasse pas des cloisonnements qui existent entre les différents genres littéraires comme le prouve sa «devise»: écrivain, un point c'est tout. Ce décloisonnement est facilité chez lui par une écriture qui se trouve à mi-chemin entre la fluidité du langage poétique et la rationalité du langage romanesque. Beaulieu réussit à peu près toujours à concilier ces deux pôles stylistiques.

Il est significatif que l'œuvre romanesque complète de Michel Beaulieu ait été éditée au Jour. L'auteur affirme qu'il a découvert le roman bien avant la poésie, mais qu'il ne l'a pas pratiqué plus tôt parce qu'il croyait que le roman était un exercice de la maturité. Il est probable toutefois que les échanges qu'il a eus avec les romanciers du Jour l'ont incité inconsciemment à publier ses trois romans. Ces auteurs lui apportaient une vision différente du monde et de l'écriture. Leur fréquentation a enrichi son œuvre, beaucoup plus sans doute que la présence des poètes qu'il a contribué à amener aux éditions du Jour.

Yvon Paré, dans *Anna-Belle,* utilise aussi cette forme hybride qui tient à la fois du roman et du poème. Les thèmes qu'il aborde ressemblent à ceux de Michel Beaulieu: l'amour, la femme idéale, la société de consommation. L'échec de ce texte vient peut-être du fait que l'écrit, ici, ne peut prétendre encadrer et circonscrire le message qui tient surtout de l'oralité. *Anna-Belle* est un cri d'espoir en la vie et en la liberté. Idéalement, ce texte aurait dû être crié à la radio, en raison de sa spontanéité et, parfois, de sa gratuité.

La communication et l'expression poétique caractérisent également *Chélée ou la Passion selon Sainte-Catherine* d'Yves Dupré. La narrateur Raluzée fait figure de précurseur, alors qu'il se découvre une vocation de messager et d'annonciateur. Il compose une sorte de Christ transposé dans la société actuelle, aux prises avec des problèmes de communication pour livrer un message d'amour et de liberté, deux valeurs taxées d'anarchiques par les forces de répression.

L'échec total de Raluzée remet en cause les possibilités de la communication. «J'ai essayé de diffuser par tous les moyens possibles, mais l'homme n'écoute plus, n'entend plus.» Cette impasse renvoie nécessairement aux causes qui ont engendré cette situation, soit l'industrialisation et la mécanisation à outrance. L'itinéraire spirituel de Raluzée en fait le premier héros hippie de la littérature québécoise. Aussi, même s'il incarne une figure de Messie, il diffère grandement de ces représentations politiques qui ont fleuri dans les romans nationalistes de cette période.

### *Le courant nationaliste*

Le courant nationaliste qui s'exprime avec insistance et avec force aux éditions du Jour a pour principal ténor Jacques Ferron, le fondateur du Parti Rhinocéros. Ce n'est pas un hasard si le premier livre qu'il publie chez Jacques

Hébert, en 1969, s'intitule *Historiettes*. Cet auteur, qui fait partie de la génération des André Langevin, Gérard Bessette et Roger Lemelin, a contribué à doter les écrivains du Jour d'une conscience historique de la réalité québécoise.

Victor-Lévy Beaulieu le place au-dessus de tout dans la littérature québécoise et en fait son maître à penser. Jacques Ferron exerce alors une influence déterminante sur la maison, notamment dans le choix des titres de la collection «Bibliothèque québécoise». Les six volumes des *Relations des Jésuites* et les trois tomes des *Œuvres de Champlain* y furent notamment publiés.

L'influence littéraire de Ferron se trouve aussi confirmée par le livre que Jean Marcel lui consacre, *Jacques Ferron malgré lui,* dans la collection «Littérature du Jour», en 1970. Aucun autre écrivain québécois n'a fait l'objet d'un tel essai dans cette collection qui accueille, entre autres, des textes biographiques sur Victor Hugo et Jack Kerouac. Enfin, la parution du *Ciel de Québec,* roman de 400 pages qui comportait sa part de risque financier, prouve encore une fois l'importance que prit cet auteur pour la maison et le poids qu'il y avait.

Après avoir dépoussiéré le passé et les origines du peuple québécois dans *Historiettes,* exercice de réappropriation des événements décantés par le temps et exempts de la propagande dont l'histoire officielle est trop souvent le véhicule, Jacques Ferron entreprend de publier son chef-d'œuvre, *Le Ciel de Québec.* Jamais comme dans cette magnifique chronique des années 1937-1938 Ferron n'aura manié l'humour avec une telle vigueur, pourfendant les travers de la société, démontant avec une joyeuse lucidité les mythes de notre peuple et ceux des peuples irlandais et écossais. Il y reconstitue la mythologie du Québec afin de donner à son bien-aimé pays tous les moyens de nature à le faire naître de la mère-Histoire.

Au-delà d'une prise de position politique, la démarche de l'auteur traduit l'urgence de clarifier la situation du Québec, toujours au purgatoire des nations. Mais elle traduit encore plus la généreuse amitié de l'auteur qui vit au rythme de son pays. Plusieurs sujets sont abordés dans cette vaste fresque socio-politique, mais tous convergent vers une idée centrale: la rédemption du pays.

En annonçant à la fin de sa chronique qu'il donnera une suite à cette œuvre en écrivant *La Vie, la passion et la mort de Rédempteur Fauché,* l'auteur fait reposer sur les épaules de cet enfant charmant de trois ans le salut du peuple québécois. Plusieurs signes annoncent le destin particulier qui l'attend et en font une figure de Messie. Cette image du petit Rédempteur Fauché est certes la plus belle et la plus émouvante de ce récit, sinon de l'œuvre entière de Ferron, parce qu'elle incarne l'espoir du peuple québécois, mais elle symbolise aussi sa fragilité continuellement menacée. En effet, Aurèle, le chauffeur du cardinal de Québec, a failli écraser l'enfant avec la limousine du prélat.

*Le Ciel de Québec* présente aussi, de façon exemplaire, le cheminement intérieur du personnage principal, Frank-Anacharcis Scot, qui décide de sauter le mur écossais, de s'enquébécoiser et de franciser son prénom. La conversion définitive et totale de François ne s'effectuera toutefois qu'au cours de sa première nuit québécoise, lors de son initiation avec une putain. Cette image est capitale dans l'œuvre de Ferron, car c'est souvent la putain rédemptrice qui, d'une façon inconsciente, dote son client d'une conscience nationale. C'est au cours de l'acte sexuel que le héros a la révélation du rôle qu'il lui incombe de jouer dans la société, peut-être parce que cet acte représente une petite mort dont on renaît.

Assumant à la lettre le rôle de l'écrivain dans la société, Jacques Ferron sert ici de sage-femme au Québec, mais cet accouchement littéraire, pour ne pas rester vain et futile, doit être suivi d'un accouchement politique. Il a déjà indiqué qu'avec la prise de pouvoir par le Parti Québécois, il ne lui revenait plus de prendre la parole. S'il a rompu, au printemps 1981, ce silence qu'il s'était imposé depuis le milieu des années 70, on ne peut pas dire que *L'Exécution de Maski* suivi de *Rosaire,* parus chez VLB Editeur, diffèrent du discours qu'il tenait dans ses premiers romans publiés au Jour.

L'œuvre romanesque de Ferron est traversée par un thème capital, le pays, auquel viennent se greffer des thèmes secondaires, tels la nuit et l'enfance, qui aident à mieux cerner et approfondir le thème principal. La nuit apparaît comme un barrage à la mémoire, un empêchement à la conscience. Aussi, apprivoiser la nuit et la récupérer comme François Ménard, héros de *La Nuit,* publié aux éditions Parti pris en 1965, c'est récupérer sa mémoire, se développer une conscience et assumer son pays et son passé.

Cette prise de conscience, les personnages de Ferron la font de plus en plus à mesure que l'œuvre progresse. Alors que Cotnoir, personnage qui donne son nom à un livre paru initialement en 1962, l'entrevoit au moment de sa mort et que François Ménard retrouve son âme dans la quarantaine, Tinamer de Portanqueu, héroïne de *L'Amélanchier,* devient réceptive à son passé quand ses parents meurent. A vingt ans, elle saisit finalement l'importance du pays et de l'enfance.

La dialectique de la rédemption et du salut atteint son point culminant dans *Le Salut de l'Irlande.* CDA Haffigan se prolonge dans son fils cadet Connie, de même que Léon de Portanqueu dans sa fille Tinamer. La véritable prise de conscience n'est peut-être possible que par procuration, grâce à une progéniture. On se souviendra que Cotnoir et François Ménard n'ont pas d'enfant.

Peut-être est-ce la raison pour laquelle leur prise de conscience vient sur le tard?

A l'influence de CDA qui s'exerce sur le cheminement idéologique de Connie, s'ajoute celle du vieux frère Thadéus. Par ce personnage, l'auteur introduit le nationalisme religieux qui s'exprimait au Québec il n'y a pas si longtemps, car le clergé et les politiciens constituaient les deux vecteurs de la politique. L'amour du frère Marie-Victorin pour son pays laurentien peut d'ailleurs être considéré comme une forme de nationalisme. Le tort du frère Thadéus, son émule, c'est probablement de croire au maintien de l'état actuel du Québec, à sa survie, mais non pas à sa libération. La religion et le principe de l'existence de Dieu émoussent quelque peu le sentiment nationaliste clérical.

Après avoir dressé un parallèle entre la situation politique du Québec et celle de l'Irlande, Jacques Ferron utilise le même procédé pour aborder la question linguistique, dans *Les Roses sauvages*. Au Nouveau-Brunswick comme au Québec au début des années 70, le problème de la langue occupe le devant de la scène politique. C'est l'époque de *L'Acadie, l'Acadie,* des réalisateurs Pierre Perrault et Michel Brault. Jacques Ferron expose clairement son option en déclarant quelque part dans le roman: «Deux langues complètes ne peuvent se compléter et se nuisent quand elles occupent un même territoire.»

L'œuvre de Ferron s'inscrit dans une actualité brûlante. Si la poésie québécoise a été considérée comme un outil de conscientisation du peuple au cours des années 60, notamment l'œuvre de Gaston Miron, de Jacques Brault et de Paul Chamberland, une série de romans, dont ceux de Jacques Ferron, ont exprimé nettement la conscience de tout un peuple.

L'œuvre entière de Ferron apparaît comme un

travail préliminaire indispensable, comme un ouvrage de débroussaillement. Il s'est véritablement sacrifié pour la cause du pays, ce dont peu d'hommes politiques québécois peuvent se vanter. Ce sont les plus belles lettres de gloire que pouvait s'octoyer l'écriture, car c'est par elle que Ferron s'est sacrifié. Il a porté à son plus haut degré d'expression le courant nationaliste dans la littérature québécoise.

Que les éditions du Jour aient publié la partie la plus importante — et la plus connue — de l'œuvre de Ferron constitue en soi un héritage qui pourrait à lui seul empêcher que cette maison tombe un jour dans l'oubli. Car elle a rendu accessible l'œuvre du plus grand écrivain québécois du XXe siècle.

D'autres romans nationalistes paraissent pendant l'apogée des éditions du Jour. Roch Carrier poursuit son triptyque sur la famille Corriveau. L'auteur analyse la situation économique du Québec, de même que les idéologies et les valeurs du passé. Ainsi, dans un roman comme *Le Deux-millième Etage,* l'auteur dénonce bien moins la démolition urbaine que la disparition d'un mode de vie et de certaines valeurs traditionnelles qui auraient pu faire de la société québécoise une société différente, libérée. Toutefois, il doit y avoir d'abord une volonté politique pour qu'il y ait libération économique, ce dont ne parlent pas les romans de Carrier. Ceux-ci se terminent là où commencent ceux de Ferron.

L'œuvre de Roch Carrier publiée aux éditions du Jour est demeurée somme toute plutôt imperméable aux autres courants littéraires qui circulaient dans la maison. Elle s'est édifiée en marge des remises en question de l'écriture ou autres préoccupations inhérentes à la modernité. En revanche, elle s'est définie, dans une certaine mesure, en réaction contre l'œuvre de Ferron.

Les deux romans de Paul Villeneuve apportent une

autre dimension au thème nationaliste du pays. *J'ai mon voyage!* est le long monologue du conducteur d'une vieille Pontiac 1956 qui effectue le trajet Montréal-Sept-Iles. Il dérape du présent au passé, de la simple constatation de la géographie physique du pays à l'analyse de la configuration sociologique et géopolitique du Québec.

La démission politique du narrateur s'accompagne, à la fin du roman, d'une renonciation à l'image de Madeleine, la femme idéale, figure mythique même du pays. Autant les réflexions d'ordre social constituent un constat d'échec politique et collectif, autant l'érotisme et les jeux lubriques qui peuplent l'imagination du narrateur traduisent son impuissance au niveau individuel et affectif. Quand il pense à Madeleine, il évoque son corps et est obnubilé par l'idée de la posséder à lui seul. La tendresse et la poésie de ces images sensuelles ne peuvent cependant faire oublier que cette rêverie amoureuse est celle d'un perdant et d'un être dépossédé.

*J'ai mon voyage!* n'est pas un grand roman, mais il a le mérite d'exprimer la mentalité québécoise avec une justesse remarquable. Il délimite le paysage intérieur et extérieur du Québec, dont la dimension géographique apparaît ici sans commune mesure avec l'étroitesse de son avenir politique.

Dans *Johnny Bungalow,* une somme sur le Québec duplessiste, Paul Villeneuve entreprend de fouiller les causes sociales et politiques qui ont conduit le «pays incertain» dans ce goulot d'étranglement et qui lui font croire que son avenir est irrémédiablement compromis. De fait, le roman de Villeneuve, tout en dressant une fresque socio-historique des années 1937-1963, transcende nettement ce cadre et déborde dans le contexte universel. Dans une lettre à son personnage principal Johnny Bungalow, à la fin du roman, l'auteur rejette toute étiquette et devient à proprement parler citoyen du monde en élargissant le problème québécois dans une perspective universelle.

Fortement appuyée par une approche sociologique, à preuve le témoignage de l'éminent sociologue américain C. Wright Mills, cette lettre constitue un bilan de l'histoire sociale du Québec en ce qui a trait surtout à la colonisation, l'agriculture et l'industrialisation. En fait, *Johnny Bungalow* fait la synthèse de quatre époques sociales qui correspondent chacune à un roman déterminant qui les a respectivement décrites.

Elles sont: la colonisation de l'Abitibi dans les années 30 avec *L'Abatis,* le propagandiste roman de Mgr Félix-Antoine Savard; l'exode des ruraux vers la ville, dont rend compte le magnifique roman réaliste de Gabrielle Roy, *Bonheur d'occasion;* la Révolution tranquille des années 60 et *Le Cassé* de Jacques Renaud du mouvement parti-priste; enfin, une quatrième période qui a débuté lors de la crise d'Octobre, phénomène politique récupéré dans quelques œuvres du milieu des années 70, dont le roman d'Yves Beauchemin, *L'Enfirouapé.*

La décision de publier le roman de Villeneuve représentait un défi de taille pour l'éditeur, car le texte était long et nécessitait une typographie petite et serrée. Cette aventure témoignait de la confiance de la maison pour un auteur encore très peu connu et comportait des risques encore plus grands que n'en faisait courir la publication, cinq ans plus tôt, du *Ciel de Québec.*

*Johnny Bungalow* s'impose comme une œuvre marquante de la littérature québécoise en raison de sa vision globale, de son ampleur et de son souffle épique, mais elle demeure méconnue et sous-estimée. La correspondance de Paul Villeneuve avec les éditions du Jour révèle qu'il entretenait de nombreux projets d'écriture et qu'il voulait se consacrer entièrement au métier d'écrivain.

Cependant, Villeneuve n'a rien publié depuis 1974 et n'a guère donné signe de vie dans le milieu des lettres. Son œuvre est encore trop peu représentative de son talent, malgré le génie de son dernier roman, pour le consacrer comme auteur de premier plan. Il suffirait pourtant d'un autre roman aussi important pour confirmer ce statut, car le don d'écrivain de Paul Villeneuve est aussi considérable que celui de Victor-Lévy Beaulieu.

Un dernier roman digne d'intérêt, qui se rattache au courant nationaliste, a été écrit par Pierre Turgeon. *Prochainement sur cet écran* fait appel aux ressources du roman policier, mais il se double d'une interrogation sociologique où il est question d'une révolution possible. L'union de ces deux éléments compose la trame d'un roman de Hubert Aquin, *Trou de mémoire*.

Le roman de Turgeon pose un tas de questions qui restent sans réponse, notamment sur la culture, sur le médium du cinéma, sur l'importance de l'histoire. L'absence de points de repère explique en partie l'apathie du peuple québécois face à son autodétermination. Il n'est pas sans signification que l'auteur fasse référence à la colonie grœnlandaise des Vikings qui remonte à mille ans, alors qu'il ignore totalement les événements de 1837-1838 au Bas-Canada. La révolution de Bernard, cinéaste entré dans la clandestinité, demeure un préalable essentiel à toute révolution au Québec, parce qu'elle fait surgir un passé auquel le peuple peut s'identifier.

Mais voilà! Cette révolution ne se déroule que sur les écrans intérieurs de quelques personnages. Le roman de Turgeon expose les limites de la révolution dans l'art en général, que ce soit le cinéma ou la littérature. L'art peut inciter à la révolution, mais il ne la réalise jamais.

La dernière page du roman autorise à croire que Bernard n'abandonnera pas ses positions et qu'il luttera jusqu'au bout. Serait-il la figure tant attendue du Messie québécois — combien de fois annoncée dans notre littérature — qui peut rendre possible la révolution totale au Québec? Bernard semble aussi dérisoire qu'Adéodat I dans le roman du même nom d'André Brochu. A la fin du roman, il n'est déjà plus un Messie, mais plutôt un point de repère, un fossile qui témoigne d'une manifestation révolutionnaire dans le temps, car la révolution collective a échoué. Le personnage de Turgeon n'a pas réussi à faire coïncider son projet avec celui de tout un peuple.

*Prochainement sur cet écran* a le tort de venir après un roman comme *Prochain épisode* (la similitude des titres est assez significative) de Hubert Aquin qui interroge lui aussi la situation politique du Québec à travers un héros d'espionnage, mais avec une virtuosité et une sensibilité assez rares que ne possède pas Pierre Turgeon.

Par ailleurs, en raison de son écriture éclatée, le roman de Turgeon se rapproche d'un autre mouvement littéraire, certes moins important quantitativement dans la production des éditions du Jour, mais réel: le roman formaliste. L'écriture et les thèmes d'*Adéodat I* d'André Brochu le situent au confluent de ces deux courants littéraires.

### *Les textes formalistes*

Le texte du professeur d'université et critique littéraire André Brochu relate en effet l'histoire de la naissance d'Adéodat, un enfant-Messie né pour la plus grande gloire de... rien. Tout en constituant une projection symbolique de l'avenir politique du Québec, ce personnage permet à l'auteur de questionner son acte d'écrire et de définir comment s'élabore son roman. «*Adéodat I* n'est que la matrice d'un livre s'écrivant, avec ironie, contre l'auteur qui, lui, reste impuissant à mettre au monde la représentation individuelle d'un de ses destins, c'est-à-dire son personnage.» Voilà pourquoi, au fil des différents chapitres, l'auteur reprend toujours la description du même événement, la naissance d'Adéodat.

Cette naissance dérisoire peut être interprétée

comme un acte prémonitoire de l'auteur face à l'indépendance, quoique cette lucidité contrasterait grandement avec l'exaltation nationaliste du début du roman. Elle peut tenir lieu, au contraire, d'acte propitiatoire, car il apparaît évident qu'elle n'est qu'une fumisterie et une imposture.

Cet enjeu collectif empêche finalement l'œuvre de Brochu de sombrer dans le narcissisme et l'élitisme qui guettent les écrivains théoriciens issus du milieu universitaire. Car *Adéodat I* est aussi l'œuvre d'un homme qui se découvre un nombril d'écrivain et qui veut entrer dans cette confrérie des auteurs sérieux en donnant un aperçu de son érudition. L'auteur se livre ainsi à une véritable entreprise d'exhibitionnisme intellectuel et de mégalomanie en se penchant sur les angoisses métaphysiques qui le déchirent quand il se rend compte que bien peu de personnes ont la chance d'apprécier son imposant bagage de connaissances.

Les interrogations de Brochu sur l'écriture et le recours aux citations tirées de l'œuvre de théoriciens de la littérature constituent des éléments que l'on retrouve généralement dans les textes formalistes. Le roman de Brochu livre d'ailleurs une réflexion sur la littérature du début des années 70 et sur les grands courants théoriques qu'elle suscite, et il contient un manifeste pour une nouvelle approche analytique du corpus littéraire.

Toutefois, c'est l'écrivaine Nicole Brossard qui, au cours de cette période, a été le chef de file de ce courant dont l'importance a été encore plus manifeste dans la poésie québécoise, à la même époque. Assez curieusement, la production poétique de Nicole Brossard a été publiée ailleurs qu'aux éditions du Jour, où elle a fait paraître trois œuvres en prose.

*Un livre* représente le meilleur exemple de roman formaliste. Ce texte théorique opère une réflexion sur l'écriture, sur le travail de «l'écrivant» et sur la fabrication du livre. L'auteure a toujours conscience qu'elle effectue un travail d'écriture tout au long de la rédaction de ce texte et elle le rappelle constamment au lecteur. Contrairement au roman traditionnel dont l'acte d'écrire ne doit en aucun cas être ressenti par le lecteur, le texte de Nicole Brossard dévoile tous les mécanismes qui participent à sa composition. Elle démystifie le texte et le désacralise en mettant à nu l'élaboration du livre. «Le livre aujourd'hui: se touche, se regarde. Bibelot.»

Dans un article éclairant intitulé *Lire la poésie formaliste* (*le Devoir,* 2 octobre 1976, p. 22), Philippe Haeck identifie les caractéristiques du texte formaliste: le choix des titres, les références textuelles, les parenthèses, les citations anonymes, les italiques, les caractères gras, les majuscules, les jeux phoniques. Nicole Brossard ne déploie pas tout cet arsenal de procédés. A cet égard, son texte est sobre. Cependant, l'auteure est à l'origine de la poésie formaliste qui libère le sexe des tabous où il était tenu. Quoique timide, son approche de la sexualité concernant le groupe — lesbianisme, amour à trois — marque un pas vers l'émancipation. Il ne faut pas oublier que ce texte date de 1970 et que, depuis, bien des choses sont tolérées.

L'écriture formaliste a contribué à développer chez le lecteur une prise de conscience des mots, mais cette entreprise littéraire n'était-elle pas appelée à piétiner sur place, à tourner en rond, une fois cette étape franchie? *Sold-out,* sous-titré *Etreinte / Illustration,* confirme cette situation, car ce livre aboutit dans une impasse littéraire. Le roux et la conscription, les deux seuls éléments qui surnagent dans la matière floue du livre, sont trop minces pour soutenir un projet romanesque qui ne s'avoue jamais comme tel. *Sold-out* apparaît plus comme étant un document de travail sur la création littéraire qu'un roman en soi.

L'œuvre «romanesque» de Nicole Brossard se veut un laboratoire de l'écriture. A cet égard, *Sold-out* va plus loin qu'*Un livre* dans l'expérimentation des formes narratives mais ce texte, paru trois ans après, tourne à vide, parce qu'il n'incite pas le lecteur à remplir les nombreux espaces laissés en blanc sur la page.

L'influence de Nicole Brossard demeure toutefois négligeable sur la production des romanciers des éditions du Jour. Louis-Philippe Hébert a pu s'inspirer de cette expérience pour inventer un nouveau fantastique, mais il est un des rares auteurs à avoir utilisé cette recherche au profit de son œuvre. En tant qu'écrivaine la plus avant-gardiste de la collection «Romanciers du Jour», Nicole Brossard reste isolée. Elle a moins cherché à influencer ses confrères en y publiant ses livres qu'à assurer à ces derniers un plus vaste débouché.

Cependant, la production romanesque québécoise dans son ensemble a été marquée par le caractère novateur de cette œuvre formaliste qui élimine les barrières séparant les genres littéraires. L'écriture expérimentale de Nicole Brossard a incité les poètes à faire main basse sur le roman, afin de l'asservir à la forme et au langage poétiques. Depuis 1978 environ, les romanciers ont repris leurs droits, de sorte que cette auteure a choisi de porter le combat ailleurs, sur un autre front. Elle s'attaque aux idées conservatrices et à la fameuse normalité en défendant le féminisme dans ses manifestations les plus radicales.

Après s'être créé un réseau de disciples chez les poètes en prenant la tête du mouvement formaliste, elle est devenue l'une des voix les plus écoutées du chœur des féministes militantes. Elle n'en continue pas moins de travailler à l'abolition des règles et des interdits, qu'ils soient littéraires ou sociaux.

### *Le roman féministe*

Cette préoccupation féministe au Jour apparaît modestement dans les livres de Nicole Brossard et dans *La Mort de l'araignée* de Michèle Mailhot. Elle prendra cependant toute l'ampleur d'une revendication dans le très important roman de Hélène Ouvrard, *Le Corps étranger*. Ce livre survient après un silence de six ans au cours duquel la romancière a fait le point. Les années de réflexion ont orienté différemment son œuvre et lui ont donné un souffle qu'elle ne possédait pas. Hélène Ouvrard a toujours écrit sur des sujets délicats (homosexualité, viol) mais ce n'est qu'en haussant la voix, en abordant le discours féministe, qu'elle a fini par être entendue.

*Le Corps étranger* m'apparaît comme le précurseur de *L'Euguélionne* de Louky Bersianik paru trois ans plus tard. Malgré une finale faible et évasive, le roman de Hélène Ouvrard est un magnifique chant incantatoire, un cri de révolte viscéral qui affirme à la face du monde, mais surtout de l'homme, que la femme est un être à part entière, libre et responsable, tant à l'intérieur du mariage que dans le cadre général des rapports sociaux entre hommes et femmes. C'est le véritable produit d'une sensibilité et d'une écriture féminines et, à cet égard, c'est la première réussite du genre dans les lettres québécoises.

Ce centième livre de la collection «Romanciers du Jour» propose une impitoyable analyse de la situation de la femme trompée par l'Epoux qui a utilisé l'amour pour l'asservir. L'auteure montre le long et pénible cheminement intérieur de l'Epouse qui tente de reconquérir sa dignité, sa liberté de pensée et d'action, bref, sa vie que l'Epoux garde pour soi.

Lucidement, Hélène Ouvrard explique toutes les étapes, toutes les crises par lesquelles doit passer la femme pour reprendre en main son existence. C'est une autopsie hallucinante de vérité, une incroyable descente aux Enfers d'une âme ravagée par la déception et la tromperie, une insoutenable remise en question des rapports qui déterminent les relations entre l'Epoux et l'Epouse. Avec un sujet similaire, Louky Bersianik utilisera plutôt le ton de la dérision.

Le roman de Hélène Ouvrard laisse également deviner la naissance d'un nouveau couple. L'enfant est appelé à compenser le vide laissé par l'absence de l'Amant. Un nouveau couple est esquissé, l'amante / l'enfant, mais son indépendance vis-à-vis l'homme n'est pas encore totale. L'auteure expose ainsi un autre élément important de la problématique féministe car l'enfant, trop souvent, se situe au centre du marchandage auquel se livrent les deux conjoints au moment du divorce.

Un an avant *Le Corps étranger,* Michèle Mailhot remet en question l'institution du mariage en abordant la question sous l'angle féministe. *La Mort de l'araignée* est une suite de fantasmes et de cauchemars qui illustrent l'asservissement moral de la femme et les préjugés sociaux dont elle est victime. En revivant sous le mode fantasmatique les situations conflictuelles de sa vie de femme, l'héroïne les exorcise, dirait-on, et elle dynamite ces tabous et ces préjugés sociaux. Après avoir opéré cette catharsis, elle pourra enfin s'assumer pleinement comme être humain et assurer l'épanouissement de sa personnalité.

*La Mort de l'araignée* parie sur l'autonomie de la femme, sur ses qualités et ses ressources. Au contraire du roman de Hélène Ouvrard, plus agressif et plus violent dans son illustration de la servitude féminine, le roman de Michèle Mailhot se termine sur une perspective optimiste, pleine de promesses. Il est vrai que l'héroïne de Michèle Mailhot représente un cas individuel, tandis que celle de Hélène Ouvrard représente l'espèce féminine en entier. Force est d'admettre que si certaines femmes se libèrent de leur esclavage, elles ne constituent encore qu'une minorité.

Michèle Mailhot n'occupe pas une place prépondérante dans la production romanesque du Jour, mais elle a été associée de près aux activités de la maison. En effet, le jour du lancement de son deuxième roman au Jour, à l'automne 1972, Jacques Hébert lui offre le poste d'adjointe au directeur littéraire, fonction qu'elle occupera pendant deux ans.

Michèle Mailhot est plus que la «voix féminine de service» du Jour. Son œuvre dénonce l'aliénation des femmes et témoigne de leur prise de conscience. A ce titre, elle est une des premières romancières à avoir exploré, en s'inspirant de son expérience personnelle, des thèmes féminins et féministes qui la situent à mi-chemin entre Hélène Ouvrard et Claire de Lamirande.

Cette dernière a été sensibilisée plus tard à la lutte des femmes. Ce n'est qu'en 1975, avec *La Pièce montée,* que cette préoccupation s'inscrit au cœur de sa réflexion. En effet, dans *La Baguette magique,* la romancière traite du problème de la réinsertion sociale de Marie Francœur, ex-épouse du Christ, parce qu'il pose éventuellement la grande question de la vie. L'approche métaphysique prime sur l'approche féministe, sauf dans *La Pièce montée.*

Pour Claire de Lamirande, la solution aux problèmes d'identité des femmes réside dans le travail. Elle indique aux femmes une planche de salut, mais elle ne fournit pas de solution à court terme pour remédier à l'inégalité des sexes. Tout au plus indique-t-elle une voie à explorer: «Il faut s'en dire des mots. Il faut s'en dire tant qu'on peut. Si on est si mal organisées, c'est qu'on ne s'est pas assez inventé de mots.» La solidarité entre femmes et la parole apparaissent comme leurs meilleures armes de libération.

Les romans féministes ne sont pas légion dans la collection «Romanciers du Jour», mais compte tenu que la littérature féministe a véritablement émergé au milieu des années 70, les œuvres de Nicole Brossard et de Hélène Ouvrard peuvent être considérées comme des détonateurs du mouvement de revendication des femmes en littérature.

### *Les œuvres de la continuité*

Par leur nature même, les œuvres de la continuité sont reléguées au second plan au cours de cette période. Cependant, elles empruntent elles aussi diverses expressions qui, parfois, font reculer les limites du genre qu'elles explorent. D'ailleurs, les romans traditionnels, largement majoritaires au cours de la première phase du Jour, perdent de l'importance durant la seconde période. La diminution de leur rôle est due, pour une bonne part, à l'abandon de plusieurs représentants de cette littérature. Ainsi, des écrivains comme François Hertel, Charlotte Savary, Roland Lorrain, Andrée Maillet, Marcel Godin et Jean-Guy Pilon ont quitté à un moment ou l'autre la maison de la rue Saint-Denis.

### *Les voix traditionnelles*

Il est clair qu'avec l'influence de Victor-Lévy Beaulieu, les écrivains conservateurs et traditionalistes du genre d'Andrée Maillet et de Jean Tétreau se sont sentis de moins en moins à l'aise chez leur éditeur. Les sujets et l'écriture d'Andrée Maillet la prédestinaient plutôt à joindre les rangs du Cercle du Livre de France où elle n'a pourtant jamais rien publié.

*Les Montréalais* et *Les Remparts de Québec* n'ont certainement pas l'importance de *Profil de l'orignal,* paru en 1952. Le passage d'Andrée Maillet aux éditions du Jour ressemble à celui d'une étoile filante. Sur une période de cinq ans, elle y a publié trois livres (un recueil de nouvelles, un roman et une plaquette de poésie), mais elle a aussi publié ailleurs dans ce même laps de temps. Son orgueil l'empêchait de s'en remettre au jugement de son éditeur et l'incitait à offrir ailleurs des manuscrits qui n'auraient pas dû franchir l'étape de la publication.

L'entrée en fonction de Victor-Lévy Beaulieu comme directeur littéraire a plus ou moins signifié le départ d'Andrée Maillet. Ses rapports avec ce dernier se sont vite détériorés. Dans une lettre que son mari adresse à Jacques Hébert pour réclamer ses droits d'auteur, elle se plaint d'être persécutée par Beaulieu. Cette incompatibilité de caractère a probablement précipité les événements, mais plus encore, c'est la médiocrité littéraire de ses manuscrits qui l'a aiguillée vers la sortie. Les deux romans publiés à l'Actuelle par la suite en témoignent éloquemment.

La carrière littéraire de Jean Tétreau suit un peu le même cheminement. La publication de *Treize histoires en noir et blanc,* en 1970, sera suivie d'un silence de huit ans qui débouche sur la parution de *Prémonitions* au Cercle du Livre de France. L'œuvre de Jean Tétreau renoue avec cette littérature soucieuse avant tout de divertir le lecteur, de lui procurer une détente et de susciter chez lui un plaisir continuellement renouvelé à la lecture de récits vivants et bien menés. C'est dans cet esprit qu'il a publié trois œuvres d'imagination aux éditions du Jour, ce qui ne l'empêche pas de faire passer un message dans la narration de faits purement fictifs.

A la littérature qui prépare le combat idéologique, il préfère celle de l'artifice, de l'illusion et de l'évasion. Jean Tétreau réussit bien à recréer la vivacité, la liberté et le détachement qui conviennent à ce genre de littérature. On retrouve dans ces divers récits, non seulement l'esprit, mais aussi le style des grands romanciers du XIX^e^ siècle en France. Tétreau est allé à la bonne école. Il possède un sens très sûr de la description, comparable à celui du prolifique Balzac.

Comme ce dernier également, Jean Tétreau excelle

dans la composition de ses personnages qui, par leur chaleur, la précision de leurs traits et leur rondeur, s'imposent d'emblée. Ils sont plus vrais que nature. Cependant, par le style, Tétreau s'apparente à Gustave Flaubert, lequel, on le sait, travaillait ses phrases d'une façon maniaque et leur faisait passer l'épreuve du «gueuloir». Le talent naturel d'écrivain retient surtout l'attention chez Tétreau, qui sait raconter une histoire, même s'il est mal servi par un sujet banal et éculé, comme c'est souvent le cas dans ses deux recueils de nouvelles.

Malheureusement, Tétreau n'a pas évolué entre son premier et son dernier livre, tant au niveau du style qu'à celui du sujet. Son œuvre se veut d'abord universelle, de sorte qu'elle n'a aucune prise sur la réalité québécoise, à l'exception de son dernier roman, *Prémonitions,* dont l'action se déroule à Montréal à la fin des années 20. Mais encore là, il s'agit d'une histoire rétro basée sur des rêves prémonitoires, tandis que les autres œuvres misent sur la science-fiction, le fantastique ou l'exotisme.

Il a fréquenté l'écriture romanesque plus par dilettantisme que par nécessité profonde ou par vocation dévorante. Son écriture extrêmement bien maîtrisée en fait le représentant par excellence du classicisme au Jour. En outre, à une époque où les romanciers ressentaient le besoin et la nécessité de définir leur appartenance et leur identité, Jean Tétreau fait figure de marginal et d'apatride. Citoyen du monde, il regarde les faits avec les yeux d'un philosophe, alors que les écrivains du Jour analysent les événements avec des yeux de sociologue. Toute la différence est là.

En définitive, la tendance traditionnelle qui continue de s'exprimer au cours de cette période ne compte aucun chef de file, car aucun auteur n'assume la continuité de ce courant pendant ces six années. Elle se maintient plutôt grâce à la parution isolée de quelques œuvres secondaires, sinon marginales, telles *Ces filles de nulle part* de Serge Deyglun et *Les Grandes Filles* de Jean-Claude Clari.

Mais les œuvres de la continuité ne se réduisent pas à cette expression. Elles comprennent deux courants littéraires qui, à des degrés divers, ont donné des œuvres qui tentent de renouveler le genre auquel elles appartiennent. En effet, quelques jeunes auteurs novateurs manifestent dans leurs romans la volonté de prendre des risques.

### *Le roman psychologique*

Ainsi, avec la venue en littérature de Jacques Poulin, le roman psychologique acquiert une nouvelle dimension et un ton différent. Son premier roman, *Mon cheval pour un royaume,* renferme une interrogation sur la lucidité, la communication humaine et l'authenticité. Le traitement philosophique des thèmes, les préoccupations d'un intellectuel tourmenté qui s'interroge sur l'écriture et sur son engagement politique, la schizophrénie du personnage principal, le ton prétentieux de l'introspection en font un roman qui n'est pas représentatif de l'œuvre de Poulin.

Ce dernier excelle plutôt dans l'évocation du monde de l'enfance, en adoptant un ton intimiste et chaleureux. Ainsi, dans *Jimmy,* Poulin cerne avec finesse et de façon poétique la psychologie de l'enfance qu'il considère comme un moment privilégié. Le personnage de Jimmy, ce petit cabotin de onze ans qui aime se raconter et jouer le jeu des adultes comme tous les enfants, est un des plus sympathiques enfants dans la littérature québécoise. Pour raconter son drame affectif, l'auteur utilise un point de vue qui situe Jimmy aux antipodes des enfants de Réjean Ducharme et de Marie-Claire Blais, d'autant plus que Poulin respecte l'âge mental de son personnage.

Ce souci du réalisme suppose l'emploi d'un langage particulier et enfantin qui combine à la fois le caractère de l'enfance et un début de maturité. L'auteur a très bien réussi à créer ce langage truffé de «patois» («crotte de chat!»), d'expressions qui tiennent de la manie («je veux dire», «à cent milles à l'heure») et de certains termes plus scientifiques qui annoncent la maturité de Jimmy («fœtus»). L'originalité du langage provient aussi du fait que Jimmy s'adresse continuellement au lecteur. L'emploi du pronom «tu» rend plus vivant encore le style.

Tout le roman oscille entre la réalité et l'imaginaire, ce qui minimise le drame latent de Jimmy qui souffre d'un manque d'affection et de tendresse. Ses parents se sont enfermés chacun dans un monde affectif qu'il ne peut pas pénétrer. Par réaction, Jimmy s'est construit un monde imaginaire. A la fin du roman, le chalet qu'il habite part à la dérive et devient un bateau. Cette représentation symbolique traduit le passage de Jimmy du monde de l'enfance à celui de l'adolescence. La sécurité et l'immuabilité cèdent la place à l'angoisse et à l'insécurité.

Cette transition est amenée par des détails tout au long du récit: début d'une certaine pudeur chez Jimmy, découverte du sexe opposé, naissance d'une certaine morale qui l'amène à s'interroger sur les propriétés du fœtus, prise de conscience de l'exagération des faits. Ces éléments sont introduits en douce et annoncent la phase symbolique finale où l'enfant peut commencer à voler de ses propres ailes.

*Le Cœur de la baleine bleue* aborde également ce besoin de tendresse et de douceur qui s'exprime chez les personnages de Jacques Poulin. Cette fois-ci, ce besoin est lié à une question métaphysique découlant d'une transplantation cardiaque. Le cœur du donneur a-t-il des propriétés, des caractéristiques qui puissent influencer ultérieurement celui qui le reçoit? Le roman de Poulin paraît en 1970, au moment où plusieurs cardiologues tentaient l'expérience des greffes du cœur.

Noël, le personnage principal, a reçu un cœur de jeune fille et, depuis, il se sent livré entièrement à la douceur. Cette douceur lui ouvre les portes de l'enfance, mais elle le laisse démuni face à la vie qui agresse continuellement l'être humain. Noël ne peut pas vivre avec ce cœur trop doux; il lui faudrait redevenir un enfant, mais le peut-il, maintenant qu'il approche la trentaine? Il tente ce retour à l'enfance par l'écriture, mais ce voyage vers le «pôle intérieur» échoue. Du moins cette expérience lui aura-t-elle servi à élucider le malaise qu'il ressentait face à la vie.

A travers le personnage de Noël, qui introduit une réflexion sur le mécanisme de l'écriture, l'auteur dévoile le mythe personnel qui motive son écriture. Pour Poulin, l'acte littéraire est un acte solitaire, tributaire du passé. L'enfance, les souvenirs de lectures et les impressions laissées par un film nourrissent les romans de Poulin. Ainsi, le symbole de l'oiseau blessé et enfermé dans une cage, image chère à Saint-Denys Garneau, revient plusieurs fois dans le roman et sollicite diverses interprétations.

La réussite du romancier est d'avoir su éviter l'écueil des interrogations métaphysiques et des explications scientifiques du rejet des greffes cardiaques. Tout au plus se sert-il de ce point de départ pour explorer le monde de l'enfance et s'interroger sur l'écriture. Pour ce faire, il emploie un ton personnel qui fait le charme de l'œuvre.

Il y a toujours cette atmosphère ouatée et cette légèreté aérienne dans les romans de Poulin, à tel point qu'on dirait qu'il est resté un enfant à la fragilité sans cesse menacée. Son œuvre est toute imprégnée de naïveté, de candeur et de douceur. Elle ne tombe jamais cependant dans la mièvrerie ou la sensiblerie. Jacques Poulin est un funambule qui se promène constamment sur la fibre sensible et vibrante de la tendresse sans commettre de faux pas. Il s'est imposé uniquement par son œuvre, car sa personnalité est à l'image de ses personnages : timide, secrète et réservée.

Le début de la trilogie de Marie-Claire Blais semble appartenir au même univers que celui de Poulin, puisque le récit est pris en charge par Pauline Archange, âgée de cinq ans. Toutefois, l'âge mental ne reflète pas l'âge réel de la narratrice, ce qui situe tout de suite les *Manuscrits de Pauline Archange* dans un autre registre psychologique.

Pauline privilégie ses rapports avec Séraphine Lehout dont la mort la marquera profondément. Cette mort, synonyme d'absence dans l'esprit de Pauline, introduit aussi chez elle le remords de ne pas l'avoir assez aimée et protégée de son vivant. Le thème du remords, d'ailleurs, apparaît pour la première fois chez Marie-Claire Blais. C'est le remords qui conduit Pauline à se former une conscience altruiste que n'avaient pas les héros précédents, prisonniers qu'ils étaient de leur morale égocentrique.

L'évolution de Pauline la conduit aussi à se révolter contre les valeurs sociales et traditionnelles de son milieu. Elle remet en question la hiérarchie familiale, perçue comme une entrave à la liberté et à la pureté. Elle dénonce l'oppression pratiquée par la religion, dont les effets se font sentir sur le système d'éducation. L'écriture est la seule planche de salut pour Pauline, car elle lui permet de se perpétuer dans l'avenir et constitue une preuve de son existence.

Le titre du deuxième tome, *Vivre! Vivre!*, apparaît étrange à première vue dans l'œuvre de Marie-Claire Blais, car ses romans antérieurs étaient empreints de mort, de destruction et de désespoir. Mais, déjà, *Manuscrits de Pauline Archange* constituait une volte-face dans la philosophie de l'auteure. Les personnages y exprimaient un cri d'espoir face à la vie. Ici, Benjamin Robert, le franciscain, et Philippe L'Heureux, le condamné à mort, assument cet espoir.

Le premier est doté d'une pitié exemplaire, sentiment essentiel pour arriver à l'amour du prochain. L'irresponsabilité du franciscain dans ses habitudes de communication charnelle rappelle l'abnégation d'Héloïse dans *Une saison...* et annonce le comportement de Sébastien, dans *Le Loup,* qui charge la chair d'une mission rédemptrice. Benjamin Robert propose une nouvelle conception du christianisme et des valeurs cléricales plus humanistes.

La trilogie se termine sur un présage heureux avec *Les Apparences.* Pauline semble avoir trouvé l'amitié et la compréhension puisqu'elle a vu l'incarnation vivante de l'ange de Dürer. S'il devait y avoir un quatrième tome, l'amour et l'inspiration viendraient probablement de la personne d'André Chevreux. Mais l'amour et le bonheur peuvent-ils relancer l'entreprise littéraire de Pauline? Ces deux valeurs s'opposent aux motifs qui poussaient la jeune fille à l'écriture. Le récit de Pauline Archange risque d'aboutir dans un cul-de-sac dès l'instant où ces deux sentiments se matérialiseront. Trop occupée à vivre, elle n'écrira plus. C'est pourquoi le projet initial de Marie-Claire Blais, qui devait compter une quinzaine de tomes, s'arrête, pour le moment, à trois volumes.

Ce cycle romanesque marque un changement dans les thèmes et l'écriture de l'écrivaine. L'acceptation de la vie semble une solution plus efficace maintenant qu'un suicide pour assumer vraiment ses responsabilités d'être humain. Le geste spectaculaire, dont les retombées s'amenuisent rapidement, est délaissé au profit du choix quotidien et continuellement renouvelé qu'implique la lutte pour la vie. Quant au style, il s'apparente à la conception proustienne de l'écriture. Dans l'enchevêtrement de ces phrases, la pensée risque de se perdre, d'autant plus que de nombreuses digressions viennent interrompre le déroulement d'une idée.

Ce style se précise plus encore dans *Le Loup,* roman courageux et plein de compassion sur l'homosexualité. Mais il se lit aussi comme une réflexion sur l'amour en tant que forme d'amitié pour son prochain. L'auteure insiste plus sur la connaissance d'autrui, sur le bien que l'on peut faire à son prochain, que sur la sexualité. En outre, les rapports sexuels sont présentés comme un plaisir, comme un don, et non comme une dépravation morale.

Sébastien représente une synthèse des personnages homosexuels de Marie-Claire Blais. Dans ce long monologue intérieur qui constitue un bilan moral, Sébastien se remémore les différentes expériences de sa vie qui se sont soldées pour la plupart par un échec. Sa démarche et son but sont les mêmes que ceux qui fondent l'union légalisée. Sébastien aime par besoin de compassion, par pitié, par souci d'une mission à remplir sur la terre. Il l'assume pleinement en ne jugeant pas sa vie immorale, puisqu'il a le sentiment d'être né pour cette rédemption et qu'elle constitue le sens de sa vie.

La critique sociale de ce roman appuie l'analyse psychologique. En effet, les amitiés particulières de Sébastien ont souvent été perturbées par l'hypocrisie, par la lâcheté et par le manque de sincérité de ses partenaires. Ces êtres veules ne remettent pas en question le conformisme et la normalité véhiculés par la société.

*Un joualonais, sa joualonie* marque un autre changement d'orientation dans l'œuvre de Marie-Claire Blais. Délaissant l'analyse psychologique, l'auteure élabore ici une étude sociale des personnages qu'elle a créés en abordant le thème important de la langue. D'autres réalités socio-politiques québécoises telles que le chômage, la grève et l'autodétermination complètent sa vision personnelle du Québec.

Ayant vécu quelques années aux Etats-Unis et en France, où elle résidait d'ailleurs au moment de la rédaction de ce roman, Marie-Claire Blais a senti le besoin de réaffirmer son appartenance au Québec et de justifier son exil. Elle a donc choisi le problème de la langue qui définit le mieux le dilemme devant lequel se trouve l'artiste québécois: être universel ou régionaliste.

Ces deux options littéraires sont représentées par deux personnages dans le roman: Corneille, l'éditeur, et Papillon, l'écrivain. Toutefois, la position de l'auteure n'est pas très claire. L'utilisation du joual dans les dialogues et la présence d'homosexuels sortis tout droit du théâtre de Michel Tremblay laissent croire qu'elle appuie la littérature populiste. La façon dont se termine le roman atteste plutôt que la romancière ne croit pas en l'avenir du Québec, que ce soit en son avenir culturel avec sa langue joualonaise ou en son avenir politique avec un parti nouveau qui consacrerait la victoire du peuple. La dignité pour Tit-Pit, le personnage principal, c'est de se faire appeler par son vrai nom. Or, cela ne lui arrive qu'en rêve.

Malgré cet apparent coup de barre à gauche, *Un joualonais, sa joualonie* ne dissipe pas l'ambiguïté fondamentale qui entoure la question nationale et linguistique au Québec. Il aurait pu être déterminant dans l'évolution de l'auteure, car il soulève des questions pertinentes. Malheureusement, celles-ci ne seront pas résolues dans *Une liaison parisienne,* et encore moins dans les romans ultérieurs.

De toute façon, l'importance de l'œuvre de Marie-Claire Blais tient moins dans l'analyse qu'elle fait de la situation politique ou sociale du Québec que dans l'étude de la souffrance humaine universelle. Elle laisse à d'autres écrivains du Jour, particulièrement aux romanciers nationalistes, le soin de travailler à la transformation politique de la société québécoise. De nature solitaire, Marie-Claire Blais s'est toujours tenue en marge des débats politiques et ce n'est pas son séjour de plus de douze ans aux éditions du Jour qui y a changé quelque chose.

Chez Claire de Lamirande, le milieu social prend aussi une grande importance, car ses personnages sont aussi Québécois qu'universels. Ainsi, dans *Le GrandElixir,* le personnage principal, François Leclaire, est conscient de sa situation de résistant face à la culture nord-américaine envahissante. Mais la destinée du peuple québécois qui refuse de se laisser assimiler par les Américains n'est-elle pas l'image même de la destinée humaine, qui n'est qu'une belle et exemplaire folie? L'auteure met fin au débat par cette réplique de François: «Notre culture ressemble aux cactus du désert. Elle n'est pas belle, mais elle fleurit de temps en temps.»

Toutefois, le propos premier de Claire de Lamirande demeure l'exploration de la condition humaine. A ce titre, son projet le plus ambitieux et le mieux réussi est justement *Le Grand Elixir* dans lequel elle rend compte de toute une vie consacrée à la recherche d'un philtre qui ferait accéder l'homme à un stade supérieur de satisfaction, de félicité et de volupté.

La conquête du monde n'est qu'une chimère, de même que la grande œuvre sur laquelle l'homme travaille toute sa vie. Les dernières années de François en témoignent. Il meurt dans la sérénité parce qu'il a compris que la vie est faite de petits détails précieux qu'il faut savoir trouver dans le quotidien. Comme Faust, il a appris que la connaissance est inutile et stérile quand elle est acquise au prix de l'amour.

Dans ce roman qui résume avec beaucoup de justesse et d'authenticité l'existence entière de l'homme, la romancière explore avec une maîtrise remarquable les obsessions, les difficultés et les doutes qui assaillent l'être humain. Cette méditation sobre et nuancée rejoint le propos des meilleurs films d'Ingmar Bergman.

Mais l'œuvre de Claire de Lamirande n'appartient pas qu'à cette tendance car elle est diversifiée. Elle participe aussi au mouvement de la prise de conscience des femmes, même si elle n'en est pas une des pionnières.

Les deux romans de Marc Doré, *Le Billard sur la neige* et *Le Raton-laveur,* relèvent aussi du courant psychologique. L'écrivain se concentre presque exclusivement sur les difficultés d'adaptation des adolescents au monde adulte qui les entoure. Cette brève incursion dans le champ romanesque livre une facette méconnue de Marc Doré, son côté individualiste et modéré.

En effet, Doré est avant tout un homme de théâtre qui a joué, pendant plusieurs années, le rôle d'animateur de la troupe de théâtre Euh!, à Québec. Pour lui, le théâtre est un instrument d'intervention sociale et un moyen de conscientisation du prolétariat face à l'exploitation capitaliste dont il est victime. L'écrivain a préféré retourner à cette activité qui lui permet de vérifier plus rapidement l'impact et la portée de son écriture dramatique sur des questions sociales.

*L'Ogre de barbarie* de Pierre Billon compte parmi les romans dignes de mention qui appartiennent à ce même courant. A l'instar de Jacques Poulin, l'auteur respecte les schèmes de pensée de son personnage principal, la petite Catherine, en utilisant un style vivant et simple. Les événements sont vus à travers le regard et la sensibilité de l'enfant, de sorte que sa perception des choses est parfois tronquée et ses raisonnements incertains. Cette gaucherie, l'intelligence du personnage et le ton léger, plein d'humour et de tendresse, rendent ce roman extrêmement sympathique. La psychologie de l'enfance a trouvé en Jacques Poulin et Pierre Billon deux analystes sensibles, émouvants et rafraîchissants.

## *La littérature populaire*

Les œuvres de la littérature populaire entretiennent une filiation certaine avec les romans dits traditionnels, en raison de la similarité de leur écriture. Seuls les sujets d'inspiration fantastique, à saveur policière ou de science-fiction les distinguent nettement. L'exemple le plus probant est fourni par un auteur comme Jean Tétreau qui fait le pont entre ces deux tendances avec *Les Nomades*.

Ce premier roman s'impose comme la meilleure œuvre de Tétreau. Située dans un univers post-atomique, cette œuvre est dédiée à la ténacité, au courage et au désir de vivre propres à l'être humain. Malgré les pires revers du sort, celui-ci continue d'espérer, de lutter pour la survie de l'espèce et d'entretenir une foi inébranlable et indéfectible. L'auteur admire la facilité avec laquelle il s'adapte aux nouvelles conditions de son environnement.

Tétreau sait également faire passer ses préoccupations philosophiques. Les réflexions concernant la morale, l'organisation d'une société et la procréation ajoutent à la richesse de l'œuvre. Il a su parfaitement agencer dans son récit d'anticipation les éléments inhérents au roman d'aventures, au roman philosophique et au roman d'amour. En outre, la thèse n'est jamais développée au détriment de l'aventure dans ce beau roman qui milite en faveur de la vie et dans lequel on ne trouve aucune trace de naïveté ni de mièvrerie.

Dans *Les Nomades*, que je considère comme le meilleur roman québécois de science-fiction des années 60, l'auteur privilégie la portée humaniste et utopique du sujet plutôt que le côté technologique. N'oublions pas que la somme des écrits philosophiques de Jean Tétreau est plus volumineuse que son œuvre littéraire.

Toutefois, Jacques Benoit s'affirme comme le principal représentant de ce courant littéraire. *Jos Carbone* est un roman primitif où les passions exacerbées donnent lieu à des conflits qui reflètent l'âme humaine dans ce qu'elle a de plus primaire et de moins civilisé. Jacques Benoit analyse le comportement humain dans un cadre où aucune loi ne régit cette société à l'état embryonnaire. La sexualité des êtres constitue alors un champ d'investigation très révélateur pour l'étude des rapports sociaux des membres de cette «tribu».

Les deux couples de ce récit s'opposent diamétralement. Myrtie et Jos Carbone représentent l'ordre établi, la paix, la fidélité, l'enracinement et les valeurs du passé, puisqu'ils vivent en harmonie dans les bois de Saint-Forficule depuis des années. Par contre, Germaine et Pique, dont l'arrivée récente perturbe l'environnement, incarnent le désordre, l'infidélité, l'errance, les valeurs nouvelles et les idées révolutionnaires.

La nymphomanie de Germaine entraîne l'effritement du couple. D'ailleurs, d'un côté comme de l'autre, la femme se révèle comme une fautrice de troubles. Myrtie attise sans le vouloir les désirs de Pierrot, l'élément étranger qui sert de test à la solidité des couples et remet en cause le principe de la propriété. Mais Myrtie est une maîtresse femme, comme celles qui ont assuré la survivance du peuple québécois après la Conquête, et le couple qu'elle forme avec Jos Carbone résiste aux tensions ambiantes. Il est peut-être mûr désormais pour servir de noyau à une nouvelle société.

*Patience et Firlipon* est en quelque sorte la transposition urbaine du roman sauvage qu'est *Jos Carbone.* Jacques Benoit a inscrit son récit, qui se déroule en plein Montréal en l'an 1978, dans une optique futuriste que le temps a rattrapée, le roman ayant paru en 1970. Mais l'anecdote oscille entre l'intrigue amoureuse et l'histoire de science-fiction, sans que ces deux tensions narratives n'arrivent à se réconcilier et à se fusionner.

Cependant, il est une chose à laquelle l'auteur reste fidèle tout au cours du récit et qui en sauve l'efficacité: l'humour. Cet humour constant donne aux différents personnages une saveur caractéristique qui s'apparente à la caricature. C'est ce qui fait la force de ce roman, beaucoup plus que l'intrigue qui autorise un rapprochement avec les bandes dessinées du genre de IXE-13.

Jacques Benoit y approfondit sa conception de l'amour, le seul sentiment susceptible, selon lui, de sauver l'homme de la nuit et de la mort. Dans le rêve qui clôt le roman, Patience apparaît à Firlipon avec un nouveau langage, celui de l'amour, et Firlipon apprend à parler ce langage. Sa virilité est maintenant au service de la procréation, élément important de la communication humaine, car Jacques Benoit conçoit l'acte sexuel comme un acte social avant d'être un acte physiologique. Encore ici, la femme joue un important rôle de catalyseur.

Autant *Patience et Firlipon* se situe dans un avenir rapproché, défini spatialement et temporellement, autant *Les Princes* introduit le lecteur dans un passé reculé qui remonte pratiquement à la préhistoire de l'homme. L'auteur présente la chronique d'une ville à une époque indéterminée mais primitive où l'homme, tout en n'étant plus le primate habitant les arbres, devait néanmoins vivre en harmonie avec des animaux eux-mêmes organisés en société, tels que les chiens.

Adoptant une démarche classique, Benoit engage l'intrigue dès le début, mais tout de suite après avoir piqué l'intérêt, il se lance dans une description méthodique de la ville qu'il découpe en quartiers, puis de la hiérarchie qui régit la race canine. La somme d'informations nécessaires étant donnée, il reprend le fil de l'intrigue en présentant cette fois l'autre protagoniste, Ronule, qui polarisera les forces de la société humaine.

L'œuvre entière de Jacques Benoit explore un monde imaginaire rempli de violence et de passions, dans lequel l'organisation sociale est subordonnée au problème de la communication. Je dirais même que c'est le seul élément susceptible d'établir un lien à travers sa production romanesque. La problématique réside dans l'acte de la communication, dans ses instruments autres que la parole (c'est-à-dire l'écriture, le regard ou le geste ayant une notion purement affective), dans ses incidences sur l'évolution de l'homme ou vice versa.

Jacques Benoit occupait une place de choix aux éditions du Jour, en raison de l'originalité et de la singularité de son œuvre. Il s'y sentait certainement à l'aise, puisqu'à la suite de son départ du Jour, il s'est écoulé huit ans avant qu'il ne publie un autre roman. Pendant cette période, il s'est surtout consacré à la rédaction de scénarios de film. Le fait qu'il ait écrit celui de *L'Affaire Coffin* pour le cinéaste Jean-Claude Labrecque indique assez bien la complicité qui existait entre l'éditeur de la rue Saint-Denis et le romancier originaire de Lacolle.

A côté de l'œuvre de Benoit, les deux romans d'Emmanuel Cocke apparaissent comme le produit spontané d'une époque marquée par la contre-culture. On pourrait définir Cocke comme le «Robert Charlebois de la littérature», tant ces deux artistes ont su incarner dans leur champ respectif l'image de leur génération. L'œuvre de Cocke est brouillonne et contient le meilleur comme le pire. Le meilleur a été publié aux éditions du Jour. Est-ce si sûr? Le meilleur, c'est le reste de l'œuvre qui n'est jamais venu, parce qu'Emmanuel Cocke est mort tragiquement en 1973.

Cet idéaliste hanté par la perspective de l'immortalité cherchait peut-être une réponse à cette question quand il a trouvé la mort aux Indes, patrie de la méditation. En effet, même si la société idéale qu'établit Jésus Tanné, héros de *Va voir au ciel si j'y suis,* consacre le droit de cité aux arts et à l'amour de même que la victoire de l'homme sur la machine et sur la mort, le problème que pose l'immortalité n'est pas escamoté : «Et si l'homme demeure immortel, quelle est sa raison d'être?»

Même si cette société située en l'an 2057-2058 semble universelle, elle renferme quelques particularités propres au Québec. Cocke a compris la situation politique du Québec : Jésus Tanné dit qu'il fera la révolution avec la complicité des gens en place dans l'establishment. Il affirme aussi que la richesse de la société vient des minorités. Moins apparente et moins prononcée que dans le roman suivant, cette québécitude à faire reste, malgré tout, la préoccupation sociale essentielle de ce premier roman sous-titré «Québeclove story».

*L'Emmanuscrit de la mère morte* fonctionne sur le même modèle. L'écriture de Cocke contient des images chocs qui ne durent qu'un moment et elle emprunte la forme d'un monologue intérieur qui véhicule une gamme d'impressions. Jamais l'auteur ne se prend au sérieux dans ce récit qui s'ingénie à donner une autre dimension au rire. Il utilise différents procédés pour y parvenir : lapsus calami («Citizen Rider» et «Easy Kane») ; parodie d'auteurs au moyen de citations quelque peu modifiées ou placées dans un contexte qui leur donne un nouveau sens; ignorance feinte («Vénus de Boticelli») ; néologismes et associations d'idées dénotant une imagination fertile («spermatozoïde marxiste»).

En somme, l'œuvre de Cocke regorge d'humour, prend des risques et réinvente le langage et le rire dans notre littérature. L'auteur se définit ainsi : «Je ne suis pas un écrivain véritable mais plutôt un melting-pot ambulant de sensations audio-visuelles, sorte d'extra-terrestre contrôlant tout.» Il ne saurait mieux dire. Son œuvre, véritable carrefour d'influences parfois mal assimilées, particulièrement en science-fiction, pratique l'emprunt et la parodie jusqu'aux limites du plagiat. Mais quel vent de folie inappréciable elle introduit dans la sérieuse collection «Romanciers du Jour»!

L'entreprise littéraire de Michel Tremblay, qui emprunte lui aussi la voie de la science-fiction et du fantastique, répond à un autre besoin, celui d'échapper à la réalité. *La Cité dans l'œuf,* roman paru en 1969, reprend certains éléments qui se trouvaient déjà dans *Contes pour buveurs attardés.* Toutefois, le sujet autant que le souffle mythologique qui le traverse l'éloignent du recueil de contes fantastiques.

Tremblay raconte la déchéance d'une cité qui expliquerait l'apparition de maux de toutes sortes sur la terre, interprétation spéculative aussi plausible en soi que celle qui est suggérée par la Bible. Comme dans *Malpertuis* du célèbre Jean Ray, Tremblay recrée le destin des dieux antiques et tente de donner un sens à leur existence mythique. Il livre le catalogue de sa mythologie, sa vision personnelle de la cosmogonie.

N'eût été la consécration théâtrale que lui a apportée la création des *Belles-sœurs,* Michel Tremblay aurait continué à explorer l'univers de la science-fiction et du fantastique, comme il l'a déjà déclaré en entrevue. Avec le recul, ces deux livres apparaissent maintenant comme des expériences ponctuelles qui se situent en marge des deux grands cycles d'écriture de Tremblay: celui des Belles-sœurs et celui des Chroniques du plateau Mont-Royal. Ils présentent une facette méconnue de l'écrivain. Elle vaut surtout pour la curiosité amusée qu'elle suscite, car les promesses qu'elle porte, pour être indéniables et riches, n'en sont pas moins encore à l'état embryonnaire. Ces promesses porteront leurs fruits dans *La Grosse Femme d'à côté est enceinte,* alors que Michel Tremblay renoue avec l'écriture romanesque.

Pendant la même période, le roman policier, autre expression de la littérature populaire, attire quelques auteurs du Jour. Jacques Benoit délaisse ainsi momentanément la SF et se tourne vers le milieu populaire de Montréal. *Les Voleurs* décrit le monde de la grisaille quotidienne, des petits salariés, des petites combines frauduleuses qui permettent de survivre.

L'auteur tente de mettre en lumière les raisons sociales du misérabilisme et de la cupidité de ses personnages. Mais le roman est continuellement tiraillé entre l'analyse sociologique et l'intrigue policière. Le résultat demeure en deçà de la réussite de Jacques Renaud qui, dans *Le Cassé,* à des fins différentes toutefois, abordait un sujet sensiblement identique.

André Major intègre également des éléments du récit policier à *L'Epouvantail,* qui amorce sa trilogie *Histoires de déserteurs.* L'auteur recrée l'atmosphère des clubs de nuit montréalais, fait vivre le milieu de la pègre et assaisonne l'intrigue d'un meurtre. Des scènes de sexe et de violence, de même qu'un rythme haletant, renforcent la conviction qu'il s'agit d'un thriller *made in Quebec.* Mais le choix du monologue intérieur comme forme narrative souligne la volonté de l'auteur de prendre ses distances avec le roman policier classique et de privilégier l'étude de mœurs.

Parce qu'il est un être solitaire, le héros de Major paraît entretenir un lien de parenté avec ces détectives privés du roman américain de série noire. Mais encore là, l'auteur s'emploie à déjouer les recettes de ce genre. Momo Boulanger est une proie et non un chasseur, un bouc émissaire du village de Saint-Emmanuel-de-l'Epouvante plutôt qu'un redresseur de torts. Une seule personne peut le sortir de sa solitude: Marie-Rose, la serveuse du Café Central.

Plus le récit progresse, moins l'auteur semble

intéressé par l'intrigue policière. Il fouille plutôt les motivations profondes des habitants du village et analyse le dépérissement de cette société rurale. Même si, dans *L'Epidémie,* le centre d'intérêt se déplace de Momo Boulanger à l'inspecteur de police Therrien, maintenant à la retraite, le projet littéraire de Major s'éloigne encore plus du récit policier traditionnel.

L'écriture restitue la lenteur et l'assoupissement de la vie des gens du village. Pleine de circonlocutions et de louvoiements, elle s'insinue dans la psychologie des personnages et met à nu leurs désirs, leurs échecs et leurs faiblesses. Elle fait l'autopsie de chacun d'eux sans indulgence, mais aussi sans porter de jugement de valeur. L'hiver devient une composante essentielle du décor figé sur lequel se précise la personnalité des habitants du village. Comme dans toute la littérature québécoise, cette saison constitue une période de latence et de transition malgré l'état d'engourdissement qu'elle suggère. Si intimement mêlé à la vie quotidienne, l'hiver représente le repli sur soi des villageois et le conservatisme de cette société qui rejette les marginaux.

Dans *Un, deux, trois,* Pierre Turgeon caresse le même projet inavoué de renouveler ce genre littéraire. D'entrée de jeu, l'avant-propos adressé à l'éditeur par l'employeur du personnage principal, Paul Mercier, met le lecteur sur la piste de Hubert Aquin, le génie de la complexité en moins.

L'auteur expose le mal de vivre de ses personnages face à la civilisation aliénante, dérisoire et marquée par un gigantisme étouffant, mais il ne gratte qu'en surface les causes de cette insatisfaction existentielle. Seul le personnage de Paul Mercier bénéficie d'un approfondissement décent permettant de cerner les racines du mal.

Chez Turgeon, ces racines ont pour terreau l'univers familial. En revenant ainsi dans son village natal de Saint-Maurice-des-Carrières pour y faire un reportage sur la disparition de la dernière usine de la place, c'est vers sa propre mort que Paul s'achemine. Cette visite déclenche un retour vers le passé et la traumatisante enfance du journaliste qui, par le biais de la déchéance du village, assiste à sa propre décomposition.

En somme, chez ces trois écrivains, la structure du roman policier n'est qu'un prétexte pour appréhender la réalité sociale du Québec, à la ville comme à la campagne. L'œuvre de Major éclipse celle des deux autres car elle apparaît plus cohérente, mieux maîtrisée et plus riche sur le plan sociologique. En outre, elle assimile mieux les éléments du genre qui la fonde.

### *Une perte inestimable*

La période qui consacre la domination littéraire du Jour prend cependant fin avec la décision de Jacques Hébert de se départir de ses intérêts dans les éditions du Jour. Son départ précipité aura des retombées beaucoup plus graves que la défection de Victor-Lévy Beaulieu, neuf mois plus tôt. En décidant de ne pas répondre à l'invitation pressante de Beaulieu, les écrivains du Jour ont prouvé qu'ils étaient encore plus attachés à Jacques Hébert, le président-directeur général, qu'au directeur littéraire, pourtant un des leurs.

L'événement met en relief la personnalité de Jacques Hébert, facteur important dans l'analyse du succès des éditions du Jour. L'associé de Hébert, la Fédération des caisses d'économie du Québec, avait sous-estimé les conséquences de sa démission. Ce départ imprévu fera vaciller la maison et lui fera perdre le prestige qui assurait sa suprématie dans le domaine de l'édition culturelle au Québec.

L'importance de cette décision sur l'avenir de la maison se trouve confirmée par l'étiolement de la production au cours des années suivantes. Quant au mystère qui entoure cette ténébreuse affaire de la démission de Jacques Hébert, un examen de la situation administrative du Jour et du climat des relations entre les deux partenaires de l'entreprise le dissipe grandement.

*Chapitre 4*

# *Le départ de Jacques Hébert*

*Chapitre 4*

# *Le départ de Jacques Hébert*

Rien ne laissait présager ce geste d'éclat de Jacques Hébert. Aussi est-ce avec un certain scepticisme que le milieu a accueilli les raisons officielles qui ont incité Jacques Hébert à se départir de son bloc de 50% d'actions des éditions du Jour. Il présente sa démission le mardi 20 août 1974 et, par la voie d'un communiqué de presse, explique les raisons qui ont motivé son geste. Voici le texte intégral du communiqué:

> Dès le départ, je m'étais promis de me consacrer à l'Edition pendant une période d'environ 10 ans, réservant le reste de ma vie à d'autres projets que j'avais déjà en tête.
>
> Mais ce métier, sans doute un des plus beaux du monde, m'a tellement passionné que je n'ai pour ainsi dire pas vu passer les années: je l'ai pratiqué pendant 15 ans. Je crois bien en avoir goûté toutes les joies: publier un livre qui bouleverse et contribue à transformer la société, découvrir un vrai poète, lancer un inconnu qui sera demain un grand écrivain, rencontrer quelqu'un dans le métro qui vous dit: «Vous avez publié ce livre? Merci, il a changé ma vie!»
>
> Depuis 1961, les éditions du Jour ont publié plus de 700 ouvrages, dont une cinquantaine de recueils

de poèmes et plus de cent romans dont les auteurs sont presque tous de très jeunes romanciers. Aujourd'hui, au Québec, la maison est devenue une véritable institution, riche du talent de ses jeunes auteurs, et qui peut très bien se passer de son fondateur.

Enfin, à une époque où le recyclage est à la mode, on ne devrait pas s'étonner de voir un homme de cinquante ans vouloir consacrer le reste de sa vie active à des choses tout à fait nouvelles pour lui. C'est sûrement un bon moyen de rajeunir!

Dans l'immédiat, mes projets sont modestes: prendre des vacances, ce que je n'ai pas fait depuis dix ans, écrire un livre, ce que je n'ai pas fait depuis trois ans.

A plus long terme, j'aurai à choisir entre diverses propositions que l'on m'a faites et que, pour l'instant, je dois garder secrètes.

J'aurai beaucoup de peine à quitter mes collègues du monde de l'édition avec qui j'ai participé à des batailles épiques et nombreuses pour la défense du livre au Québec.

Nous en avons gagné plusieurs et, sans doute, les principales; c'est pourquoi je n'ai pas l'impression d'abandonner mes camarades au milieu de la rivière mais bien au moment où, ensemble, nous allions atteindre la rive.

Ayant l'intention de quitter définitivement le domaine de l'édition, je dois renoncer aux charges que j'occupe actuellement dans les divers organismes de la profession. Je démissionne donc des fonctions suivantes:

Président de l'Association des Editeurs canadiens,
Vice-président du Conseil Supérieur du livre,

Membre du conseil international de l'Union internationale des éditeurs,
Membre du bureau de l'Union internationale des éditeurs de langue française,
Membre du bureau de l'Association pour l'exportation du livre canadien,
Membre du Comité consultatif du livre auprès du Ministère des Affaires Culturelles du Québec.

Inutile de dire que, si je quitte ces organismes, je garde des liens d'amitié très étroits avec tous les hommes et toutes les femmes qui, en 15 ans, ont bâti l'édition québécoise, pratiquement inexistante avant eux.

Je ne crois pas devoir regretter le geste que j'ai posé après mûre réflexion. Mais il est certain que je regretterai l'équipe merveilleuse d'employés et de collaborateurs qui formaient ce que, dans le milieu, on appelait «la famille du Jour». Avec émotion, je les remercie tous de leur dévouement, de leur loyauté et de leur amitié qui m'ont permis de surmonter toutes les difficultés qu'un éditeur rencontre inévitablement sur son chemin.

Je regretterai également les relations amicales que j'avais réussi à établir avec les centaines d'auteurs de la maison. Un jour, un éditeur parisien très illustre avait eu ce mot: «L'édition serait un métier merveilleux s'il n'y avait pas d'auteurs.» Cette boutade souligne le traditionnel conflit qui est censé exister entre éditeur et auteurs. Pour ma part, je dois dire que mes relations avec les auteurs ont été particulièrement heureuses, j'ai trouvé parmi eux des amis extraordinaires, évidemment d'une grande sensibilité. Je ne les quitte pas vraiment et m'en rapprocherai peut-être en me remettant à écrire des livres. Par ailleurs, je suis sûr qu'ils

> continueront à se sentir chez eux dans la vieille maison de la rue Saint-Denis.
>
> Mon successeur n'est pas encore nommé, mais je ne doute pas qu'il donnera aux éditions du Jour une impulsion nouvelle. Ayant travaillé à la préparation de la prochaine saison littéraire, je puis au moins dire, en toute simplicité, qu'elle sera remarquable à maints égards et, notamment, en révélant d'ici décembre trois nouveaux romanciers encore inconnus du public mais doués d'un talent hors de l'ordinaire.
>
> Longue vie aux éditions du Jour et à l'édition québécoise!

Le 7 septembre 1974, le cahier Arts et Lettres du *Devoir* consacre plusieurs pages à Jacques Hébert qui accorde une entrevue à Robert Guy Scully. On y trouve également un bilan de la production des éditions du Jour, un article de J.-Z. Léon Patenaude qui retrace sa collaboration longue de 25 ans avec l'éditeur démissionnaire, un portrait sensible de l'homme par Jacques Ferron et un texte de Victor-Lévy Beaulieu qui, après avoir reconnu l'ouverture d'esprit de Jacques Hébert, pose des questions sur les véritables raisons qui ont poussé ce dernier à quitter les éditions du Jour.

Beaulieu avait raison de soupçonner qu'il pouvait y avoir anguille sous roche dans la démission d'Hébert. Ce dernier n'était pas homme à délaisser une maison d'édition dont il n'était pas peu fier sans au moins avoir assuré une continuité et sans avoir préparé sa succession. Or, de toute évidence, Hébert n'avait pas eu le temps de mettre en place ces instruments avant de tirer sa révérence.

Un rapport confidentiel ayant pour titre «D'autres raisons expliquant mon départ» fait la lumière sur la situation qui régnait aux éditions du Jour depuis que la

Fédération des caisses d'économie du Québec (FCEQ) était devenue le partenaire de Jacques Hébert. C'est en consultant les archives de la maison d'édition que j'ai pris connaissance de ce document de première importance. Le milieu littéraire n'a jamais connu l'existence de ce rapport, et encore moins son contenu qui accable la FCEQ, celle-ci n'ayant jamais osé salir publiquement la réputation de Jacques Hébert qui aurait alors rendu public ce document. Si la FCEQ s'est gardée d'attaquer son ancien associé, c'est que le rapport contient des faits véridiques.

Mais avant de reproduire in extenso ce rapport, il convient de retracer de quelle façon la FCEQ est arrivée dans le décor. Car l'histoire financière des éditions du Jour est indissociable de son histoire littéraire. En effet, les différentes phases de développement de cette maison correspondent à des changements d'alliances commerciales ou de partenaires financiers.

Au tout début, Jacques Hébert supporte seul le poids financier de l'entreprise. Rapidement, il se rend bien compte que celle-ci ne pourra progresser s'il ne peut compter sur un capital plus important. D'ailleurs, l'entreprise traverse une période difficile, à compter de la fin du printemps 1962 jusqu'à la rentrée automnale.

En 1963, Hébert s'associe avec Jean-Louis Bourret, qui occupera diverses fonctions aux éditions du Jour. Il sera d'un grand soutien pour Jacques Hébert dans la conduite des activités de la maison quand ce dernier aura maille à partir avec la justice en 1964, à cause de son pamphlet *J'accuse les assassins de Coffin*. Hébert passera d'ailleurs trois jours en prison.

L'association Bourret-Hébert dure jusqu'en 1967, alors que 50% des actions des éditions du Jour sont rachetés par Jacques Brillant, industriel de Rimouski. Hébert recherchait un partenaire qui, grâce à un plus grand capital, lui permettrait d'augmenter la production de sa maison d'édition et d'entreprendre une nouvelle étape dans le plan d'expansion de l'entreprise. Jacques Brillant, membre de la famille Brillant qui contrôlait un certain nombre d'entreprises de la presse écrite et électronique au Québec, représentait un partenaire financier de choix.

Effectivement, la période au cours de laquelle Jacques Hébert peut s'appuyer sur les capitaux de Brillant constitue l'époque la plus florissante de la maison qui atteint des sommets de production jamais égalés.

Entre temps, l'homme d'affaires de Rimouski s'était départi de tous ses intérêts au Québec et résidait maintenant dans la principauté de Monaco. Il avait tout vendu, sauf ses actions dans les éditions du Jour, laissant à Jacques Hébert le soin de se trouver un nouvel associé s'il en manifestait le désir. C'est là qu'en 1972 entrent en scène la Fédération des caisses d'économie du Québec et Me Claude Béland. Directeur du Contentieux depuis 1970 à la FCEQ, Me Béland agit, au cours des deux années qui suivront, comme administrateur et secrétaire de la maison d'édition, en qualité de représentant de la Fédération, partenaire à part égale dans l'entreprise culturelle.

Dans ce fameux rapport personnel et confidentiel portant sur les autres raisons qui ont motivé son départ, Jacques Hébert rappelle d'abord les événements qui ont précédé cette nouvelle association.

## PERSONNEL ET CONFIDENTIEL

### *D'autres raisons expliquant mon départ*

Depuis la fondation des Editions du Jour inc., en mai 1961, j'ai presque toujours eu des associés qui ont détenu 50% des actions de l'entreprise. De 1968 à 1972, mon associé a été M. Jacques Brillant, plus précisément la compagnie Crédit Concorde qui appartenait à M. Brillant. Au cours de ces années, je n'ai eu qu'à me réjouir de mes rapports avec M. Brillant qui fut en tout temps respectueux de nos ententes, particulièrement en ce qui concernait ma liberté de publier les livres de mon choix. C'est à cette époque que furent fondées les Messageries du Jour inc. et que j'ai obtenu la diffusion exclusive du fonds de l'éditeur Robert Laffont et de quelques éditeurs diffusés par son entreprise de distribution Inter-Forum.

M. Brillant n'a jamais manifesté le désir de vendre ses actions et de mettre ainsi un terme à notre association, même après qu'il eut décidé de quitter le Canada et de s'établir en Europe. Les Editions du Jour ont même été la seule entreprise canadienne dans laquelle il avait gardé des actions. Cependant, il se rendait bien compte que son absence diminuait l'efficacité de sa participation à l'administration de la maison d'édition. Comme, par ailleurs, il avait investi de l'argent dans l'entreprise avant tout parce qu'il croyait dans sa mission culturelle et parce qu'il m'honorait de son amitié et de sa confiance, il m'avait laissé libre de lui substituer un ou des associés qui pouvaient contribuer davantage à l'essor de la compagnie et de ses deux filiales, les Messageries du Jour inc. et le Club du livre du Québec inc. Mais quand, éventuellement, la Fédération des Caisses d'Economie du Québec, par sa filiale SOFEDA, a voulu acquérir ses actions, il n'y a consenti qu'après avoir obtenu mon accord. Au moment de la transaction, les fondés de pouvoir de M. Brillant avaient même obtenu de SOFEDA un droit de préférence pour le rachat des actions si jamais ce groupe voulait s'en départir dans l'avenir.

Au cours de l'été 1972, j'ai rencontré M. Robert

Soupras, directeur général de la Fédération des Caisses d'Economie du Québec, M. Réal Blanchard, directeur du service des finances, et Me Claude Béland, directeur du contentieux de la dite Fédération. Ils m'ont alors manifesté l'intention qu'avait SOFEDA d'acquérir les actions de M. Jacques Brillant et de devenir mon associé à 50% dans les trois compagnies. Ils m'avaient fait valoir que la Fédération des Caisses d'Economie du Québec, par l'entremise de sa filiale SOFEDA, désirait s'associer intimement à des entreprises québécoises, assurer leur financement et leur apporter sa compétence au plan du management, de l'administration, de la comptabilité, etc. C'est ce dernier volet de la proposition qui m'avait davantage séduit car, si mes entreprises avaient besoin d'investissements nouveaux pour assurer leur expansion, elles avaient surtout besoin de compétence au plan du management.

La transaction eut donc lieu et, pendant quelque temps, je me suis senti appuyé, au double plan administratif et financier, par mes nouveaux associés. C'était à l'époque où les Messageries du Jour, installées dans de nouveaux locaux, connaissaient une expansion telle qu'il fallait en surveiller le développement de très près. Nous avions choisi ensemble un directeur général qui semblait avoir toute la compétence requise pour remplir le poste. Comptable agréé, il avait eu une longue expérience dans la distribution et l'édition. Au bout de deux mois à peine, je me suis rendu compte que ce directeur général, au demeurant un parfait honnête homme, n'avait pas la compétence qu'on lui avait prêtée et que son administration s'avérait désastreuse. En deux mois, notre réputation d'efficacité comme distributeur avait été quasi ruinée auprès des libraires. Les conséquences sur les ventes se sont fait sentir aussitôt et il aurait fallu réagir rapidement. Mais je faisais confiance au sens des affaires de mes nouveaux associés, d'autant plus que M. Réal Blanchard, comptable professionnel (C.G.A.), directeur des finances à la Fédération des Caisses d'Economie du Québec et trésorier des Editions du Jour et de ses filiales, suivait la marche des événements apparemment de très près. Il allait aux Messageries du Jour ou aux Editions du Jour régulièrement, y travaillant parfois plusieurs heures d'affilée. Comment expliquer alors qu'il lui a fallu près de six mois avant de se rendre compte de l'incompétence du dit directeur général et, en conséquence, de la détérioration de l'entreprise? Je ne suis pas en mesure de l'évaluer, mais il est certain que ces six mois ont été néfastes tant pour la maison d'édition que pour les Messageries. C'est à partir de ce moment que j'ai mis en doute la compétence de M. Réal Blanchard lui-même.

Après le départ du directeur général des Messageries, M. Blanchard a suggéré qu'on ne devrait pas le remplacer et que ses fonctions pouvaient être assumées par M. Ernest Maassen, alors directeur commercial des Editions du Jour, donc peu familier avec les problèmes de distribution. M. Maassen lui-même m'avait fait valoir qu'il ne voulait pas assumer de telles responsabilités parce qu'il ne croyait pas avoir la compétence et l'expérience nécessaires. M. Maassen est un excellent employé, d'une honnêteté et d'un dévouement à toute épreuve, indispensable à nos entreprises qu'il connaît mieux que quiconque, y travaillant depuis 12 ans. Mais à cause même de ces qualités, il me paraissait injuste et imprudent de l'accabler de nouvelles responsabilités au-dessus même de ses forces physiques. Une entreprise mal partie avait le plus grand besoin d'un administrateur hors pair qui aurait pu consacrer tout son temps à sa réorganisation. J'ai fait valoir ce point de vue avec force au conseil d'administration, mais mes associés n'ont rien voulu entendre, invoquant entre autres que cette solution permettait de faire l'économie d'un salaire de directeur général (que, bien entendu, on n'a pas donné à M. Maassen).

Par la suite, et à plusieurs reprises, MM. Soupras, Blanchard et Béland ont admis que j'avais eu raison sur ce point. Mais pendant une autre période de six mois, les Messageries du Jour n'ont pas été réorganisées comme il aurait fallu, malgré le travail remarquable accompli par M. Maassen, dont la santé s'est détériorée gravement à la suite de cette expérience.

Pendant toute cette période, M. Blanchard a continué à surveiller l'administration et la comptabilité des entreprises, travaillant en étroite collaboration avec M. Maassen et faisant des rapports très fréquents à M. Soupras. Au bout de *six mois,* mes associés se sont enfin rendu compte qu'il fallait nommer un directeur général à plein temps aux Messageries. Ils m'ont alors pratiquement imposé un de leurs amis, M. Jean de Grandpré, lui donnant le titre de vice-président exécutif.

Il devenait en fait directeur général des Messageries avec des fonctions de contrôle auprès des Editions du Jour et du Club du livre du Québec. Mes associés m'avaient assuré que M. de Grandpré était un excellent administrateur, un comptable d'expérience et qu'il avait été jadis, pendant quelques années, sous-ministre adjoint au Ministère des Institutions financières du Québec... Ce qui pouvait me rassurer davantage encore, c'est qu'il semblait jouir d'un grand prestige à la Fédération des Caisses d'Economie du Québec et, disait-on, auprès du Conseil d'administration de la Fédération. C'était donc un «homme de la Fédération» qui, enfin, allait jouer un rôle déterminant dans les réorganisations qui s'imposaient, surtout à un moment où la Fédération devait consentir de nouveaux prêts importants aux entreprises, prêts devant surtout combler les pertes causées par la mauvaise administration qui sévissait depuis plus d'un an. On m'a moralement imposé que M. de Grandpré remplace M. Maassen au conseil d'administration, sous prétexte que ce dernier ne pouvait plus rien apporter, sans doute parce qu'il m'était trop loyal. (On devrait parler plutôt de sa loyauté à l'endroit de la Compagnie...) Bien que détenant 50% des actions, je me retrouvais donc au conseil d'administration devant les seuls représentants de mes associés: MM. Soupras, de Grandpré, Béland, et Blanchard qui, sans être membre, exerçait une influence souvent déterminante. Etant peu versé dans les questions de comptabilité ou de droit, je me trouvais dans une situation d'infériorité évidente dont on a vite abusé.

Peu de temps après son arrivée, j'ai compris que M. de Grandpré n'était pas l'homme de la situation. Son ignorance totale du monde de l'édition et de la distribution, ses méthodes administratives tatillonnes et souvent puériles, son esprit confus, ses trous de mémoire qui l'entraînent à remettre souvent en question des ententes verbales, le côté soupçonneux de son caractère qui a gâté le climat de franche coopération régnant au sein du personnel, son manque de sens social, son conservatisme outrancier, son évidente agressivité à l'égard de ma personne et de ma façon de diriger les Editions du Jour, sa manière brouillonne de faire la comptabilité, ses hésitations dans les prises de décision, son habitude de se buter lorsqu'il avait pris une mauvaise décision souvent sans informations préalables, et, enfin, son application à favoriser les intérêts de mes associés plutôt que ceux de la compagnie, sont autant de facteurs qui ont contribué à ce que la situation n'ait pas été redressée et, même, qu'elle ait continué à se détériorer.

Mais M. de Grandpré étant «l'homme de la Fédération», j'étais vraiment mal placé pour contredire son action et, bien sûr, pour demander son remplacement par un administrateur compétent. Je me suis donc, tout à coup, senti à la merci de mes associés. Cela s'est précisé en janvier 1974, lorsque M. de Grandpré a sollicité de nouveaux prêts de la Fédération. M. Soupras m'avait alors fait valoir qu'il aurait beaucoup de mal à obtenir de nouvelles sommes de son conseil d'administration à moins que je ne consente à céder tous mes intérêts dans les Messageries du Jour, la plus immédiatement rentable des trois entreprises, de l'avis de mes associés. Il aurait été plus correct de me laisser au moins quelques actions pour que je puisse siéger au conseil d'administration des Messageries, distributeur exclusif des Editions du Jour, d'autant plus que c'est grâce à mes relations d'amitié avec Robert Laffont que les Messageries avaient obtenu un contrat de diffusion exclusive de cette importante maison française. De l'avis de mes associés, cette diffusion est devenue très profitable depuis qu'on a négocié un nouveau protocole avec Robert Laffont. A ce propos, on peut trouver curieux que des administrateurs prétendus chevronnés aient mis un an à se rendre compte que les conditions du premier protocole étaient à ce point défavorables que les Messageries auraient perdu une somme très importante pendant la première année. Le premier directeur général des Messageries, peu de temps après sa nomination, avait avisé M. Blanchard que les bénéfices bruts sur la vente des livres de Robert Laffont étaient nettement insuffisants et qu'il fallait renégocier le protocole ou, à tout le moins, élever la tabelle. M. Blanchard n'a pas tenu compte de cet avis.

N'étant plus en position de négocier, ni en mesure de discuter les chiffres dont mes associés faisaient état, j'ai dû m'incliner, et leur céder les Messageries. (En guise de compensation, on avait consenti à me racheter pour $5,000 d'actions privilégiées.)

Au cours de la réunion du Conseil d'administration où cette affaire a été discutée, on a tenté d'inclure le Club du livre du Québec dans la transaction, dont mes associés seraient devenus également actionnaires à 100%. Or cela n'avait même jamais été mentionné, c'était une basse manœuvre de dernière minute. J'ai protesté et c'est grâce à la réaction de Me Béland et ensuite de M. Soupras que l'on ne m'a pas enlevé le Club du livre en même temps que les Messageries du Jour. En passant, je tiens à souligner que je n'ai jamais eu à me plaindre de Me Béland, qui, à quelques reprises, a empêché qu'une injustice ne soit commise à mon endroit. Quant à l'opération «Club du livre», elle semble avoir été le fait de MM. de Grandpré et Blanchard.

Mais l'opération la plus grave et qui, celle-là, a réussi, est la répartition qu'on a faite du passif de la compagnie entre les Editions du Jour, où mes associés détiennent 50% des actions, et les

Messageries du Jour, où ils détiennent 100% des actions. Cette répartition est vraisemblablement l'œuvre de «l'homme de la Fédération», M. de Grandpré. Mais il est impensable qu'il ait pris une telle initiative sans au moins l'accord de M. Soupras ou de M. Blanchard. Chose certaine, ni M. Maassen, directeur commercial des Editions du Jour, ni moi-même n'avons été consultés à ce sujet.

Au cours d'une réunion du Conseil d'administration, on m'avait montré des bilans pro forma qu'il m'était impossible d'analyser et on m'avait fait signer une convention par laquelle les Editions cédaient certains actifs aux Messageries. A sa face même, ce document me paraissait favoriser indûment les Messageries, mais on m'a bien fait comprendre que c'était à prendre ou à laisser. Toute les transactions entre les Editions et les Messageries ont donc été décidées par mes associés, qui se trouvaient en situation de conflit d'intérêt, sans que j'aie pu consulter des comptables ou des avocats indépendants.

Il faut expliquer d'abord que, contrairement à mes vœux, souvent exprimés au Conseil d'administration, mes associés avaient depuis longtemps fondu en une seule la comptabilité des trois entreprises qui sont cependant trois compagnies différentes. Je ne suis pas un comptable, mais je ne pouvais m'empêcher de trouver étrange cette pratique qui rendait très difficile l'évaluation constante de la rentabilité de chacune des entreprises. Je dois reconnaître que, sur ce point, Me Béland semblait d'accord avec moi.

Mais, écrasé par de «savantes» explications comptables, où C.A. et C.G.A. se donnaient la réplique, j'ai dû finalement m'incliner, en me disant que le résultat final des opérations resterait le même puisque nous étions à 50-50 dans les trois entreprises.

A partir de janvier 1974, il a évidemment fallu séparer la comptabilité puisque je ne détenais plus d'actions dans les Messageries du Jour. C'est alors que M. de Grandpré a réparti entre les Editions du Jour et les Messageries du Jour les emprunts de banque, les comptes à payer et les effets à payer (prêts de la Fédération des Caisses d'Economie du Québec ou SOFEDA). Je n'ai aucune idée de la manière dont a été faite cette répartition puisque je n'ai pas été consulté. Je n'ai évidemment plus accès aux états financiers des Messageries, mais au meilleur de ma connaissance, je crois que ces états financiers devraient montrer un emprunt de banque d'environ $200 000 et des effets à payer d'environ $100 000. Par contre, les états financiers en date du 31 juillet 1974 des Editions du Jour, indiquent que les emprunts de banque seraient de $281 600 et les effets à payer de $395 000 (à relire lentement). Or je mets sérieusement en doute l'honnêteté de cette répartition, outrageusement défavorable aux Editions du Jour.

Pendant 11 ans et jusqu'à l'arrivée de mes nouveaux associés, les Editions du Jour ont fonctionné avec un emprunt de banque n'ayant jamais dépassé $80 000 (ce qui incluait alors les opérations des Messageries). Quant aux effets à payer, ils étaient de $100 000. Pour expliquer qu'en deux ans les emprunts de banque des Editions du Jour aient passé de $80 000 à $281 600, à quoi s'ajoutent des effets à payer de $395 000, (total de $676 000), il aurait fallu que les Editions du Jour augmentent leurs dépenses d'opération de façon incroyable. Or, après l'arrivée de mes nouveaux associés et, surtout, après l'installation de M. de Grandpré, le personnel des Editions du Jour a été réduit et toutes sortes de dépenses ont été supprimées.

Quant au nombre de livres publiés, on peut établir les comparaisons suivantes:

***Avant l'arrivée de la Fédération des Caisses d'Economie du Québec:***

*1970-1971*
Livres du Jour: *72* | Coéditions Laffont: *25* | total: *97*

*1971-1972*
Livres du Jour: *52* | Coéditions Laffont: *64* | total: *116*

***Après l'arrivée de la Fédération des Caisses d'Economie du Québec:***

*1972-1973*
Livres du Jour: *98* | Coéditions Laffont: *25* | total: *123*

*1973-1974*
Livres du Jour: *82* | Coéditions Laffont: *5* | total: *87*

Il est donc clair que la production des Editions n'a pas augmenté pendant les deux dernières années et qu'elle a même sensiblement diminué depuis un an. On peut invoquer que deux livres publiés en décembre 1973 («Œuvres de Champlain» et «Peinture contemporaine») ont été des livres coûteux à produire et de vente lente, mais cela est largement compensé par les quatre livres de Sœur Berthe qui ont été des best-sellers comme la maison n'en avait pas connu depuis des années.

Alors, comment expliquer que le passif des Editions du Jour ait augmenté en deux ans de plus de $500 000 (sans parler des comptes à payer et frais courus évalués au dernier bilan à $269 038)?

Je crois qu'il ne peut y avoir qu'une explication: dans la répartion du passif entre les deux compagnies, on a attribué aux Editions du Jour des emprunts utilisés par les Messageries du Jour. Si tel est le cas, il va sans dire que cette répartition cause un tort énorme aux Editions du Jour et à moi-même comme actionnaire à 50%.

Mais alors, si ces sommes considérables ont été dépensées principalement par les Messageries du Jour, on peut se demander ce qui s'est produit dans cette entreprise plus directement contrôlée par mes associés dès leur arrivée il y a deux ans, et sous leur contrôle total depuis la nomination de M. de Grandpré il y a un an.

1. Il est indiscutable, comme mes associés l'admettaient eux-mêmes au départ, qu'il fallait investir des fonds dans les Messageries qui prenaient un nouveau départ avec l'arrivée de nouvelles distributions exclusives: Robert Laffont, Seghers, etc. Il a fallu déménager les Messageries dans un nouvel immeuble, rue Durocher, aménager les locaux, engager du personnel nouveau, etc. Il m'est impossible d'évaluer l'importance de cet investissement.

2. Selon M. Blanchard, nous aurions, pendant la première année, perdu une somme importante en distribuant les livres de Laffont sans marge suffisante de bénéfice brut. Un observateur plus compétent s'en serait aperçu plus tôt, d'autant plus que le directeur général des Messageries avait plusieurs fois alerté M. Blanchard à ce sujet. Robert Laffont nous avait souvent répété qu'il voulait que

notre association soit profitable aux deux parties et qu'il était toujours disposé à renégocier le protocole d'entente même *avant* son expiration, ce qu'il a d'ailleurs fait sur un point ou sur un autre, à l'occasion de la visite de son représentant, M. Weil. Il y a donc là une perte causée par l'incurie de notre administration, perte aggravée en cours de route par la dévaluation du dollar.

3. Une autre perte importante a été causée par l'absence d'un directeur général compétent aux Messageries pendant la première année, lacune grave que des administrateurs sérieux auraient comblée avant que les dégâts ne se fassent trop sentir.

4. L'arrivée de M. de Grandpré a entraîné des économies certaines, mais surtout dans des secteurs mineurs. Par contre, il n'a pas réussi à insuffler du dynamisme à l'entreprise, pour toutes sortes de raisons mentionnées plus haut. Il devait réduire le personnel des Messageries, mais il l'a au contraire *augmenté* sensiblement. Il n'a apparemment jamais remarqué que M. Ouimet était nettement au-dessous de sa tâche. Ancien chauffeur de camion à la Fédération des Caisses d'Economie (et beau-frère de M. Soupras), M. Ouimet a été nommé, il y a deux ans, chef de service à un salaire de deux cents dollars par semaine, responsable des stocks (valeur d'environ 1 million de dollars), responsable de la réception des marchandises et de l'expédition. Il est incapable de diriger les nombreux employés sous ses ordres et de comprendre vraiment la nature des opérations dont il a la responsabilité. Dans son service, le même travail pourrait être accompli plus efficacement par un personnel réduit des deux tiers si seulement il était utilisé intelligemment. A cause de la totale incurie

de M. Ouimet, les Messageries supportent des employés inutiles et inefficaces (comme par exemple le fils de M. Réal Blanchard) tandis que les bons employés ne donnent pas leur plein rendement. Un honnête comptable pourrait établir ce qu'a pu coûter un régime pareil qui dure depuis deux ans.

Je ne mets pas en doute l'honnêteté de M. Ouimet, mais il n'en reste pas moins que c'est dans le service dont il est responsable qu'on a mis à jour un trafic de livres des éditions du Jour et de Robert Laffont. Des quantités considérables de livres, dont on n'évaluera sans doute jamais l'importance réelle, sortaient de nos entrepôts et étaient vendus sur quelque réseau parallèle. Voilà des faits connus de tous les employés et du conseil d'administration. Mais combien y-a-t-il d'autres faits aussi graves ou plus graves encore dont je n'ai pas eu connaissance et dont M. de Grandpré lui-même n'aurait pas eu connaissance?

Il m'est évidemment impossible de faire l'inventaire des erreurs administratives ou des pratiques comptables douteuses de M. de Grandpré, mes contacts avec les Messageries étant réduits au minimum et les états financiers ne m'étant plus fournis. N'ayant aucun goût pour l'espionnage, c'est pas pur hasard que, parfois, l'écho de ces erreurs ou de ces pratiques m'est parvenu.

De mémoire, je me souviens de quelques cas, comme *l'affaire Zehner* (malgré tous les conseils, M. de Grandpré refusait de payer des sommes dues à cet ancien employé, mauvaise cause qu'il a perdue devant l'arbitre du Ministère); *l'affaire Granger* (M. de Grandpré a brusquement refusé de respecter une entente signée avec cet important grossiste. Après nous avoir fait passer pour de malhonnêtes gens auprès du directeur général de Granger, M. Constantin, M. de Grandpré a dû perdre la face et respecter l'entente, d'ailleurs sollicitée par lui) ; *l'affaire Laffont* (à la suite d'une inspiration subite, M. de Grandpré décide d'exiger de Robert Laffont des frais divers de 26.5% sur les coéditions avec les éditions du Jour, alors que notre entente limitait ces frais à 14%. J'ai vraiment honte à l'idée de ce qu'a pu penser de nous un homme aussi foncièrement honnête que Robert Laffont. Il ne s'est heureusement pas laissé faire et M. de Grandpré a dû encore reculer) ; *l'affaire des auteurs* (à la suite d'un autre coup d'inspiration et sans me consulter, il va sans dire, M. de Grandpré a essayé de se faire rembourser par des auteurs des droits d'auteur que nous leur aurions versés en trop, ce qu'aucun éditeur au monde ne fait et ce qui a suscité des tollés légitimes de la part de ces auteurs; après s'être rendu ridicule et même odieux dans au moins un cas, M. de Grandpré a dû reculer) ; l'affaire *Business Computers Canada Ltd* (trois mois avant la faillite de cette compagnie, qui n'avait même pas un programmeur en service, Madame Maassen avait appris ses difficultés financières et en avait averti M. de Grandpré avant le versement d'un acompte sur l'achat d'un ordinateur. Indifférent à cet avertissement parmi d'autres, M. de Grandpré verse tout de même un acompte de $11 500 que la compagnie a perdu. Quelle compagnie?)

Mais ce qui est infiniment plus grave, c'est que j'ai acquis la conviction que toute l'action de M. de Grandpré est orientée dans un même sens: favoriser les Messageries du Jour (où SOFEDA possède 100% des actions) au détriment des Editions du Jour (où SOFEDA ne détient que 50%

des actions). J'ai déjà expliqué comment j'aurais été lésé au moment de la répartition entre les deux compagnies des emprunts de banque et des effets à payer. Mais j'ai bien d'autres indices à l'effet que le même jeu se joue à toutes sortes de niveaux.

Par exemple, au cours d'une réunion du Conseil d'administration des Editions du Jour, après la séparation des compagnies, M. de Grandpré m'annonce qu'à la suite de ses savants calculs (vérifiés avec M. Blanchard, comme d'habitude, on peut le supposer), les Editions du Jour devraient accorder dorénavant une remise de 60% sur le prix de détail de leurs livres aux Messageries du Jour, distributeurs exclusifs. Cela me paraissait aberrant, mais une fois de plus on m'a inondé de chiffres incontrôlables par quiconque n'est pas comptable et en possession de tous les renseignements pertinents. J'ai protesté aussi vigoureusement que possible, en invoquant que les Editions du Jour seraient nettement défavorisées par rapport à leurs concurrents. Aucun distributeur de Montréal ne demande plus de 55% de remise aux éditeurs et, dans certains cas, la remise est encore inférieure. Après une longue discussion, M. Soupras m'a fait admettre le 60%, quitte à examiner les résultats après quelque temps. Ayant tout le monde contre moi, j'ai dû m'incliner une fois de plus. Par la suite, avec les quelques chiffres que j'avais eus en ma possession, j'ai pu établir qu'en accordant une remise de 60% aux Messageries, les Editions du Jour perdraient de l'argent sur pratiquement tous les livres qu'elles vendaient. A une réunion subséquente du Conseil d'administration, je suis revenu à la charge et, après discussion, M. de Grandpré a consenti à revenir au 55%.

De deux choses l'une: ou bien M. de Grandpré est

un bien mauvais comptable, ou bien il a tenté une manœuvre dont le résultat évident aurait été de gonfler indûment les revenus des Messageries (où SOFEDA détient 100% des actions) et de gonfler aussi indûment les pertes des Editions du Jour (où SOFEDA ne détient que 50% des actions). A très brève échéance, les Editions du Jour auraient eu besoin de nouveaux emprunts et, pour rester logique avec le pattern plus haut décrit, j'aurais sans doute dû céder en contrepartie des nouvelles avances une part ou la totalité de mes actions dans la maison d'édition.

Parmi les autres choses qui vont dans le même sens, il y a le fait que les Messageries (pratiquement le seul client des Editions) payent leurs comptes aux Editions avec d'incroyables retards, avec le résultat pratique que les Editions du Jour doivent payer 12% d'intérêt à la banque sur ces sommes, ce qui est une autre façon de favoriser les Messageries.

Bien plus, M. de Grandpré ne porte pas aux états financiers mensuels des Editions du Jour le montant réel des sommes dues aux Editions du Jour par les Messageries du Jour. Simplement au mois de juillet j'ai pu établir que le montant réel des sommes dues au poste des ventes est de $146 935 alors qu'il n'est que de $67 630 au bilan que m'a présenté M. de Grandpré au 31 juillet 1974. C'est évidemment les Editions du Jour qui payent les intérêts de 12% à la banque sur la différence de $79 305. Cette pratique a également pour conséquence de noircir encore le bilan des Editions du Jour en augmentant artificiellement ses pertes. (Voir détail de mes calculs à l'annexe A.)

Voilà qui devrait largement suffire à ébranler la confiance que j'ai eue à l'égard de mes associés jusqu'à ces derniers temps. Mais la goutte qui a fait déborder le vase, ce sont les tractations qu'ils entretiennent à mon insu depuis plusieurs mois déjà. Sans même m'en souffler mot, ils tentent actuellement de vendre leurs actions dans les trois entreprises à l'un ou l'autre des puissants groupes capitalistes qui s'intéressent au secteur de l'information et de la distribution. D'un groupe coopératif issu du mouvement syndical, je me serais attendu à plus d'égards et plus de loyauté à mon endroit et à l'endroit des entreprises elles-mêmes. Je ne nie pas que les Editions du Jour, les Messageries du Jour et le Club du livre pourraient connaître un nouvel essor s'ils s'associaient à un groupe d'hommes d'affaire sérieux, pourvu d'administrateurs plus compétents que ceux que j'ai connus jusqu'ici et munis de connaissances valables dans des domaines connexes à l'édition. Mais jusqu'à ce jour, j'ai choisi moi-même mes associés et je n'accepte pas qu'on m'en impose sans consultation, alors que, de mon côté je n'ai rien à me reprocher au plan de la loyauté à l'égard de mes associés actuels. Je les avais choisis parce que, dans ma candeur, je croyais qu'il convenait particulièrement à la vocation sociale et culturelle des Editions du Jour de s'associer à un groupe coopératif qui investirait avec prudence des fonds provenant des épargnes de groupes d'ouvriers syndiqués du Québec. Ma déception est décidément totale et devrait inquièter le Conseil d'administration de la Fédération des Caisses d'Economie du Québec.

Pour toutes ces raisons et pour d'autres, à caractère personnel, il ne me restait plus qu'à démissionner comme président et directeur général des Editions du Jour et du Club du livre du Québec et comme directeur de ces compagnies afin de me dissocier sans délai de pratiques administratives ou comptables que je condamne et sur lesquelles je n'ai pratiquement aucun contrôle. Enfin, je veux manifester mon désaccord avec l'esprit qui anime les négociations secrètes de mes associés.

Jacques Hébert
Montréal, 20 août 1974

**ANNEXE A**

***Exemple entre mille des pratiques comptables de M. de Grandpré***

| | |
|---|---|
| Un livre des Editions du Jour au prix de couverture | $10.00 |
| est cédé aux Messageries pour | $ 4.50 |
| Celles-ci le vendent au libraire pour | $ 6.00 |
| donc sur une vente rapportant | $6.00 aux Messageries |
| celles-ci en doivent | $4.50 aux Editions |

Soit: 75% du chiffre de vente des Messageries.

Aux états financiers de fin juin 74, le compte à recevoir des Editions du Jour (moins provision pour créances douteuses) est de $68 827 en provenance des Messageries. Les comptes libraires des Messageries sont payables à 90 jours, donc le compte à recevoir porte sur les ventes d'avril, mai et juin 1974. Le relevé mensuel des comptes à recevoir des Messageries pour les ventes Editions du Jour se répartissent comme suit:

| | | |
|---|---|---|
| Avril | $ 70 285 | |
| Mai | $ 38 203 | |
| Juin | $ 29 516 | |
| | $138 004 | (*retours déduits*) |

| | |
|---|---|
| dont les 75% reviennent aux Editions du Jour soit: | $103 500 |
| Rapporté aux Etats Financiers | $ 68 827 |
| | $ 34 673 |

*Soit le 1 / 3 du chiffre réel*

| | |
|---|---|
| Mai | $ 38 203.30 |
| Juin | $ 29 516.17 |
| Juillet | $ 42 126.11 |
| | $109 845.58 |

| | |
|---|---|
| dont les 75% reviennent aux Editions du Jour soit: | $82 384.18 |
| Rapporté aux Etats Financiers | $67 630.00 |
| | $14 754.18 |

Cependant il existe un autre compte à recevoir, celui des agences qui nous donnent les chiffres suivants:

| | | |
|---|---|---|
| Avril: | $37 423.00 | |
| Mai: | $ 2 405.00 | |
| Juin: | $46 239.00 | |
| | *$86 067.00* | (*retours déduits*) |

| | |
|---|---|
| dont 75% reviennent aux Editions du Jour soit: | $64 550.25 |

Les ventes des agences pour mai, juin et juillet ont été de *$64 551.60, retours déduits*

***Résumé***

| | |
|---|---|
| Comptes à recevoir aux Editions du Jour des ventes aux librairies au 31 juillet 1974 | $ 82 384.00 |
| Comptes à recevoir aux Editions du Jour sur ventes aux agences (retours déduits) au 31 juillet 1974 | $ 64 551.00 |
| Total: | $146 935.00 |

Montant réel porté aux Etats Financiers
par M. de Grandpré $ 67 630.00

Différence: $ 79 305.00

Cette situation fort préjudiciable aux Editions du Jour dure depuis combien de temps?

Montréal, 20 août 1974

On comprend mieux pourquoi Jacques Hébert a vendu rapidement son bloc d'actions avant d'y laisser sa chemise. Il n'en demeure pas moins vrai qu'il commençait à délaisser son entreprise depuis quelque temps, trop occupé à parcourir le Canada comme commissaire du CRTC ou les pays en voie de développement pour mettre sur pied Jeunesse Canada Monde. Victor-Lévy Beaulieu affirme qu'au cours de sa dernière année comme directeur littéraire des éditions du Jour, l'absence de Jacques Hébert a totalisé plusieurs mois. C'est Beaulieu lui-même qui signait les contrats avec les auteurs. En outre, Hébert sentait que les batailles qu'il menait pour imposer ses choix éditoriaux seraient de plus en plus difficiles à remporter en raison de son isolement au conseil d'administration.

En somme, le départ de Jacques Hébert était peut-être prévisible à moyen terme, mais il a été certainement précipité par les manœuvres louches de la Fédération des caisses d'économie du Québec.

Après avoir réussi en quelque sorte à évincer Jacques Hébert, la FCEQ s'adjoint un nouveau partenaire financier, Jacques Payette de l'imprimerie Payette et Simms, également propriétaire des éditions Héritage et créancier des éditions du Jour en tant qu'imprimeur. Jacques Payette représentait un partenaire acceptable pour les deux parties, puisqu'il était un ami de Jacques Hébert et de la FCEQ. Il achète donc les actions de Jacques Hébert et accepte de se départir de 10% de celles-ci au profit de la

FCEQ qui désire garder le contrôle de l'entreprise avec 55% des actions.

Dès septembre 1974 et en plusieurs autres occasions, Jacques Payette propose de se porter acquéreur de toutes les parts des éditions du Jour, mais la Fédération pose des conditions inacceptables. Elle voudrait que l'acheteur assume la dette de l'entreprise afin qu'elle puisse fermer ce dossier sans afficher un déficit dans ses livres. La Fédération, qui a déjà effectué plusieurs mauvais placements par le passé, ne peut se résoudre à déclarer une perte. Comment serait-elle perçue aux yeux de ses membres, eux qui l'ont pour ainsi dire poussée dans cette aventure en l'accusant de ne pas investir dans des entreprises québécoises?

Finalement, Jacques Payette se départit de ses actions le 15 juin 1978. La FCEQ demeure propriétaire à part entière des éditions du Jour jusqu'au 1er décembre 1980, alors que Sogides achète le fonds de 600 titres et le nom de l'entreprise. Des rumeurs de vente circulaient régulièrement dans le milieu depuis quelques années, de sorte que la transaction, évaluée à 350 000 $, n'a pas surpris les éditeurs québécois. C'est ainsi qu'à l'aube de leurs vingt ans, les éditions du Jour ont mis fin à leurs activités et sont devenues Le Jour, éditeur, une filiale de Sogides. Cette intégration scelle la fin définitive de l'entreprise de Jacques Hébert. Ce jour-là, une page de l'histoire de l'édition au Québec a été tournée.

*Chapitre 5*

# *Le déclin* (*1974-1980*)

*Chapitre 5*

# *Le déclin (1974-1980)*

La saison littéraire 1974-1975 est marquée bien plus par des transformations radicales dans la structure administrative et dans la composition de l'écurie de la maison que par la qualité de la production littéraire. Le 24 septembre 1974, un mois après le départ de Jacques Hébert, Yves Dupré démissionne, sachant qu'il allait être congédié. La FCEQ venait de refuser son offre d'achat des actions de Jacques Hébert parce qu'elle ne le jugeait pas suffisamment solvable.

Le lendemain, Jean-Marie Poupart, André Major et André Bastien remettent leur démission comme membres du comité de lecture. Ce geste traduit le manque de confiance de la part des auteurs envers la FCEQ, actionnaire majoritaire des éditions du Jour.

A compter du début d'octobre, Raymond Vézina, qui était déjà directeur littéraire aux éditions Héritage, propriété du nouvel associé de la FCEQ, cumule la même fonction au Jour. Cette nomination calme les appréhensions des auteurs, d'autant plus que Raymond Vézina et Claude Choquette, nouveau directeur général du Jour, déclarent vouloir assumer la succession de Jacques Hébert. Ce faisant, ils confirment les propos tenus par Me Claude Béland à la fin du mois d'août 1974, au moment de sa nomination comme président des éditions du Jour.

Cette paix fragile est rompue quand Me Claude Béland annonce, le 27 février 1975, le départ de Raymond Vézina, Claude Choquette, Ernest Maassen et Manon Mercier, responsable des relations publiques. En même temps, Me Béland déclare que les éditions du Jour s'installeront dans l'édifice de la FCEQ, au 5705 rue Sherbrooke est. Cette décision résulte de la volonté des dirigeants de la FCEQ de réduire au minimum les coûts d'opération. Voyant que la vocation culturelle de la maison d'édition allait être mise en veilleuse, Claude Choquette et Raymond Vézina ont tout simplement décidé de quitter l'entreprise.

Puis, le 1er mars 1975, les Messageries du Jour cessent de distribuer le fonds d'édition de Robert Laffont au Québec, entente qui avait été conclue trois ans plus tôt par Jacques Hébert. Le groupe Sogides, qui distribuait déjà Marabout, devient le distributeur de Robert Laffont et des petites maisons d'édition satellites comme Tchou, Seghers et Trevise.

### *Le Front des écrivains du Jour*

Le malaise qui couvait depuis plusieurs mois éclate au grand jour le 30 avril 1975 alors que douze auteurs, groupés dans le Front des écrivains du Jour (FEJ), dénoncent leur éditeur. André Major, Jean-Marie Poupart, Jacques Benoit, Claire de Lamirande, Marie-Claire Blais, Yves Dupré, Michel Beaulieu, Pierre Turgeon, Gérard Bessette, Nicole Brossard, Hélène Ouvrard et Jacques Boulerice forment ce groupe d'écrivains dissidents.

André Major, secrétaire du FEJ, a dressé un calendrier des négociations, entre les écrivains et les éditions du Jour, qui ont précédé la rupture définitive:

27 février: Renvoi de tout le personnel des éditions du Jour par le principal actionnaire, la Fédération des caisses d'économie du Québec (FCEQ).

28 février : Réunion du Front des Ecrivains du Jour (FEJ) ; dénonciation du contrat d'édition ; rédaction d'une lettre à Me Claude Béland, président des éditions du Jour et directeur adjoint de la FCEQ, dans laquelle le FEJ demande :
1) l'abolition de la clause préférentielle ;
2) la vérification des comptes ;
3) le retour à l'auteur des droits voisins ;
4) le paiement, au prix fort, des droits dus sur les ouvrages vendus à des prix inférieurs à ceux du marché ; le FEJ exprime de plus son inquiétude face à la nouvelle administration qui ne possède aucune expérience dans le domaine de l'édition.

4 mars : Rencontre du FEJ avec Me Claude Béland dans les locaux de la FCEQ ; celui-ci dénonce l'ancienne administration, promet une politique d'édition dynamique, demande quelques jours de réflexion pour répondre à nos demandes.

6 mars : Par téléphone, Me Béland accepte toutes nos revendications. Une lettre de confirmation doit suivre.

12 mars : Me Béland nous demande de lui soumettre un projet de direction littéraire collégiale.

17 mars : Après consultation avec le FEJ, Michel Beaulieu, Gérard Bessette, Jean-Marie Poupart et Pierre Turgeon mettent au point un projet de direction littéraire qu'ils soumettent à Me Claude Béland lors d'une rencontre dans les locaux de la FCEQ. Celui-ci demande deux jours de réflexion.

21 mars : La lettre promise par Me Claude Béland deux semaines plus tôt arrive enfin. Loin d'accepter nos demandes, il nous propose des modifica-

tions fort ambiguës à nos contrats.

27 mars : Réunion du FEJ. Nous décidons de demander à notre avocat de rédiger un contrat qui exprime clairement toutes nos revendications et de le soumettre pour signature à Me Béland. Nous exigeons une fois de plus qu'il nous ouvre ses livres de comptabilité.

7 avril : A la suite de deux jours de réflexion qu'il nous avait demandés le 17 mars, Me Béland nous annonce qu'il assume désormais lui-même la direction littéraire des éditions du Jour, alors qu'il a lui-même reconnu son incompétence en ce domaine lors de la rencontre du 4 mars, et qu'il agira comme coordonnateur. Il supprime le comité de lecture dans sa forme actuelle.

16 avril : Michel Beaulieu, Pierre Turgeon, ainsi que l'avocat du FEJ, Me Pierre Thibault, procèdent à la vérification des stocks aux entrepôts des Messageries du Jour.

18 avril : Michel Beaulieu, Gérard Bessette et Pierre Turgeon procèdent à la vérification des livres de comptabilité des éditions du Jour au siège social de la FCEQ.

23 avril : Réunion du FEJ. A la lumière des chiffres obtenus au cours des vérifications auxquelles ont procédé les délégués du FEJ, il est décidé à l'unanimité :

1 - de nous libérer de toutes les contraintes contractuelles qui nous lient aux éditions du Jour en raison de la clause préférentielle ;
2 - de reprendre nos droits de propriété littéraire sur les ouvrages édités par les soins des éditions du Jour ;

3 - d'exiger le paiement immédiat des sommes qui nous sont dues sur lesdits ouvrages;
4 - de convoquer une conférence de presse pour le mercredi 30 avril.

Au cours de cette conférence de presse, le Front des écrivains du Jour expose ses griefs à l'endroit des éditions du Jour.

- La direction des éditions du Jour est confiée à un administrateur incompétent dans ce domaine;
- Il existe des écarts inexplicables entre les stocks physiques tels que constatés par les représentants du FEJ et les rapports de vente faits aux auteurs par l'éditeur;
- Des ouvrages sont pilonnés sans que les auteurs soient consultés, et ce, contrairement à une clause du contrat;
- Les conditions d'entreposage sont déplorables (la moitié des bâtiments sont ouverts aux quatre vents, dépourvus de chauffage, et des centaines de livres «baignent» présentement dans l'eau occasionnée par la fonte des neiges);
- La comptabilité interne est totalement inefficace et n'arrive pas à tenir compte des stocks entreposés et en consignation en librairie;
- La modification des méthodes de distribution s'est faite sans consultation des auteurs, et ce, contrairement à une clause du contrat. A ce chapitre, le FEJ indique que les Messageries du Jour sont en voie de disparition et que le stock passera aux Messageries internationales, en l'occurrence Hachette. Les auteurs estiment qu'ils seront défavorisés, étant donné qu'on passera de la consigna-

tion à la «vente ferme» et que les libraires sont dans l'impossibilité financière d'adhérer à cette exigence;
- Les «droits de passe» ont été maintes et maintes fois appliqués aux éditions subséquentes à la première. Cette clause, faut-il le préciser, permet à un éditeur de ne pas verser les droits d'auteur pour dix pour cent du premier tirage, considérant que ce pourcentage représente le nombre de livres envoyés gratuitement en service de presse;
- Des retards injustifiables sont apportés à l'impression de certains livres, ce qui cause des torts certains aux auteurs ainsi forcés de publier durant la saison morte ou de voir leurs ouvrages reportés à une date indéfinie;
- Enfin, les paiements retardataires ne tiennent aucunement compte des contrats d'édition et des droits d'auteurs. Dans certains cas, on a été forcé de recourir à un avocat pour obtenir le paiement de ces droits.

En outre, ces événements surviennent alors que le monde de l'édition au Québec traverse une grave crise. Les éditeurs réclament que le gouvernement du Québec, par l'entremise du ministère des Affaires culturelles, adopte une loi sur les prêts garantis à l'édition. Le projet de loi tarde à venir, de sorte que la conjoncture économique des maisons d'édition n'est guère favorable. Aux éditions du Jour, cette crise est d'autant plus importante que les dirigeants de cette entreprise ont perdu toute crédibilité auprès de leurs auteurs.

Quelques mois plus tard, les écrivains dissidents du FEJ fondent la première maison d'édition de type coopératif au Québec, les éditions Quinze. Ils tournent le dos une seconde fois à Victor-Lévy Beaulieu qui occupe alors les locaux laissés vacants par le déménagement des éditions du Jour. Pour Beaulieu, c'est un retour aux sources et il veut y voir le signe que sa maison succédera à celle de Jacques Hébert.

Pourquoi Beaulieu n'a-t-il pas été capable de récupérer cette importante faction d'écrivains du Jour? A vrai dire, il n'était pas intéressé à publier tous les auteurs qui forment les Quinze et comme le groupe voulait demeurer solidaire, il n'y eut pas d'accord. Mais surtout, les écrivains restent sourds à l'invitation de Beaulieu en raison de sa personnalité et de son incapacité à conserver ses amitiés dans le milieu littéraire. Pour l'avoir connu aux éditions du Jour, ils savaient que Beaulieu était passé maître dans l'art de dresser les uns contre les autres et de cultiver le paradoxe.

### *La lente agonie*

Après juin 1975, les éditions du Jour n'ont publié qu'une quinzaine d'œuvres littéraires, dont aucune ne retient particulièrement l'attention. Les promesses faites en octobre 1974 n'ont été que de la poudre jetée aux yeux des écrivains de la maison. Ainsi, le prix Jacques-Hébert n'a jamais été attribué. Il devait être décerné à un premier roman d'un auteur de 25 ans ou moins, accompagné d'une bourse de 2 000 $. Dès lors, le milieu littéraire assiste aux derniers sursauts d'agonie de la maison, avec une certaine nostalgie.

L'impuissance des administrateurs du Jour à garder chez eux les jeunes auteurs qui constituaient la force de la maison a directement provoqué le déclin de l'entreprise. D'ailleurs, ces dirigeants qui ne connaissaient rien à l'édition n'ont pas tenté de conserver intacte l'équipe d'écrivains ayant fait leur niche aux éditions du Jour.

Ils ont vu dans le départ de ces auteurs un moyen de réduire leurs stocks d'inventaire en leur offrant de racheter les droits de propriété littéraire sur leurs œuvres.

Ce faisant, ils épongeaient une partie du déficit, mais ils se coupaient également des forces vives de l'entreprise, de sa matière première.

Jacques Hébert avait compris que la littérature et sa mise en marché n'est pas un commerce comme les autres et qu'il ne suffit pas d'avoir un imposant capital pour que l'entreprise fonctionne. Il faut aussi cultiver l'amitié des auteurs, ce que, manifestement, n'ont pas compris les hommes de la Fédération des caisses d'économie du Québec. C'est pourquoi le mot «famille», que se plaisait à utiliser Jacques Hébert quand il parlait de son entreprise, n'était pas un vain mot ou une coquetterie de sa part. Me Claude Béland, Robert Soupras et les autres n'ont jamais réussi à créer ce sentiment d'appartenance, à établir ce contact personnel et cette chaleureuse cordialité auxquels les écrivains étaient habitués. Pour ces financiers habitués à brasser des millions, la littérature était une industrie comme une autre.

Le départ insolite de Jacques Hébert et la dénonciation du FEJ ont considérablement entaché la réputation des nouveaux propriétaires majoritaires du Jour. Cette maison a rapidement été considérée comme maudite et moribonde par le milieu littéraire en général, par les ex-écrivains du Jour en particulier.

Dans une lettre adressée à Me Claude Béland en 1977, Pierre Châtillon attribue la mévente de son dernier livre à la mauvaise réputation de la maison et se plaint d'avoir été boycotté par le milieu littéraire. Châtillon est le seul auteur associé de longue date aux éditions du Jour à ne pas avoir quitté la maison au cours de la tumultueuse saison littéraire 1974-1975. Mais il a finalement compris que son éditeur ne défendait plus ses intérêts et ceux de la littérature québécoise et il a publié son roman suivant, *Philédor Beausoleil,* aux éditions Leméac en 1978.

La nomination de Me Claude Béland au poste de

directeur littéraire, après les restrictions budgétaires décrétées au printemps 1975, en dit long sur l'opinion de la Fédération en matière de culture québécoise. Le principal intéressé allègue que la direction littéraire collégiale proposée par le Front des écrivains du Jour aurait coûté plus de 100 000 $ à la Fédération, soit au moins trois fois le salaire d'un directeur littéraire. La FCEQ n'était pas prête à verser cette somme, car elle voulait surtout récupérer sa mise de fonds initiale et les prêts subséquents qui s'élevaient à environ un million de dollars.

Après avoir diminué le nombre d'employés pour réduire les frais généraux, les dirigeants de la FCEQ n'ont pas cherché à recruter de nouveaux écrivains. La situation sur ce plan s'est détériorée d'année en année. La production de cette période se compose surtout d'ouvrages sur le mouvement coopératif destinés au marché captif de la clientèle de la FCEQ et de livres pratiques traduits, pour la plupart, de l'américain, tels *Parents efficaces* de Thomas Gordon, qui a connu un gros succès de librairie.

En septembre 1979, la fonction de directeur littéraire est confiée à Michèle Maillé dans l'espoir de relancer quelque peu l'entreprise et de redorer son image. Manquant de ressources humaines, ayant perdu sa place sur l'échiquier de l'édition, la maison essuie un nouvel échec et Michèle Maillé quitte son emploi le 1er août 1980. Les dirigeants de l'entreprise viennent de jouer leur dernière carte et ils ne chercheront plus désormais qu'à se débarrasser de cette compagnie déficitaire.

Au fond, la Fédération a toujours considéré que son rôle était celui d'un banquier pour qui chaque investissement doit rapporter un profit. Or, dans le domaine de l'édition, peu de livres sont rentables et les quelques succès permettent tout au plus d'éponger les pertes encourues par la majorité des publications. Avec une telle vision mercantile, la Fédération n'a jamais accepté de jouer son rôle d'éditeur, qui est avant tout de promouvoir la littérature et de la rendre accessible au plus grand nombre possible.

Au moment de son achat par Sogides, la maison d'édition était installée au 6765, rue Marseille, à Anjou. Seul son fonds d'édition lui permettait de se maintenir en vie de façon artificielle, comme un patient qui repousse l'échéance de la mort grâce à un stimulateur cardiaque.

***Deux conceptions opposées du roman***

Au chapitre de la production romanesque, la saison littéraire 1974-1975 demeure la plus intéressante de la période du déclin. Onze livres paraissent dans la collection «Romanciers du Jour». La majorité d'entre eux avaient déjà été endossés par l'administration de Jacques Hébert, puisqu'une saison littéraire se prépare au moins un an à l'avance. Ainsi s'explique le fait que les parutions de *L'Epidémie* d'André Major, deuxième volet de sa trilogie intitulée *Histoire de déserteurs* et de *La Pièce montée* de Claire de Lamirande coïncident avec les revendications du Front des écrivains du Jour.

A l'exception de Pierre Châtillon qui faisait partie de l'équipe du Jour depuis 1968, le reste de la production fait place à de nouveaux noms qui n'ont pas réussi à s'affirmer à ce jour, c'est le moins que l'on puisse dire. Qu'est devenu l'Acadien Régis Brun, auteur de *La Mariecomo?* Marcel Moussette, auteur des *Patenteux?* Romain Belleau? Mario Bolduc?

Néanmoins, ces romans publiés au cours de la saison 1974-1975 représentent deux conceptions opposées de la littérature, développant ainsi une dynamique intéressante, tandis que tous ceux qui seront publiés après juin 1975 réduisent la littérature à une seule et unique dimension en privilégiant l'anecdocte. Cette tendance, qui consacre la primauté du récit, est en effet contrebalancée par quelques œuvres vouées à une recherche sur l'écriture.

### *La forme narrative éclatée*

Les deux courts romans de Jocelyne Felx ont paru la même année aux éditions du Jour, soit en 1975, sous deux administrations littéraires différentes, celle de Vézina / Choquette et celle de Claude Béland. *Les Petits Camions rouges* constitue le dernier roman «difficile» de la collection «Romanciers du Jour» et marque la fin de l'évolution de cette collection. La recherche d'une nouvelle écriture se fera désormais ailleurs.

A cet égard, le deuxième roman de Jocelyne Felx est important, mais ses qualités intrinsèques le cèdent à celles des *Vierges folles.* L'écriture de ce roman rappelle la recherche formaliste de Nicole Brossard. Les mots ne transcrivent pas un discours linéaire et structuré, mais livrent des impressions fugitives. L'auteure procède aussi par rapprochements. Pour exprimer l'affranchissement de Danielle Bègue vis-à-vis sa mère, elle se sert de l'image du cordon ombilical et du lombric qui se coupe en deux. L'utilisation de mots analogiques (lombric, ombilic) s'inscrit dans la démarche formaliste de l'écrivaine.

*Les Vierges folles* participe au concert international des revendications féminines à la suite des Hélène Rioux, Hélène Ouvrard, Michèle Mailhot, Nicole Brossard... Le personnage principal, Danielle Bègue, est en face d'un choix: ou bien elle pratique l'amour entre femmes à la façon des deux vierges lesbiennes, Mauve Sureau et Harmonie Deschamps, ou bien elle épouse un jeune étudiant et elle renforce l'ordre actuel des choses et l'esclavage de la femme.

En énonçant ces deux options, il me semble que l'auteur a éludé trop facilement une troisième voie: l'amante ou la maîtresse. Peut-être l'écrivaine a-t-elle jugé que cette solution ne permettait pas le plein épanouissement de la personne et l'a-t-elle écartée parce qu'elle ne représente qu'un compromis en regard des deux choix précédents radicaux? Il m'apparaît impensable que l'auteure passe sous silence le rôle de la maîtresse, une des facettes de la condition féminine actuelle.

En outre, le lesbianisme n'est pas suffisamment développé pour espérer qu'il fasse le contrepoids à la solution traditionnelle du mariage. La façon dont Jocelyne Felx traite le thème de la libération des femmes montre à quel point le conditionnement social et l'héritage des comportements ataviques pèsent lourd encore sur l'inconscient des femmes.

*Les Petits Camions rouges* apparaît plus conservateur, autant dans sa forme que dans sa thématique. L'auteure utilise encore un style poétique qui en fait presque un poème en prose, mais elle semble disposée aussi à employer les ressources de la narration romanesque pour raconter une tranche de vie familiale. Le découpage des scènes et l'écriture appartiennent donc à l'économie du roman, mais l'esprit qui anime le récit est celui d'une poète.

Il ne faut pas chercher dans cette œuvre une approche réaliste des événements. Beaucoup de faits sont déformés par la vision des enfants, de sorte que l'onirisme et l'imaginaire règnent en maîtres sur une partie du récit. Le roman compte deux niveaux de narration qui correspondent à deux mondes différents: d'une part, l'univers des enfants et de leurs jeux, d'autre part, le monde des adultes qui se débattent tant bien que mal dans la vie.

Le roman de Jocelyne Felx aurait pu prendre la forme et le ton d'une œuvre populiste, tant les problèmes financiers de cette famille vivant dans un petit village, au bord du Saguenay, ne sont pas différents de ceux des petites gens. La sensibilité de l'auteure a transformé ce populisme en surréalisme en privilégiant le point de vue des enfants et en utilisant une écriture poétique, autant pour la description des paysages que pour la narration des événements.

Cependant, Jocelyne Felx, comme tous les écrivains formalistes, demeure toujours consciente qu'elle écrit un livre et rappelle au lecteur qu'il est dans la fiction romanesque. En jetant ainsi un pavé dans la mare, elle veut rompre l'illusion créée par le roman traditionnel.

A première vue, *Les Petits Camions rouges* développe une thématique très différente de celle des *Vierges folles.* En effet, Jocelyne Felx analyse la cellule familiale et dissèque les rapports qu'entretiennent les membres de cette famille. Celle-ci n'est pas remise en cause comme telle, de sorte que le sujet apparaît moins progressiste que celui du roman précédent. Toutefois, en accordant une importance énorme à la mère, l'auteure renoue avec les préoccupations féministes qui lui sont chères. La mère est le véritable chef de la famille et elle pèse de tout son poids sur l'existence des êtres qui gravitent autour d'elle.

Il n'est pas étonnant qu'après ces deux romans, l'auteure ait publié un recueil de poésie aux Ecrits des Forges. Jocelyne Felx est une poète déguisée en romancière. La sortie de ses deux premières œuvres coïncidait avec le coup d'Etat tenté par un groupe de poètes à l'endroit du roman. Elles constituent aussi une parenthèse à l'intérieur de laquelle prennent place *Les Images de la mer* de Mario Bolduc et *Les Rebelles* de Romain Belleau.

*Les Images de la mer* appartient à ce courant de la modernité telle que pratiquée dans le roman québécois vers le milieu des années 70. L'œuvre de Bolduc montre jusqu'où ces excès peuvent conduire, tant l'hypertrophie de la forme au détriment du fond a desséché l'écriture romanesque et a détruit le plaisir de la lecture.

Depuis *Un livre,* Nicole Brossard a été suivie par plusieurs, de sorte que la réflexion de Mario Bolduc sur la création littéraire, sur ses mécanismes et ses sources, sur sa raison d'être et son importance, n'est pas nouvelle. Ce type de questionnement et de remise en cause appartient plus au domaine de l'essai littéraire que du roman et dessert ce dernier quand il en devient le thème majeur et unique. Le lecteur est pris à témoin de l'incapacité créatrice de l'auteur. Tout au plus propose-t-il des images, toujours les mêmes et toujours un peu différentes, qui vont et viennent comme les vagues de la mer.

L'éclatement de l'espace / temps empêche de reconstituer la trame émotive des personnages. Même si l'amour, la jalousie et la solitude sont au cœur du récit, il n'y a rien qui puisse émouvoir. Comment croire à ces sentiments quand ils sont prêtés à des créations abstraites et sans épaisseur plutôt qu'à des personnages bien définis, vivant une existence qui leur est propre? Bolduc manipule le matériau humain des sentiments, mais il le fait avec un tel détachement qu'aucune émotion ne passe. Son approche trop distanciée fait de ce récit un jeu gratuit et froid.

Par son incohérence, son éclatement et son inachèvement, *Les Images de la mer* illustre cette constatation que l'auteur n'est pas maître de son récit, comme le proclament les partisans de la démystification du pouvoir de l'écrivain. Au point de vue pratique, l'expérience est un échec parce qu'on se lasse vite de ces balbutiements d'auteur, de ces masturbations intellectuelles et de ces réflexions nombrilistes de romancier en train d'écrire un roman sur un personnage qui écrit un roman...

*Les Rebelles* de Romain Belleau appartient à la même veine. Il emprunte son écriture au nouveau roman français, genre Robbe-Grillet. Les descriptions sont froides et bourrées de détails souvent fastidieux et inutiles. Cette retranscription du réel tombe dans l'exercice futile et débouche sur ce paradoxe: l'écriture se veut la plus fidèle possible à la réalité observée en notant tous les gestes des personnages et elle vise la spontanéité, mais elle accumule tant de petits détails anodins qu'elle perd tout rythme et apparaît extrêmement artificielle. Elle gagnerait grandement à être elliptique dans ces moments.

Un thème général unit tous ces morceaux éclatés du récit: la révolution dans tous les domaines. La révolution politique s'impose dès la première lecture. Plusieurs indices laissent croire qu'il s'agit bel et bien du Québec, même si l'auteur préfère ne pas être trop explicite sur ce sujet. Le roman y gagne d'ailleurs en richesse à ne pas coller de trop près à la réalité politique d'un pays en particulier.

Tout aussi importante dans ce livre est la libération sexuelle. L'auteur aborde toutes les relations possibles, à l'exception peut-être du lesbianisme. En revanche, les liaisons homosexuelles masculines sont explorées à plusieurs occasions, mais elles n'aboutissent pas nécessairement à un meilleur équilibre amoureux. En cela comme en politique, la norme semble l'emporter à la fin, alors que les couples hétérosexuels se refont ou subsistent. Il n'est pas étonnant que la révolution politique ait échoué, tant ces jeunes rebelles, s'ils ont des idées de gauche en politique, sont très réactionnaires et phallocrates en amour. Ces petits machos ne rêvent que d'assujettir la femme dans leurs relations amoureuses.

Enfin, l'auteur exploite le thème de la rébellion au niveau de l'écriture. Le livre de Belleau se rebelle contre toute forme de réduction. La structure éclatée du récit reflète l'état de désordre social provoqué par les groupes extrémistes. Le caractère inachevé et incomplet de l'œuvre renvoie directement à l'organisation terroriste qui manque de coordination, de vue d'ensemble de la situation et de leadership.

L'auteur cherche aussi à éviter le piège du vedettariat en gardant la majorité de ses personnages dans l'anonymat, de sorte que leur évolution est difficile à suivre. Ainsi, l'individu s'efface au profit du groupe, comme le veut l'idéal révolutionnaire. *Les Rebelles* consacre, en définitive, la mort du personnage, tant les êtres que Belleau met en scène sont interchangeables, anonymes et sans intérêt autre que clinique.

### *La primauté de l'anecdote*

Le problème de la lisibilité ne se pose pas pour les autres romans parus au cours de la saison littéraire 1974-1975. Même si la prédominance du récit en constitue le dénominateur commun, ces œuvres conservent, à des degrés divers, des particularités intéressantes. Outre *L'Epidémie* d'André Major et *La Pièce montée* de Claire de Lamirande, *Le Dernier Souffle* de Pan Bouyoucas retient l'attention par l'évocation sensible et riche de la culture grecque.

Ce roman propose une réflexion sur le phénomène du déracinement, mais plus spécifiquement encore, sur l'existence humaine. Il est universel dans son message même: il est impossible de revivre le passé, et ce privilège serait-il accordé à l'homme qu'il ne pourrait rien changer aux événements, malgré l'enseignement de l'expérience.

Il y a, dans ce roman, une présence écrasante qui s'appelle le destin, le «fatum», qui constitue l'essence de la tragédie grecque. Lucas, le personnage principal, est une sorte d'anti-Zorba. Autant le héros de Nikos Kazantzaki goûtait pleinement tous les instants de son existence, autant Lucas rate toutes les occasions de plaisir qui s'offrent à lui et attend que le destin agisse pour lui.

L'auteur ne gomme pas la violence et la passion qui animent ce peuple et, à cet égard, son roman pourrait être interprété comme un rejet de l'héritage grec qu'il a reçu à sa naissance. Je dirais plutôt que ce livre est un exorcisme, car l'auteur voue à sa patrie un amour indéfectible qui transpire dans la description du paysage et de la nature. *Le Dernier Souffle* se présente comme un mélange d'épicurisme et de primitivisme avec tout ce que cela contient d'excès et d'aberrations.

Les autres romans de cette saison n'ont pas cette intensité dramatique. *Les Patenteux* de Marcel Moussette foisonne de lieux communs sur la mentalité des classes les plus représentatives de la société québécoise avant 1960, soit les paysans, les dirigeants et le clergé. Mais Moussette n'a pas la prétention de dénoncer. Son roman se veut plutôt une parodie des divers clichés moraux qui circulent dans la littérature québécoise depuis deux générations d'écrivains.

Quant à *La Mariecomo* de Régis Brun, ce récit n'est qu'une pâle imitation de l'œuvre d'Antonine Maillet à laquelle il n'ajoute rien. L'auteur table sur une même dichotomie qui oppose les riches aux pauvres, accréditant ainsi la thèse d'une Acadie monolithique et manichéenne, ce qu'elle n'est peut-être pas. En outre, le récit s'appuie encore sur l'évocation du passé, le seul capable d'alimenter le présent. La prédominance de la parole sur le geste ne présage rien de bon pour une société.

Enfin, *La Mort rousse* de Pierre Châtillon, comme ses deux autres livres, demeure marqué par le langage et le style poétiques. Toutefois, les préoccupations essentiellement amoureuses de l'auteur le placent en marge de la littérature courante, tant elles apparaissent anachroniques.

Tous les éléments de ce premier roman sont dosés et calculés avec une rigueur de chirurgien. Le ton emphatique s'accorde avec le besoin du personnage principal d'idéaliser le souvenir et d'exalter la vie. Cette œuvre n'est pas exempte de défauts, telles ces répétitions lassantes, mais elle fascine aussi par son sujet suranné et par la pureté presque angélique des désirs de son héros. *La Mort rousse* semble avoir été écrit à l'époque même où s'est produit le drame amoureux, soit en 1927.

Ce maniérisme et le symbolisme puéril utilisé outrancièrement dans *L'Ile aux fantômes,* qui regroupe un récit et seize contes poético-fantastiques, agacent singulièrement. Malgré la lucidité qui tempère les élans sentimentaux et lyriques de ses personnages toujours à la recherche de l'amour et de l'âme sœur, Châtillon n'échappe pas complètement à la naïveté et au ridicule. Il réussit à éviter cet écueil quand ses contes sont placés sous le mode fantastique qui s'accommode beaucoup mieux de ces histoires de femmes imaginées en rêve ou aperçues sur l'eau, dans les brumes du matin, et qui s'incarnent dans la réalité, l'espace de quelques heures ou de quelques jours.

Néanmoins, *L'Ile aux fantômes* déçoit grandement par la pauvreté de ses thèmes et par le ton mièvre de l'ensemble. On dirait l'œuvre d'un grand adolescent attardé qui n'en finit plus de découvrir les émois de son cœur, obsédé par l'idéal et l'éternel féminins.

Tout en s'inscrivant dans la lignée de l'œuvre de Châtillon, *Le Fou* présente une nouveauté au point de vue de la forme. L'auteur utilise en effet deux niveaux de langage, la langue populaire québécoise et une langue poétique remplie d'images lyriques. En faisant alterner les scènes de taverne très réalistes et les percées dans l'univers très éthéré de Rosaire, l'auteur a atteint un juste équilibre entre ces deux mondes parallèles qui ne peuvent plus se rejoindre.

*Le Fou* constitue le meilleur livre de Châtillon dans cette collection, en raison de sa concision, du juste équilibre des tons et de la retenue de l'auteur qui, trop souvent, tombe dans le symbolisme à outrance et la sensiblerie la plus détestable. L'œuvre de ce poète de l'amour contrarié, à la recherche d'un absolu, apparaît bien romantique dans une époque qui ne l'est pas.

Après juin 1975, la production romanesque se limite à quelques œuvres faciles et simplistes. La littérature édifiante et pontifiante triomphe avec *L'Equilibre instable* de Louis Deniset et *La Marche du bonheur* de Normand Gilbert. Les prétentions philosophiques de ces deux scribouillards incultes sont une insulte à l'intelligence humaine, tant leurs propos dépassent en insignifiance tout ce qu'on peut imaginer. La publication de ces deux torchons déshonore aussi l'éditeur, car elle souligne son incurie à tous les niveaux.

De son côté, Yvette Dore-Joyal n'évite pas toujours le piège du mélodrame dans *J'avais oublié que l'amour fut si beau*. De plus, la romancière, tout en épousant la cause de son héroïne, Agathe Saint-Quentin, qui lutte pour acquérir son autonomie, soutient une thèse contraire en concluant que hors du couple, pour la femme, il n'y a pas de salut. *J'avais oublié...* contient des notations psychologiques justes, mais un message édifiant et moralisateur en fait un roman réactionnaire et anti-féministe.

La primauté du récit ne se dément jamais dans *Oslovik fait la bombe* et dans *Jean-Paul ou les Hasards de la vie*. Le premier est une parodie des romans policiers, une joyeuse pochade écrite par un San Antonio québécois. Mais Oslovik ne fait que copier le modèle français et utilise un vocabulaire colonisé qui montre son degré d'aliénation.

L'autre récit raconte l'enfance d'un gamin à l'époque de la Première Guerre mondiale, dans la Beauce française. Le roman de Marcel Bellier est attachant en raison de sa simplicité de ton, de la justesse de ses observations et de son réalisme. Efficace et sincère, il appuie trop cependant sur le sort du petit Jean-Paul et sollicite constamment l'apitoiement du lecteur.

Le même défaut guette Henri Lamoureux dans *Les Meilleurs d'entre nous.* L'auteur est un travailleur social qui œuvre dans les milieux populaires de Montréal. Son prosélytisme déteint un peu sur son œuvre qui manque parfois de nuances et reproduit une vision manichéenne du système: d'un côté, les bons prolétaires, de l'autre, les méchants capitalistes. L'auteur ne résiste pas à la tentation de jouer au justicier et d'exalter le militantisme et la solidarité des prolétaires. Ce genre de littérature populaire est de la même farine que les téléromans.

Bref, les romans parus aux éditions du Jour au cours des cinq dernières années reflètent une conception étroite de la littérature. Cette conception est celle des dirigeants de la Fédération des caisses d'économie du Québec, de gens qui ne demandent à la littérature que de leur fournir une bonne histoire et quelques heures d'évasion.

Michel Beaulieu

Victor-Lévy Beaulieu

Jacques Benoit

Gérard Bessette

Marie-Claire Blais

Nicole Brossard

Roch Carrier

Emmanuel Cocke

Jacques Ferron

Louis-Philippe Hébert

Claire de Lamirande

Gilbert Larocque

Michèle Mailhot

André Major

Hélène Ouvrard

Jacques Poulin

Jean-Marie Poupart

Yves Thériault

Michel Tremblay

Pierre Turgeon

Paul Villeneuve

*Chapitre 6*

# *L'apport des éditions du Jour*

*Chapitre 6*

# *L'apport des éditions du Jour*

Les éditions du Jour ont constitué un foyer de rayonnement sans pareil dans l'histoire de l'édition québécoise, particulièrement au cours de la période 1968-1974. Pourtant, la maison d'édition de Jacques Hébert n'a pas bâti son succès sur une concurrence féroce à l'endroit des autres éditeurs, dans le but de leur arracher leurs meilleurs auteurs.

Cette pratique permet souvent d'édifier une maison d'édition rapidement, mais elle n'aide aucunement une littérature à se développer. Il est plus profitable, pour entretenir la vitalité de la littérature, de miser sur de jeunes écrivains et de découvrir de nouveaux talents.

Aussi, Hébert n'a jamais considéré Pierre Tisseyre, pdg du Cercle du Livre de France, comme un concurrent. Certes, Hébert aurait aimé compter dans son équipe André Langevin, Hubert Aquin et Claire Martin, trois auteurs importants du CLF. Quant aux autres romanciers, Hébert estimait qu'il pouvait en découvrir d'aussi bons.

Parmi les auteurs qui comptent aux éditions du Jour, seuls Michèle Mailhot et Gérard Bessette ont publié quelques romans au CLF et peuvent être considérés comme des transfuges.

### *Un regroupement heureux*

Ce n'est donc pas en faisant de la surenchère auprès des auteurs déjà sous contrat dans des maisons d'édition établies que Jacques Hébert recrute son équipe d'écrivains qui fait le prestige de la maison. Non, c'est en découvrant de nouveaux talents mais, surtout, en récupérant les auteurs ou responsables de petites maisons d'édition artisanales, aux prises avec des problèmes d'argent, que Jacques Hébert a assis son entreprise sur des bases solides. Il a su accueillir ces auteurs persévérants et entreprenants et les éditions du Jour sont devenues un centre de rassemblement dynamique de petites entreprises vouées à disparaître ou à végéter par manque de liquidités.

Ainsi, les difficultés financières qui ont contraint les éditions Estérel à fermer ses portes ont amené Victor-Lévy Beaulieu aux éditions du Jour, puis Michel Beaulieu et les auteurs qu'il publiait dans sa petite maison d'édition. Lui-même avait accueilli à l'Estérel le poète Gilbert Langevin après que sa maison d'édition Atys, fondée en 1960, eût éprouvé des problèmes financiers qui ont paralysé son fonctionnement.

Cet apport de sang neuf à la maison de Jacques Hébert relance singulièrement la collection «Romanciers du Jour», mais surtout la collection «Poètes du Jour». Victor-Lévy Beaulieu commence à être connu et il attire plusieurs jeunes auteurs, dont Gilbert LaRocque. Michel Beaulieu exerce également une influence bénéfique. Du jour au lendemain, la maison accueille dans ses rangs Gilbert Langevin, Nicole Brossard, Raoul Duguay, Louis-Philippe Hébert, Luc Racine, Claude Beausoleil, Roger Des Roches et Jacques Bernier. Les cinq premiers poètes avaient déjà publié aux éditions Estérel, ce qui souligne l'importance de la présence de Michel Beaulieu.

Quand on considère que les seules valeurs en poésie se résumaient avant 1969 à Gatien Lapointe, Cécile

Cloutier et Michèle Lalonde, la venue d'une nouvelle génération de poètes aux éditions du Jour prend toute son importance. Et qui plus est, Michèle Lalonde et Cécile Cloutier n'ont publié chacune qu'un recueil chez Jacques Hébert.

La ferveur et le dynamisme de ces jeunes écrivains nouvellement arrivés aux éditions du Jour donnent naissance à un journal, *l'Illettré*. Le comité de rédaction comprend Victor-Lévy Beaulieu, Michel Beaulieu, Jean-Marie Poupart, Pierre Turgeon et Jean-Claude Germain. Seul ce dernier n'a jamais publié une œuvre aux éditions du Jour. A cette époque, Germain ne croyait pas tellement aux vertus du livre et ne comprenait pas que ses compères puissent attacher un tel prix à leurs publications.

Le groupe d'animateurs se situe au centre des échanges culturels de la maison et contribue à insuffler un esprit de famille à l'entreprise littéraire. *L'Illettré*, qui paraît à compter de janvier 1970, connaît une carrière éphémère de sept numéros, le dernier étant celui d'avril-mai 1971, mais cette publication tisse des liens étroits entre ses animateurs et révèle une affinité intellectuelle profonde.

*L'Illettré* ne se voulait pas l'organe des éditions du Jour, mais l'enthousiasme des jeunes auteurs pour leur journal ne pouvait que rejaillir sur la maison d'édition à laquelle ils étaient liés et contribuer à développer un sentiment d'appartenance très fort. En outre, le journal bénéficiait de la structure d'accueil des éditions du Jour, de sorte que dans l'esprit de ces auteurs, les deux entreprises étaient très proches l'une de l'autre. C'est en travaillant à ce journal que Pierre Turgeon découvre les différentes facettes du travail d'édition et y prend goût.

Plus tard, les frères Marcel et François Hébert, qui avaient fondé en 1968 une maison d'édition modeste et artisanale, Les Herbes rouges, se joignent à l'équipe du

Jour. Leur influence peut paraître plutôt occulte, mais elle sera mise en lumière de façon non équivoque au moment de la démission de Victor-Lévy Beaulieu, alors que les frères Hébert suivent ce dernier aux éditions de l'Aurore et s'occupent de la collection de poésie «Lecture en vélocipède».

Plusieurs poètes des éditions du Jour passent alors à l'Aurore. Cette défection en bloc est d'autant plus significative que Beaulieu, dont l'importance était reconnue chez les romanciers, ne réussit à entraîner aucun d'entre eux dans son aventure. Pour cette raison, l'Aurore se trouvera en quelque sorte noyautée par les poètes et les recueils de poésie constitueront, pour une bonne part, la production de la maison. La collection de romans «l'Amélanchier» ne réussira jamais à s'affirmer malgré la présence de Beaulieu et, plus tard, de Gilbert LaRocque.

### *Les disciples de Jacques Hébert*

Les retombées des éditions du Jour ne peuvent s'évaluer uniquement en tenant compte de la qualité des œuvres publiées par leurs bons soins. L'apport culturel d'une entreprise de cette envergure se calcule aussi par le nombre d'hommes et de femmes qu'elle a contribué à familiariser avec le monde et les techniques de l'édition. Sans être une école de formation, les éditions du Jour ont permis à certains auteurs d'apprendre les rudiments du métier d'éditeur ou leur a donné le goût de pratiquer cette profession. Victor-Lévy Beaulieu, Pierre Turgeon, Gilbert LaRocque, André Bastien et Jean Basile représentent, à cet égard, les disciples les plus actifs de Jacques Hébert.

Encore une fois, l'exemple le plus frappant demeure Victor-Lévy Beaulieu qui y a appris son métier d'éditeur sur le tas, comme Jacques Hébert une dizaine d'années auparavant aux éditions de l'Homme. Il n'est donc pas exagéré d'affirmer que les éditions de l'Aurore sont pratiquement nées des éditions du Jour, à la suite d'une scission qui s'est produite lors de la démission de Victor-Lévy Beaulieu.

En fait, les éditions de l'Aurore n'ont pas été fondées par Beaulieu puisqu'elles existaient sous le nom de «La maison d'édition et de publication de l'Aurore Inc.» et avaient publié quelques titres. Elles ont commencé à se développer avec la venue de Victor-Lévy Beaulieu au poste de directeur littéraire. Ce n'est qu'au début de la deuxième année qu'il est devenu actionnaire de l'Aurore, contrairement à ce que l'on croit généralement.

De même, les éditions du Jour peuvent réclamer en partie la paternité de VLB Editeur, puisque Victor-Lévy Beaulieu en est le fondateur. Cette petite maison d'édition, qui produit à un rythme modeste, mais dont l'avenir demeure précaire, est en effet issue de l'Aurore, entreprise mise en faillite à l'automne 1975.

Les éditions du Jour ont contribué à former d'autres administrateurs et directeurs littéraires. Ainsi, après le départ de Jacques Hébert, le groupe de romanciers dissidents qui demandait des comptes au nouveau propriétaire, la Fédération des caisses d'économie du Québec, décide de former une coopérative d'édition connue sous le nom des Quinze. Pour diriger cette entreprise, le groupe élit un des leurs, Pierre Turgeon, auteur de trois romans aux éditions du Jour et membre du comité de rédaction de *l'Illettré*. L'aventure dure environ un an, après quoi la coopérative d'édition, née de ce vieux rêve des auteurs de gérer leur propre maison d'édition, devient une compagnie et perd l'originalité que lui conférait son mode de fonctionnement.

Après un séjour de douze mois aux Presses de l'Université de Montréal, Pierre Turgeon devient directeur des éditions de l'Homme, une filiale du groupe Sogides. Maintenant directeur général de ce consortium, il n'oublie pas pour autant ses origines, puisqu'il a racheté les éditions Quinze, fermées momentanément, qu'il a converties en filiale du groupe Sogides. Depuis ce temps, il s'emploie à découvrir de nouveaux auteurs et à rééditer des titres parus aux éditions du Jour pendant l'apogée de la maison. En décembre 1980, cette dernière passait à son tour sous le contrôle du groupe Sogides.

Même s'il a plutôt fait son apprentissage de directeur littéraire aux éditions de l'Homme, Gilbert LaRocque est un auteur véritablement identifié aux jeunes turcs des éditions du Jour. Il a rejoint Victor-Lévy Beaulieu au cours de la deuxième année des éditions de l'Aurore où il a agi comme directeur littéraire.

Toutefois, son chemin se sépare de celui de Beaulieu après la faillite de l'Aurore et on retrouve Gilbert LaRocque aux éditions Québec / Amérique, à nouveau comme directeur littéraire. S'il n'a pas suivi Beaulieu chez VLB Editeur, c'est que l'entreprise ne pouvait assumer le salaire d'un directeur littéraire pour le nombre restreint d'ouvrages qu'elle publie annuellement.

Après avoir été pendant un certain temps membre du comité de lecture du Jour, André Bastien a travaillé aux éditions internationales Alain Stanké. Il a choisi par la suite de devenir éditeur en fondant Libre Expression.

Enfin, Jean Basile, dont les éditions du Jour ont développé le talent sans en retirer les bénéfices, a pris la succession de Gilbert LaRocque à l'Aurore, quand cette maison a été relancée par Guy Saint-Jean à l'automne 1976. Par la suite, Jean Basile a géré sa propre maison d'édition spécialisée dans les ouvrages ésotériques et naturistes, mais il avait aussi été cofondateur de la revue contre-culturelle *Mainmise* au début des années 70.

La liste pourrait certainement s'allonger s'il fallait tenir compte des directeurs de collections qu'on trouve un peu partout dans l'édition. Je pense à Nicole Brossard, codirectrice de la collection Réelles aux éditions Quinze. Certains auteurs des éditions du Jour agissent maintenant comme lecteurs de manuscrits pour d'autres maisons d'édition. Citons seulement le cas de Jean-Marie Poupart qui fait ce travail pour les éditions Leméac, point de départ de son roman *Terminus*. Le monde de l'édition québécoise est si petit que le changement de directeur littéraire ou de directeur de collection ressemble parfois à un exercice de chaise musicale.

Quoi qu'il en soit, les éditions du Jour ont su attirer des auteurs pour qui la littérature constituait une passion et une vocation dévorantes. Le dynamisme de la maison a galvanisé ces auteurs qui, après un «stage» de deux, trois ou quatre ans, ont commencé à voler de leurs propres ailes ou sont partis insuffler ce dynanisme aux entreprises au service desquelles ils ont décidé de mettre leur expérience, leur talent et leur foi en la littérature québécoise.

***Une attirance particulière***

Qu'est-ce qui avait attiré les auteurs aux éditions du Jour? Certes, on dit que le succès attire le succès, et Jacques Hébert a connu effectivement beaucoup de succès avec certains livres. Le prix Médicis remporté en 1966 par Marie-Claire Blais avec *Une saison dans la vie d'Emmanuel* a sûrement contribué à augmenter le nombre de manuscrits reçus aux éditions du Jour et, partant, à accroître les chances d'obtenir de meilleures œuvres.

Mais la pièce maîtresse de l'attrait exercé par les éditions du Jour sur les futurs auteurs réside dans la personnalité de Jacques Hébert lui-même. Son travail de journaliste et de pamphlétaire lui avait valu une certaine notoriété dont il a su tirer profit pour attirer l'attention sur sa maison d'édition. En outre, Jacques Hébert était un homme plein de ressources en relations publiques et les activités de sa maison ne passaient jamais inaperçues dans la presse écrite montréalaise.

Jacques Hébert misait aussi beaucoup sur les lancements, à tel point qu'à une certaine époque glorieuse, cette activité était très courue par la colonie artistique montréalaise. Jacques Ferron y avait sa cour, de même que Gaston Miron et Hubert Aquin. Des personnalités politiques comme Gérard Pelletier et Camille Laurin venaient aussi y faire un tour, par amitié pour Jacques Hébert. Pour un jeune auteur, il est toujours grisant de voir que son lancement a attiré des personnalités prestigieuses.

D'ailleurs, Jacques Hébert a toujours tenu à ce que les lancements aient lieu individuellement parce qu'il estimait que cet événement avait valeur de fête offerte à l'auteur par la maison et qu'il ne devait pas se partager avec un autre auteur. Aussi, il n'était pas rare de voir les journalistes convoqués à trois lancements dans une même semaine au local de la maison d'édition de la rue Saint-Denis.

L'ouverture d'esprit de Jacques Hébert et, il faut le dire, celle de Victor-Lévy Beaulieu, ont permis d'attirer des auteurs de toutes tendances et de tous genres. Le fait que des livres d'auteurs traditionnels comme Claire de Lamirande ou Jean Tétreau aient pu côtoyer dans la même collection des romans de Victor-Lévy Beaulieu, de Jean-Marie Poupart et de Nicole Brossard souligne assez bien l'absence de préjugés chez le directeur littéraire ou, à tout le moins, d'un esprit doctrinaire et sectaire. Certes, tous les auteurs publiés aux éditions du Jour dans l'une ou l'autre des collections littéraires n'ont pas fait partie de la famille.

Ce regroupement implique des affinités sur le plan humain, intellectuel et professionnel, ce qui exclut certains auteurs plus solitaires ou qui ne partagent pas la même conception de la littérature. Cependant, un tel esprit de famille existait bel et bien aux éditions du Jour pendant la période faste. Plusieurs témoignages écrits le confirment, dont une lettre d'André Major adressée à Jacques Hébert à la fin de 1970, dans un climat de révolution appréhendée, alors que le jeune auteur se trouvait à Toulouse.

Cet esprit de famille avait fini par faire croire aux auteurs que la maison leur appartenait ou presque, ce qui constituait pour eux une cause de motivation. Ils se sentaient tellement chez eux que le groupe fondateur de *l'Illettré* n'eut aucune difficulté à convaincre Jacques Hébert de lui offrir les locaux des éditions du Jour comme pied-à-terre du journal.

Enfin, le détail peut paraître négligeable en soi, mais il s'ajoute aux autres facteurs qui exerçaient une attirance profonde sur les auteurs de la maison : les locaux, toujours accueillants et propres, étaient situés rue Saint-Denis, dans un quartier qui possède une couleur locale et une atmosphère particulière auxquelles les écrivains, ces peintres attentifs de la vie, ne sont pas insensibles.

*Chapitre 7*

# *Les romanciers de la maison*

*Chapitre 7*

# *Les romanciers de la maison*

L'exposition des événements qui ont marqué la petite histoire des éditions du Jour ne doit pas faire oublier que, sans les auteurs et leurs œuvres, il n'y aurait tout simplement pas eu d'histoire. C'est là que se situe le legs de l'entreprise au fonds littéraire du Québec. Les œuvres qui, par leur importance, sauront résiter au temps, contribueront à créer un mythe autour de cette maison d'édition.

Le nombre d'auteurs édités au Jour dans les collections littéraires oscille autour de cent. Parmi eux, environ une cinquantaine y ont publié leur premier livre. Exception faite de ce point commun, les auteurs du Jour ont chacun leur personnalité propre. Si certains d'entre eux se sont regroupés autour de quelques chefs de file, surtout en poésie, on ne peut certes pas parler des éditions du Jour comme d'une école littéraire.

Pendant toutes ces années où Jacques Hébert a été le grand timonier de cette maison, les éditions du Jour ont projeté l'image d'une entreprise qui misait sur de jeunes talents d'écrivain. Mais jamais la maison n'a été identifiée, dans le roman par exemple, à un mouvement littéraire particulier, que ce soit le nouveau roman, le roman sociologique ou le roman psychologique. Victor-Lévy Beaulieu côtoie Jacques Poulin, Jean-Marie Poupart voisine avec Yves Thériault, Nicole Brossard coudoie Marie-Claire Blais: c'est dire l'ouverture de la maison et son refus du sectarisme.

Il serait trop long d'analyser en détail la place qu'occupe chaque romancier dans l'histoire littéraire des éditions du Jour en regard de leur production. Néanmoins, leur valeur respective s'établit en quatre catégories qui empruntent leur représentation à la distribution d'une pièce de théâtre. Dans les rôles tenus sur la scène du Jour, il y a les auteurs de premier plan, les auteurs de soutien, les figurants talentueux et les cabotins.

### *Les auteurs de premier plan*

Les romanciers qui font partie de cette catégorie ne forment pas un groupe monolithique. Ils se divisent, en fait, en trois cellules qui, chacune à sa façon, constituent les forces vives de la maison.

La première cellule comprend essentiellement les membres du comité de rédaction du journal *l'Illettré,* soit Victor-Lévy Beaulieu, Jean-Marie Poupart, Michel Beaulieu et Pierre Turgeon. L'œuvre de ces écrivains n'est pas plus importante que celle des autres auteurs de premier plan — elle l'est moins même, dans certains cas. Toutefois, leur association étroite et leur participation dynamique aux activités de la maison en font un groupe d'écrivains indispensables, un noyau qui cristallise les énergies créatrices.

La seconde cellule est composée d'auteurs d'une autre génération qui ont été séduits par le projet littéraire de l'éditeur. Ces aînés, forts d'une réputation enviable, ont apporté une crédibilité à la maison et ont joué un rôle de père spirituel pour certains. Jacques Ferron, Yves Thériault et Gérard Bessette en sont les représentants.

Enfin, la troisième cellule regroupe de jeunes

auteurs révélés par le Jour ou qui ont joué un rôle important dans la direction de collections. L'éditeur a rapidement reconnu leurs talents et s'est empressé de les sortir du ghetto des petites maisons d'édition artisanales. Marie-Claire Blais, Roch Carrier, Jacques Benoit, Gilbert LaRocque, Jacques Poulin, André Major, Nicole Brossard et Louis-Philippe Hébert complètent cette première catégorie.

***Les auteurs de soutien***

Les auteurs de soutien ont aussi été découverts, dans une large mesure, par les éditions du Jour. Ils sont généralement moins talentueux ou encore, les livres qu'ils y ont publiés sont moins représentatifs de leur œuvre.

Cependant, ces écrivains secondaires — du moins, à cette époque — sont indispensables à la bonne marche d'une maison d'édition puisqu'ils assurent, par leur production, un rythme de publication que se doit de maintenir un éditeur pour demeurer continuellement présent dans l'actualité. Aucun éditeur ne peut publier dix romans de Marie-Claire Blais dans une saison littéraire. Ce n'est d'ailleurs pas souhaitable. Il lui faut varier la production tout en conservant un haut niveau de qualité. C'est à ces auteurs méconnus parfois qu'incombe ce rôle ingrat, mais nécessaire.

Claire de Lamirande, Hélène Ouvrard, Jean Tétreau, Pierre Châtillon, Jocelyne Felx, Michel Tremblay, Emmanuel Cocke, Jean Basile, Paul Villeneuve, Andrée Maillet, Michèle Mailhot et Marc Doré ont assuré cette permanence avec plus ou moins d'éclat.

***Les figurants talentueux***

La catégorie des figurants talentueux regroupe les auteurs qui n'ont publié qu'un seul livre dans la collection «Romanciers du Jour», mais dont l'œuvre n'était pas dénuée d'intérêt et, pour certains, de promesses. D'ailleurs, quelques-uns de ces écrivains avaient déjà atteint la notoriété grâce à leur œuvre, tels Félix Leclerc, François Hertel et Charlotte Savary ou encore, grâce à leur profession première, tels le journaliste Jean-Louis Gagnon, le chroniqueur Serge Deyglun, le chansonnier Jean-Paul Filion et le critique littéraire André Brochu.

D'autres, au contraire, étaient complètement inconnus lorsqu'ils ont publié leur premier livre aux éditions du Jour et ils ont utilisé cette rampe de lancement pour entreprendre une œuvre qui se développe avec plus ou moins d'ampleur ou de bonheur. André Carpentier a pris une légère avance dans ce groupe d'écrivains mis au monde par le Jour, les autres étant Henri Lamoureux, Pierre Billon, Pan Bouyoucas et Emile Martel.

Enfin, quelques romanciers prometteurs n'ont pas donné suite à une première œuvre littéraire qui marquait un bon départ. Yves Dupré, Marcel Bellier, Marie-Christine Deyglun et Marcel Moussette referont peut-être un jour surface dans la littérature québécoise, car ils possèdent des qualités indéniables de prosateur.

### *Les cabotins*

La dernière catégorie rassemble tous ces auteurs ou soi-disant écrivains qui ont publié un seul livre dans la collection «Romanciers du Jour» et qui auraient dû s'abstenir.

Dans certains cas, ce premier roman n'a pas découragé l'auteur qui a poursuivi avec plus ou moins de succès une carrière mal amorcée. Marcel Godin, Jean-Claude Clari, Bruno Samson et Oslovik ont ainsi connu de mauvais départs.

Par contre, pour un poète de la qualité de Jean-Guy Pilon, la publication de son premier et unique roman doit être considérée comme une erreur qui vient ternir son œuvre poétique. Contrairement à Fernand Ouellette, Pilon n'a pas réussi à maîtriser cet autre genre littéraire.

Enfin, plusieurs efforts stériles ont résulté en romans qui ne méritent pas mieux que l'oubli. Ces scories inévitables que charrie la production courante d'une maison d'édition ont été produites par Michel Clément, Pierre-O. Gagnon, Louis Deniset, Normand Gilbert, Régis Brun, Roland Lorrain, Serge Losique, Pierre-A. Larocque, Claire Mondat, Yvon Paré, Mario Bolduc, Romain Belleau et Yvette Dore-Joyal.

Tous ces «auteurs» ne sont pas démunis au même titre sur le plan de l'expression, de l'imagination et de l'écriture, mais aucun n'est en mesure de faire la preuve d'un talent certain d'écrivain avec son livre.

*Chapitre 8*

# *Les collections du Jour*

*Chapitre 8*

# *Les collections du Jour*

Une maison d'édition compte généralement plusieurs collections dans son catalogue de titres, mais elles n'ont pas toutes la même importance. Certaines ont une existence éphémère ou n'accueillent pas de grandes œuvres. Néanmoins, la diversité des collections d'une maison reflète les pôles d'intérêt de l'éditeur et rend compte des champs d'activité qu'il veut occuper.

En 1972, alors que les éditions du Jour projettent l'image d'une institution littéraire inexpugnable, le répertoire des titres compte 21 collections: «Albums», «Aurore», «Bibliothèque québécoise», «Cahiers de Cité libre», «Club du livre du Québec», «Divers», «Edition de luxe», «Essais», «Histoire vivante», «Hors-collection», «Idées du Jour», «Littérature du Jour», «Pays du Jour», «Petite collection», «Poètes du Jour», «Proses du Jour», «Romanciers du Jour», «Techniques du Jour», «Théâtre du Jour», «Université» et «Vivre aujourd'hui».

## *Les collections littéraires*

Sur le strict plan littéraire, la collection «Romanciers du Jour» est le plus beau fleuron de la maison et elle lui permettra de rester présente dans l'histoire littéraire du Québec. Elle se classe au deuxième rang des collections du Jour pour le nombre de parutions avec 127 titres originaux. L'honneur d'avoir inauguré cette prestigieuse collection revient à Marcel Godin dont le recueil de nouvelles *La Cruauté des faibles,* tiré à 5 000 exemplaires, a été lancé le 13 juin 1961. Décidément, Jacques Hébert ne doutait de rien avec un tel tirage. L'avenir lui donne raison puisqu'au moment de son départ, la collection compte 111 titres.

Après juin 1975, les éditions du Jour n'ont publié que 13 romans dans cette collection qui a virtuellement disparu avec le départ des auteurs dissidents qui ont fondé les Quinze. En effet, quelle valeur ont *J'avais oublié que l'amour fut si beau* d'Yvette Dore-Joyal, *L'Ile aux fantômes* de Pierre Châtillon, *La Marche du bonheur* de Normand Gilbert, *L'Equilibre instable* de Louis Deniset, *Les Rebelles* de Romain Belleau? En outre, l'éditeur y a publié deux biographies romancées traduites de l'anglais, ce qui constitue une incongruité éloquente dans une collection vouée jusque-là exclusivement à la littérature québécoise.

### Poètes du Jour

La collection «Poètes du Jour» a été inaugurée le 23 avril 1963, avec la parution d'*Ode au Saint-Laurent* de Gatien Lapointe. Elle a également connu une vitalité remarquable entre 1969 et 1973, période qui correspond à la présence stimulante du poète Michel Beaulieu dans l'équipe de Jacques Hébert. La direction de cette collection est assurée par les frères Marcel et François Hébert au cours de la dernière année en poste de Victor-Lévy Beaulieu. Lors de son départ, il emmène presque tous les poètes du Jour avec lui aux éditions de l'Aurore. A ce moment, la collection compte 50 titres. A peine cinq recueils ont été publiés par la suite. Bref, il s'agit d'une autre collection dont les fondés de pouvoir de la Fédération des caisses d'économie du Québec n'ont rien tenté pour relancer la production.

Cette collection ne se compare pas, par sa

production, à la stabilité, à la pérennité et à l'éclat des éditions de l'Hexagone qui ont fêté leur 25e anniversaire en 1978. Néanmoins, elle a connu ses heures de gloire et a été un lieu de rassemblement pour les jeunes poètes de la génération d'André Roy, Claude Beausoleil, Roger Des Roches, François Charron, Philippe Haeck, Lucien Francœur, Madeleine Gagnon, etc...

### *Proses du Jour*

Coincée entre la poésie et le roman, cette nouvelle collection, fondée en 1971, est pratiquement passée inaperçue. En outre, elle pose le problème de la définition des genres littéraires. La politique éditoriale de la maison n'est pas très claire là-dessus et dénote un manque de rigueur intellectuelle de la part du directeur littéraire.

En effet, certaines œuvres inscrites dans «Proses du Jour» sont qualifiées de roman sur la page couverture. Par ailleurs, certains livres ont été publiés dans la collection consacrée au roman alors qu'ils n'en ont que le nom. Je pense en particulier à *Sold-out* de Nicole Brossard.

Le premier titre de la collection, *Le Roi jaune* de Louis-Philippe Hébert, illustre de façon exemplaire cette ambiguïté. L'œuvre entière de cet auteur échappe aux classifications et dérange. Rien d'étonnant à ce qu'il expérimente l'utilisation d'un ordinateur pour la rédaction de textes littéraires. Hébert tente continuellement de repousser les limites de la littérature. Il est le premier écrivain mutant du Québec.

Généralement, cette jeune collection, qui regroupe des textes difficiles à classer, était considérée comme un banc d'essai pour les auteurs ayant peu d'expérience. Louis Saint-Pierre, Roger Magini, Albert-G. Paquette, Suzanne Robert, Luce Raymond-Beaulieu et Suzanne-Jules Lefort en étaient d'ailleurs à leur première œuvre publiée. Par contre, le fait d'être édité dans la collection «Romanciers du Jour» constituait une forme de consécration, à cause du prestige dont elle était auréolée. Je ne vois pas d'autres raisons qui président aux choix des œuvres à inscrire dans la collection «Proses du Jour» dirigée par Louis-Philippe Hébert et André Roy.

Avec la parution de *French Kiss* de Nicole Brossard en 1974, la collection a adopté le titre de «Nouvelle culture», terme plus moderne et plus représentatif des œuvres qui y ont été publiées.

Dans *le Devoir* du 7 septembre 1974, le journaliste Jacques Thériault établit à 25 le nombre de titres dans cette collection. En vérité, elle n'en compte que 12 à ce moment-là.

Quand le treizième livre paraît au printemps 1975, la collection change à nouveau de nom et devient «Les Ecrits du Jour». Elle reprend en quelque sorte la formule des Ecrits du Canada français. Chaque volume doit regrouper des nouvelles, des pièces de théâtre, des poèmes d'auteurs différents — mais débutants, de préférence. Le prix Jacques-Hébert était censé être attribué à la meilleure œuvre individuelle de cette collection. Un seul livre fut publié.

### *Théâtre du Jour*

Roman, poésie... il ne manquait plus que le théâtre pour compléter l'éventail de la création littéraire. La collection «Théâtre du Jour» est créée le 5 octobre 1966 avec le lancement de *Joli Tambour* de Jean Basile. Cependant, elle n'a jamais réussi à prendre son envol, contrairement aux deux autres collections. D'abord, elle avait pris le départ en retard, près de cinq ans après la fondation des éditions du Jour. En outre, le théâtre québécois ne comptait pas beaucoup de dramaturges et ne se publiait pratiquement pas, à l'exception de gros succès comme *Tit-Coq* de Gratien Gélinas et *Un Simple Soldat* de Marcel Dubé.

La maison n'a aucune politique d'édition en ce domaine, même si elle a sous contrat un auteur du nom de Michel Tremblay, en 1966. André Major, pressentant la richesse et la profonde originalité des *Belles-sœurs* que Tremblay a écrit en 1965, ne réussit pas à convaincre Jacques Hébert. Il n'y a jamais eu d'hommes de théâtre aux éditions du Jour et quand les éditions Leméac ont commencé, en 1968, à publier les pièces de théâtre de Marcel Dubé, Gratien Gélinas, Guy Dufresne, Françoise Loranger..., il était trop tard pour s'imposer dans ce domaine.

La venue de Jean-Claude Germain, homme de théâtre actif et secrétaire exécutif du Centre d'essai des auteurs dramatiques, aurait pu changer considérablement la face de cette collection. Cette rencontre de Jean-Claude Germain et des éditions du Jour, favorisée par la fondation du journal *l'Illettré* dont il était l'un des membres du comité de rédaction, survient quelques années trop tard. Germain est déjà associé aux activités des éditions Leméac.

Néanmoins, Victor-Lévy Beaulieu affirme qu'au moment de son départ, les éditions du Jour s'apprêtaient à publier le théâtre de Michel Garneau qui sera finalement édité à l'Aurore. Jean-Claude Germain aurait alors été le directeur de la collection «Théâtre du Jour». Finalement, elle se résume à sept pièces, dont une traduction de *Julius Caesar* de Shakespeare par Jean-Louis Roux. Jusqu'en 1968, le théâtre québécois a été le parent pauvre de l'édition au Québec et les éditions du Jour n'ont en rien contribué à faire changer la situation.

### Littérature du Jour

La collection «Littérature du Jour» voulait accueillir des essais littéraires sur les écrivains importants de la littérature universelle. Le *Jacques Ferron malgré lui* de Jean Marcel a donné le coup d'envoi en 1970. Six titres, dont une réédition du livre de Claude Jasmin sur Rimbaud, composent cette collection.

Encore là, les éditions du Jour ont renoncé à conquérir un champ littéraire déjà solidement occupé par plusieurs maisons, telles Hurtubise HMH, Les Presses de l'Université de Montréal, Fides, les Presses de l'Université Laval.

***Bibliothèque québécoise***

A l'origine, la collection «Bibliothèque québécoise» s'appelait «Répertoire québécois», mais elle adopte son nouveau nom dès la parution du deuxième titre. En rééditant *Colin-maillard* de Louis Hémon en mars 1972, le directeur de la collection, Victor-Lévy Beaulieu, définissait ainsi le genre d'œuvres qui y prendraient place: «Des œuvres québécoises et étrangères qu'il est essentiel de redécouvrir car elles font partie de notre patrimoine national, creusent notre âme collective et nous invitent à un plus grand approfondissement de nous-mêmes. Des œuvres parfois écrites et publiées en France ou ailleurs mais qui nous concernent de quelque manière et qu'il est important de récupérer.»

Même si la collection n'est pas volumineuse, elle a fait sa marque grâce à la réédition des six tomes des *Relations des Jésuites* qui fut, à proprement parler, un événement dans l'édition québécoise. Cette réalisation avait commandé un investissement de 50 000 $ et comportait un risque financier certain. La publication, quelques mois plus tard, des trois tomes des *Œuvres de Champlain* ne le cède pas en importance et en témérité à ce coup d'éclat.

Cependant, les *Œuvres de Champlain* ne réussirent pas à faire leurs frais, contrairement à l'entreprise précédente. L'éditeur fit l'erreur d'opter pour une présentation plus luxueuse de l'ouvrage qui se vendait 65,00 $ pour les trois volumes, comparativement à 48,00 $ pour les six tomes des *Relations des Jésuites.* Comme, en outre, le tirage des *Œuvres de Champlain* était plus élevé, le nombre d'invendus hypothéqua la stabilité financière de la maison.

Les éditions du Jour ont ouvert d'autres collections importantes pour accueillir des dossiers d'actualité, des ouvrages de psychologie, de politique et de sexualité, des essais sociologiques, des guides pratiques, des livres de recettes... de cuisine et de mieux-être. Certaines ont connu divers bonheurs, cela va de soi, et là aussi, ce n'est pas toujours avec la plus grande rigueur cartésienne que s'est effectué le classement des titres par collection. La plus disparate d'entre elles se nomme justement «Hors-collection». C'est peut-être ce qui fait son charme, car on y trouve de tout, et d'heureuses surprises.

### *Hors-collection*

Cette collection, qui est l'une des plus anciennes, bat aussi le record de la maison pour le plus grand nombre de titres, soit 181. Dès le début, elle était prédestinée à une carrière insolite. En effet, le premier livre, lancé le 25 septembre 1962, est signé par Jacques Languirand et s'intitule... *Le Dictionnaire insolite*! Manuels de psychologie, pamphlets (*J'accuse les assassins de Coffin* de Jacques Hébert), recettes de cuisine voisinent avec des œuvres littéraires. Il convient d'en nommer quelques-unes:

- — *Lettre à un Français qui veut émigrer au Québec* de Carl Dubuc (C-24);
- — *Si vous saisissez l'astuce* de Louis-Martin Tard (C-25);
- — *Rimbaud, mon beau salaud!* de Claude Jasmin (C-29);
- — *Manifeste de l'infonie* de Raoul Duguay (C-39);

— *Lapocalipsô* de Raoul Duguay (C-71) ;
— *Lettres d'amour* de Maurice Champagne-Gilbert (C-86) ;
— *Horace ou l'Art de porter la redingote* de Bertrand-B. Leblanc (C-147) ;
— *L'Ombre et le silence* d'Emile Martel (C-149).

### *Idées du Jour*

La collection «Idées du Jour» se distingue par sa constance, car au moins deux titres ont paru chaque année. Aucune autre ne peut revendiquer cette régularité. Tout en étant dominée par des ouvrages de réflexion sur la société québécoise, elle contient, parmi ses 93 titres, quelques ouvrages qui font partie du fonds littéraire québécois :

— *Le Scandale est nécessaire* de Pierre Baillargeon (D-7) ;
— *Le Calepin du diable* de Jean Pellerin (D-16) ;
— *Louis Préfontaine, apostat* de François Hertel (D-29).

### *Petite collection*

Les premiers livres à porter l'étiquette des éditions du Jour figurent dans la «Petite collection». *Le Nouveau Parti* de Stanley Knowles, lancé le 5 mai 1961, constituait le premier geste public de la nouvelle maison d'édition de Jacques Hébert en même temps que ce livre manifeste allait marquer la naissance du Nouveau Parti Démocratique dont Knowles fut l'un des premiers penseurs.

Cette collection entretient peu de différence avec la collection «Hors-collection», de sorte qu'elle prend parfois les allures d'un fourre-tout. En fait, elle se voulait une collection à prix populaire (1,00$) et c'est ce qui fait sa marque de commerce. L'important pour Jacques Hébert était de publier d'abord, de créer des collections ensuite, tant l'urgence de dire des choses s'imposait avant tout. Le temps de la classification des titres viendrait plus tard, ça ne pressait pas. Aussi ne faut-il pas s'étonner de trouver dans cette collection quelques œuvres dites littéraires:

— *Les Doléances du notaire Poupart* de Carl Dubuc (2);
— *Si la bombe m'était contée* d'Yves Thériault (18), réédité plus tard dans la collection «Romanciers du Jour»;
— *Les Ecœurants* de Jacques Hébert (45);
— *La Mort de mon joual* de Roland Lorrain (47).

En somme, chaque collection admet des exceptions et ce phénomène se produit dans toutes les maisons d'édition.

***La production annuelle***

Grâce à la loi du dépôt légal, il est possible de calculer le nombre de livres publiés par année par maison d'édition. Même si l'année civile ne correspond pas à l'année littéraire, qui s'étend généralement de septembre à juin, ces statistiques donnent une idée très précise de la production annuelle.

Voici donc un tableau de la production annuelle des éditions du Jour depuis le début et une comparaison avec celle de quatre autres maisons d'édition depuis l'entrée en vigueur de la loi québécoise sur le dépôt légal. Les ouvrages qui, aux éditions du Jour, sont réédités dans la même collection ou dans une autre ne sont comptés qu'une fois, soit au moment de la première édition.

| 1961 | 1962 | 1963 | 1964 | 1965 | 1966 | 1967 |
|---|---|---|---|---|---|---|
| 18 | 30 | 28 | 22 | 22 | 30 | 35 |

| Maison | | Leméac | Fides | Beauchemin | CLF | Jour |
|---|---|---|---|---|---|---|
| Année | 1968 | 12 | 38 | 22 | 30 | 49 |
| | 1969 | 25 | 50 | 36 | 16 | 45 |
| | 1970 | 23 | 39 | 47 | 19 | 78 (8) |
| | 1971 | 20 | 34 | 20 | 21 | 99 (36) |
| | 1972 | 61 | 33 | 37 | 11 | 130 (53)* |
| | 1973 | 70 | 43 | 54 | 16 | 112 (20)* |
| | 1974 | 60 | 40 | 51 | 19 | 59 |
| | 1975 | 57 | 34 | 109 | 20 | 44 |
| | 1976 | 42 | 63 | 19 | 17 | 32 |
| | 1977 | 42 | 46 | 20 | 14 | 21 |
| | 1978 | 26 | 44 | 6 | 26 | 12 |
| | 1979 | 40 | 61 | 17 | 19 | 21 |
| | 1980 | 79 | 76 | 12 | 21 | 19 |
| | | | | | | 906 |

* Sans compter une coédition inscrite dans une collection régulière des éditions du Jour, soit «Romanciers du Jour».

Les trois années où la production est la plus importante en termes de titres correspondent à la période de mise en application d'une politique de coédition, particulièrement avec Robert Laffont. Le chiffre entre parenthèses représente le nombre de titres qui ont fait l'objet d'une coédition avec cette maison française. Cette pratique nécessitait un investissement moindre, certains frais étant assumés par le partenaire français, ce qui explique l'importante augmentation du volume annuel de publications.

Ces chiffres confirment de façon éloquente la dégringolade des éditions du Jour après le départ de Jacques Hébert. La maison est pratiquement devenue un crypto-éditeur, tant la production accuse une baisse considérable, au chapitre non seulement des titres, mais aussi de la qualité.

Comme la production a considérablement diminué au cours des cinq dernières années, la majeure partie du stock des éditions du Jour, au moment de son achat par Sogides, provenait du fonds littéraire constitué pendant le règne de Jacques Hébert.

Les déclarations d'intentions faites en octobre 1974, au moment de l'annonce de la création du prix Jacques-Hébert, sont restées lettre morte ou peu s'en faut. Ainsi, on voulait mettre un peu plus l'accent sur le théâtre et créer une collection, «Les grands explorateurs», qui aurait été publiée avec le concours du groupe du même nom rattaché à Explo-Mundo. Elle n'a jamais vu le jour. Quant à la publication du prix Marie-Claire-Daveluy, les éditions du Jour ont donné suite à leur intention en mettant sur le marché l'œuvre des lauréats de l'année 1973 et de l'année 1974.

En 1979, la maison a tenté une percée timide sur le marché du livre de poche en fondant une nouvelle collection, «Le petit Jour». En fait, cette collection prend le relais de la «Petite collection» fondée en 1961. Outre cinq livres parus aux éditions du Jour à l'époque de Jacques Hébert, la collection compte une réédition de *La Neige et le feu* de Pierre Baillargeon et un roman inédit d'Henri Lamoureux, *L'Affrontement*. Les dirigeants reconnaissent qu'ils ont fait une erreur en publiant la première édition d'un roman dans une collection de poche, même si cette décision satisfaisait pleinement l'auteur. Ce dernier, qui est animateur social, voulait que son livre soit disponible à prix populaire parce qu'il le conçoit comme un outil de conscientisation de la masse prolétarienne.

Les responsables des éditions du Jour ont beau déclarer dans leurs prospectus qu'ils se sont intéressés à cette entreprise d'édition «non pas uniquement dans un dessein de rentabilité, mais surtout en vue de réaliser un de leurs objectifs: l'éducation et la réalisation intégrale de l'homme», on ne peut les prendre au sérieux. Il fallait qu'ils soient inconscients de la valeur des éditions du Jour pour agir comme ils l'ont fait après le départ de Jacques Hébert. Ils ont pour ainsi dire saboté et détruit une maison d'édition qui était devenue une institution littéraire au Québec, à tout le moins le symbole vivant de la littérature québécoise. C'est une bien triste fin pour une entreprise que Jacques Hébert avait mis plus de dix ans à construire de ses propres mains et qui, encore jeune, était promise à un brillant avenir.

La collection NRF chez Gallimard n'a pas obtenu ses lettres de noblesse en quelques années. C'est ce rôle primordial qu'auraient pu jouer les éditions du Jour, être la NRF du Québec, si la Fédération des caisses d'économie du Québec n'avait trahi sa mission: constituer une littérature nationale et, partant, doter le peuple québécois d'une identité propre sans quoi aucun peuple ne mérite sa souveraineté. Ce défi, qui était en voie d'être relevé par les éditions du Jour, devra être assumé par un autre éditeur. Existe-t-elle seulement, cette maison d'édition capable de susciter un esprit de famille tel qu'il en existait un aux éditions du Jour?

Encore une fois, l'argent a fait échec à la culture et les éditions du Jour ont manqué le rendez-vous avec l'Histoire. Elles devront se satisfaire de la petite histoire de l'édition québécoise. Il est assez ironique de constater que le coup de grâce a été porté aux éditions du Jour par une organisation coopérative regroupant plus de 120 coopératives d'épargne et de crédit. L'épargne des petits salariés québécois exigeait-elle un tel tribut? Il y a un fond de tragédie grecque dans cette histoire qui rappelle Médée dévorant ses enfants.

*Chapitre 9*

# *Les subventions*

*Chapitre 9*

# *Les subventions*

L'une des batailles importantes qu'a menées Jacques Hébert en tant que président de l'Association des éditeurs canadiens (AEC) concerne la politique de subventions du Conseil des Arts du Canada. Jusqu'en 1973, l'organisme fédéral accorde une aide à l'édition en prenant en considération la qualité du manuscrit soumis. L'éditeur se base sur le nombre de lignes du texte pour fixer le montant de sa demande, laquelle est adressée au Conseil supérieur du livre (devenu depuis la Société de développement du livre et du périodique) qui sert en quelque sorte d'intermédiaire entre l'éditeur et le Conseil des Arts du Canada.

C'est donc dire que les subventions sont accordées à la pièce, titre par titre. La démarche devient vite fastidieuse et le refrain de l'éditeur, vite connu. La demande emprunte à peu près cette formulation: «Nous vous soumettons un manuscrit de J.B. Ce jeune auteur, qui a publié l'an dernier son premier roman, fait preuve d'un talent remarquable qui mérite d'être encouragé. Même si sa première œuvre a été bien accueillie, l'auteur n'a pas encore attiré vers lui tout le public qu'il mérite. Aussi, nous demandons une subvention de 700 $ pour la publication de ce manuscrit.»

Une anecdote intéressante s'est d'ailleurs produite, qui illustre le caractère bureaucratique de cette procédure.

Jacques Hébert avait demandé une subvention de 700 $ pour *La Représentation* de Michel Beaulieu. Puis, s'étant rendu compte probablement que le manuscrit était plus volumineux que prévu, il demande que la subvention soit de l'ordre de 1 000 $. La réponse du Conseil des Arts est favorable et il reçoit un chèque de 1 000 $. Quelque temps après, un deuxième versement de 700 $ lui parvient! Les fonctionnaires du Conseil avaient oublié d'annuler la première demande. Par éthique professionnelle, Jacques Hébert a retourné le chèque.

Jusqu'en 1973, les éditions du Jour ont perçu une somme totale de 72 010 $ du Conseil des arts du Canada pour la publication de 99 ouvrages littéraires. Pendant la même période, le Cercle du Livre de France a encaissé une somme de 63 175 $ pour la publication de 72 livres. Ce sont les deux seules maisons d'édition québécoises qui ont reçu de façon constante, bon an, mal an, une aide au cours de cette période.

| | Editions du Jour | | CLF | |
|---|---|---|---|---|
| Aide à l'édition | montant | nombre de livres | montant | nombre de livres |
| 1961-1962 | 1 000 $ | 1 | 6 850 $ | 7 |
| 1962-1963 | — | — | 4 900 $ | 2 |
| 1963-1964 | 1 900 $ | 3 | 4 000 $ | 6 |
| 1964-1965 | 500 $ | 1 | 2 500 $ | 5 |
| 1965-1966 | 900 $ | 2 | 4 500 $ | 6 |
| 1966-1967 | 5 850 $ | 8 | 7 000 $ | 9 |
| 1967-1968 | 6 850 $ | 10 | 4 300 $ | 6 |
| 1968-1969 | 4 750 $ | 8 | 6 800 $ | 3 |
| 1969-1970 | 5 000 $ | 11 | 3 550 $ | 7 |
| 1970-1971 | 17 580 $ | 26 | 5 950 $ | 7 |
| 1971-1972 | 16 705 $ | 19* | 8 625 $ | 11 |
| 1972-1973 | 10 975 $ | 10 | 4 200 $ | 3 |
| | 72 010 $ | 99 | 63 175 $ | 72 |

* En fait, 22 livres ont été subventionnés, mais trois d'entre eux l'avaient déjà été l'année précédente.

Par la suite, les subventions du Conseil des Arts du Canada sont attribuées aux éditeurs sur une base annuelle, en se référant à la production de l'année précédente pour fixer le montant de la subvention. Jacques Hébert se félicite encore de cette victoire qu'il a acquise après des années de lutte. L'adoption de cette nouvelle politique de subvention permet à l'éditeur de mieux planifier son budget pour l'année, puisqu'il sait d'avance le montant qui lui sera alloué. En outre, les œuvres pour lesquelles une subvention était demandée ne sont plus soumises à l'arbitraire.

Pour les cinq premières années de cette politique, soit de 1973 à 1977, les éditions du Jour ont bénéficié d'une subvention de 118 666 $ comparativement à 175 500 $ pour le Cercle du Livre de France, 178 500 $ pour Fides et 232 731 $ pour les éditions Leméac.

AIDE GLOBALE A L'EDITION

| Année | Editions du Jour | CLF | Fides | Leméac |
|---|---|---|---|---|
| 1973 | 37 000 $ | 25 000 $ | 25 000 $ | 35 000 $ |
| 1974 | 42 000 $ | 30 000 $ | 30 000 $ | 39 000 $ |
| 1975 | 14 000 $ | 35 000 $ | 35 000 $ | 45 000 $ |
| 1976 | 15 400 $ | 38 500 $ | 38 500 $ | 49 250 $ |
| 1977 | 10 266 $ | 47 000 $ | 50 000 $ | 64 481 $ |
| | 118 666 $ | 175 500 $ | 178 500 $ | 232 731 $ |
| 1972* | 2 000 $ | — | 3 500 $ | 10 000 $ |

* Somme versée pour les derniers mois de l'année.

La diminution du montant de la subvention accordée aux éditions du Jour au cours des trois dernières années par rapport aux années précédentes reflète la baisse considérable de la production de la maison. Depuis 1978, le rapport annuel du Conseil des Arts du Canada, d'où sont tirés ces chiffres, n'indique plus le montant annuel alloué à chaque maison.

Avec la mise en vigueur de sa nouvelle politique d'aide globale à l'édition, le Conseil a diversifié ses programmes de subventions. Ainsi, il encourage la traduction de livres. Des quatre maisons d'édition mentionnées plus haut, le Cercle du Livre de France est celle qui profite le plus de ce programme. De 1973 à 1977, elle a reçu 90 900 $, alors que les éditions du Jour viennent loin derrière avec une somme de 24 250 $.

Le Conseil administre aussi un programme d'achats et de dons de livres qui constitue une forme de subvention déguisée. Toujours pour la même période, le Conseil a consacré 103 773 $ pour l'achat de livres parus aux éditions Leméac, 84 961 $ aux éditions Fides, 78 231 $ au Cercle du Livre de France et 62 881 $ aux éditions du Jour.

Si l'on additionne les montants versés dans le cadre de chaque programme, voici le tableau des subventions perçues par chaque maison d'édition, de 1973 à 1977:

SUBVENTIONS DU CONSEIL DES ARTS DU CANADA

| Année | Editions du Jour | CLF | Fides | Leméac |
|---|---|---|---|---|
| 1973 | 64 080 $ | 59 890 $ | 42 000 $ | 56 120 $ |
| 1974 | 63 380 $ | 64 306 $ | 45 720 $ | 57 180 $ |
| 1975 | 40 600 $ | 77 690 $ | 52 520 $ | 66 210 $ |
| 1976 | 24 625 $ | 73 180 $ | 55 055 $ | 68 655 $ |
| 1977* | 14 112 $ | 70 565 $ | 76 666 $ | 88 339 $ |
| | 206 797 $ | 345 631 $ | 271 961 $ | 336 504 $ |

* Sauf les éditions Leméac, chaque maison a reçu une somme de 1 000 $ pour l'aide à l'édition de livres pour la jeunesse.

Quant au Ministère des Affaires Culturelles du Québec, son programme d'aide à la publication a toujours été modeste, même s'il existe depuis 1964. Il double celui du Conseil des Arts du Canada, avec cette différence près qu'une priorité est accordée aux essais en sciences humaines, les œuvres d'imagination étant dérivées vers le programme d'assurance-édition.

La loi de l'assurance-édition a été sanctionnée le 11 avril 1962 et modifiée en 1965. Elle a pour but de prévenir les pertes qu'aurait à subir un éditeur par suite de la mévente d'un ouvrage inscrit à l'assurance-édition. Le Gouvernement s'engage à acheter, au coût de fabrication, jusqu'au tiers des exemplaires tirés.

Quoi qu'il en soit, les éditions du Jour n'ont pratiquement jamais bénéficié de ces programmes. Quelques subventions seulement ont été accordées, soit 500 $ pour *Les Enfances brisées* d'Emile Martel, 700 $ pour *Ma tite vache a mal aux pattes* de Jean-Marie Poupart et 800 $ pour *Treize histoires en noir et blanc* de Jean Tétreau.

Enfin, les éditions du Jour ont reçu une subvention de 700 $ de la part de l'université Sir George Williams (devenue l'université Concordia) pour la publication du roman de Serge Losique, *De Z à A.* Comment l'auteur s'y est-il pris pour arracher une telle somme à l'institution qui l'employait? Le directeur général du Festival des films du monde de Montréal n'en est pas, comme on le voit, à son premier tour de force.

*Chapitre 10*

# *Les prix littéraires*

*Chapitre 10*

# *Les prix littéraires*

Les prix littéraires que décroche une maison d'édition ne sauraient à eux seuls lui rendre justice et témoigner de la qualité de la littérature qui s'y publie. Qu'un roman se rende en finale pour l'obtention d'un prix littéraire est parfois aussi significatif que s'il était couronné par ce même prix. Mais dans la plupart des cas, le nom des finalistes n'est pas connu publiquement, de sorte qu'il faut s'en remettre à la liste des œuvres primées pour jauger la qualité d'un éditeur.

Les éditions du Jour affichent un palmarès impressionnant dans ce domaine, d'autant plus que les prix qu'elles ont raflés ne sont en rien des distinctions créées par la maison, comme c'est le cas au Cercle du Livre de France qui décerne à ses auteurs les prix Esso et Jean Béraud-Molson*. Les prix obtenus l'ont été en compétition avec d'autres éditeurs, à l'exception des deux prix Marie-Claire Daveluy. Les règlements de ce prix qui récompense un auteur âgé entre 14 et 20 ans sont tels que l'œuvre est d'abord primée, puis publiée par un éditeur, ce qui fait que la maison d'édition n'a pas le mérite d'avoir découvert elle-même le talent du jeune écrivain en herbe.

* Depuis 1981, les autres éditeurs peuvent participer au prix Jean Béraud.

Voici la liste des œuvres qui se sont mérité un prix:

*Un homme en laisse* de Jean-Paul Filion: troisième prix littéraire de la province de Québec en 1962.
*Quatre Montréalais en l'an 3 000* de Suzanne Martel: prix de l'Association canadienne d'éducation de langue française (ACELF) en 1963.
*Ode au Saint-Laurent* de Gatien Lapointe: troisième prix littéraire de la province de Québec en 1963.
*Ode au Saint-Laurent* de Gatien Lapointe: prix Du Maurier en 1963.
*Ode au Saint-Laurent* de Gatien Lapointe: prix du Gouverneur général en 1964.
*Jolis Deuils* de Roch Carrier: deuxième prix littéraire de la province de Québec en 1965.
*Une saison dans la vie d'Emmanuel* de Marie-Claire Blais: prix Médicis en 1966.
*Une saison dans la vie d'Emmanuel* de Marie-Claire Blais: prix France-Québec en 1966.
*Le Premier Mot* de Gatien Lapointe: prix littéraire de la province de Québec en 1967.
*Jos Carbone* de Jacques Benoit: prix littéraire du Québec en 1968.
*Manuscrits de Pauline Archange* de Marie-Claire Blais: prix du Gouverneur général en 1969.
*Le Cycle* de Gérard Bessette: prix du Gouverneur général en 1972.
*Les Grands-pères* de Victor-Lévy Beaulieu: grand prix littéraire de la ville de Montréal en 1972.
*Les Roses sauvages* de Jacques Ferron: prix France-Québec en 1972.
*Le Naufrage* de Jean-Pierre Charland: prix Marie-Claire Daveluy en 1973.
*Raminagradu* de Louise Aylwin: prix Marie-Claire Daveluy en 1974.
*Le Joual de Troie* de Jean Marcel: prix France-Québec en 1974.

*Raminagradu* de Louise Aylwin: prix de littérature de jeunesse en 1976.
*Histoires de déserteurs* d'André Major (*L'Epouvantail* et *L'Epidémie* constituent les deux premiers volets de cette trilogie): prix du Gouverneur général en 1977.

La plupart des écrivains qui ont quitté les éditions du Jour au cours de la tumultueuse saison littéraire 1974-1975 ou au moment de la démission de Victor-Lévy Beaulieu en octobre 1973 ont continué à écrire et à publier chez d'autres éditeurs. Si leurs œuvres ont été couronnées, le mérite en revient en partie à la maison de Jacques Hébert qui a cru en leur talent.

Mentionnons *Don Quichotte de la Démanche,* prix du Gouverneur général en 1975, *Monsieur Melville,* prix France-Canada en 1979 et *Satan Belhumeur,* prix Béraud-Molson en 1981, de Victor-Lévy Beaulieu; *Faites de beaux rêves,* prix La Presse en 1976 et *Les Grandes Marées,* prix du Gouverneur général en 1979, de Jacques Poulin; *Les Masques,* grand prix littéraire du journal de Montréal en 1981 et prix Canada-Suisse en 1981, de Gilbert LaRocque; *Le Sourd dans la ville* de Marie-Claire Blais, prix du Gouverneur général en 1980; *Les Enfants du bonhomme dans la lune* de Roch Carrier, grand prix littéraire de la ville de Montréal en 1980; *La Première Personne* de Pierre Turgeon, prix du Gouverneur général en 1981.

*Partie II:*

# *Bibliographie et références*

*Partie II:*

# *Bibliographie et références*

## MÉTHODOLOGIE

### *Sources de renseignements*

La grande majorité des renseignements qui apparaissent dans la bibliographie qui suit ont été puisés dans les ouvrages de référence *Bibliographie du Québec* et *Canadiana.* Toutefois, ces publications ne mentionnent pas toujours, le cas échéant, qu'il s'agit d'une coédition entre le Jour et un éditeur français. Ainsi, quelques titres sont peut-être le fruit d'une coédition sans que la bibliographie le souligne. Enfin, quelques publications n'ayant pas fait l'objet d'un dépôt légal ont été retracées grâce à l'édition annuelle de l'ouvrage de référence *Les Livres disponibles.*

### *Lieu d'édition*

Tous les livres publiés au Jour ont pour lieu d'édition Montréal. Aussi n'est-il pas mentionné dans la bibliographie. Dans le cas d'une coédition québécoise, le lieu du coéditeur est indiqué s'il ne s'agit pas de Montréal.

De même, à moins d'avis contraire, toutes les coéditions entre le Jour et une maison française ont pour lieu d'édition conjoint Montréal / Paris.

### *Année d'édition*

Dans le cas d'une réédition pure et simple d'un titre dans la même collection ou dans une autre collection, l'année d'édition indiquée dans la bibliographie est sujette à caution, car la plupart de ces livres ne sont pas soumis à un nouveau dépôt légal.

### *Normes bibliographiques*

Les normes bibliographiques en usage dans ce livre s'appuient sur celles qui sont dictées dans le *Dictionnaire des œuvres littéraires du Québec*.

*Chapitre 1*

# *Bibliographie par collections des livres publiés aux éditions du Jour*

*Chapitre 1*

# *Bibliographie par collections des livres publiés aux éditions du Jour*

## COLLECTION : ROMANCIERS DU JOUR (R)

Le montant entre parenthèses représente la subvention accordée par le Conseil des Arts du Canada pour la publication de l'ouvrage.

R-1 ) Godin, Marcel, *La Cruauté des faibles,* 1961, 125 p.
R-2 ) Gagnon, Jean-Louis, *La Mort d'un nègre* suivi de *La Fin des haricots,* 1961, 121 p.
R-3 ) Savary, Charlotte, *Le Député,* 1961, 219 p.
R-4 ) Blais, Marie-Claire, *Le Jour est noir,* 1962, 121 p.
R-5 ) Lorrain, Roland, *Perdre la tête,* 1962, 188 p.
R-6 ) Filion, Jean-Paul, *Un homme en laisse,* 1962, 124 p.
R-7 ) Maillet, Andrée, *Les Montréalais,* 1962, 145 p.
R-8 ) Mondat, Claire, *Poupée,* 1963, 139 p.
R-9 ) Basile, Jean, *Lorenzo,* 1963, 120 p. (700 $)
R-10 ) Thériault, Yves, *Le Grand Roman d'un petit homme,* 1963, 143 p.
R-11 ) Thériault, Yves, *La Rose de pierre,* 1964, 135 p.
R-12 ) Carrier, Roch, *Jolis Deuils,* 1964, 157 p.
R-13 ) Basile, Jean, *La Jument des Mongols,* 1964, 179 p.
R-14 ) Maillet, Andrée, *Les Remparts de Québec,* 1965, 185 p.
R-15 ) Ouvrard, Hélène, *La Fleur de peau,* 1965, 194 p.

R-16 ) Blais, Marie-Claire, *Une saison dans la vie d'Emmanuel,* 1965, 128 p.
R-17 ) Blais, Marie-Claire, *L'Insoumise,* 1966, 127 p.
R-18 ) Tremblay, Michel, *Contes pour buveurs attardés,* 1966, 158 p. (700 $)
R-19 ) Pilon, Jean-Guy, *Solange,* 1966, 123 p. (700 $)
R-20 ) Hertel, François, *Jérémie et Barabbas,* 1966, 195 p.
R-21 ) Tétreau, Jean, *Les Nomades,* 1967, 260 p. (800 $)
R-22 ) Ouvrard, Hélène, *Le Cœur sauvage,* 1967, 167 p. (900 $)
R-23 ) Poulin, Jacques, *Mon cheval pour un royaume,* 1967, 130 p. (600 $)
R-24 ) Blais, Marie-Claire, *David Sterne,* 1967, 127 p.
R-25 ) Benoit, Jacques, *Jos Carbone,* 1967, 120 p.
R-26 ) Thériault, Yves, *L'Appelante,* 1967, 125 p.
R-27 ) Clari, Jean-Claude, *Les Grandes Filles,* 1968, 151 p. (700 $)
R-28 ) Carrier, Roch, *La Guerre, yes sir!,* 1968, 124 p.
R-29 ) Lamirande, Claire de, *Aldebaran ou la Fleur,* 1968, 128 p. (700 $)
R-30 ) Tétreau, Jean, *Volupté de l'amour et de la mort,* 1968, 247 p. (800 $)
R-31 ) Thériault, Yves, *L'Ile introuvable,* 1968, 173 p.
R-32 ) Poupart, Jean-Marie, *Angoisse Play,* 1968, 110 p. (600 $)
R-33 ) Blais, Marie-Claire, *Manuscrits de Pauline Archange,* 1968, 127 p.
R-34 ) Major, André, *Le Vent du diable,* 1968, 143 p. (600 $)
R-35 ) Gagnon, Pierre-O., *A la mort de mes vingt ans,* 1968, 134 p. (700 $)
R-36 ) Thériault, Yves, *Kesten,* 1968, 123 p.
R-37 ) Losique, Serge, *De Z à A,* 1968, 157 p.
R-38 ) Tremblay, Michel, *La Cité dans l'œuf,* 1969, 181 p. (600 $)
R-39 ) Poulin, Jacques, *Jimmy,* 1969, 158 p. (700 $)

R-40 ) Turgeon, Pierre, *Faire sa mort comme faire l'amour,* 1969, 182 p.
R-41 ) Thériault, Yves, *Antoine et sa montagne,* 1969, 170 p.
R-42 ) Martel, Emile, *Les Enfances brisées,* 1969, 127 p.
R-43 ) Ferron, Jacques, *Historiettes,* 1969, 182 p.
R-44 ) Mailhot, Michèle, *Le Fou de la reine,* 1969, 126 p. (500 $)
R-45 ) Carrier, Roch, *Floralie, où es-tu?,* 1969, 170 p. (500 $)
R-46 ) Poupart, Jean-Marie, *Que le diable emporte le titre,* 1969, 147 p. (500 $)
R-47 ) Beaulieu, Victor-Lévy, *Race de monde!,* 1969, 186 p.
R-48 ) Villeneuve, Paul, *J'ai mon voyage!,* 1969, 156 p.
R-49 ) Beaulieu, Michel, *Je tourne en rond mais c'est autour de toi,* 1969, 179 p.
R-50 ) Thériault, Yves, *Si la bombe m'était contée**, 1969 (c 1962), 124 p.
R-51 ) Ferron, Jacques, *Le Ciel de Québec,* 1969, 403 p.
R-52 ) Lamirande, Claire de, *Le Grand Elixir,* 1969, 265 p. (900 $)
R-53 ) Blais, Marie-Claire, *Vivre! Vivre!,* 1969, 170 p.
R-54 ) Benoit, Jacques, *Les Voleurs,* 1969, 240 p.
R-55 ) Beaulieu, Victor-Lévy, *La Nuitte de Malcomm Hudd,* 1969, 229 p.
R-56 ) Ferron, Jacques, *L'Amélanchier,* 1970, 163 p.
R-57 ) Ferron, Jacques, *Cotnoir* suivi de *La Barbe de François Hertel,* 1970, 127 p.
R-58 ) Tétreau, Jean, *Treize histoires en noir et blanc,* 1970, 212 p.
R-59 ) Clément, Michel, *Confidences d'une prune,* 1970, 111 p.
R-60 ) LaRocque, Gilbert, *Le Nombril,* 1970, 208 p. (800 $)
R-61 ) Turgeon, Pierre, *Un, deux, trois,* 1970, 171 p. (600 $)

R-62 ) Doré, Marc, *Le Billard sur la neige,* 1970, 175 p. (500 $)
R-63 ) Blais, Marie-Claire, *Les Apparences,* 1970, 202 p.
R-64 ) Poupart, Jean-Marie, *Ma tite vache a mal aux pattes,* 1970, 244 p.
R-65 ) Carrier, Roch, *Il est par là, le soleil,* 1970, 142 p. (500 $)
R-66 ) Poulin, Jacques, *Le Cœur de la baleine bleue,* 1970, 200 p. (800 $)
R-67 ) Beaulieu, Victor-Lévy, *Jos Connaissant,* 1970, 250 p. (1 000 $)
R-68 ) Benoit, Jacques, *Patience et Firlipon,* 1970, 182 p. (700 $)
R-69 ) Ferron, Jacques, *Le Salut de l'Irlande,* 1970, 221 p.
R-70 ) Brossard, Nicole, *Un livre,* 1970, 99 p. (500 $)
R-71 ) Lamirande, Claire de, *La Baguette magique,* 1971, 198 p. (700 $)
R-72 ) Cocke, Emmanuel, *Va voir au ciel si j'y suis,* 1971, 206 p.
R-73 ) Bessette, Gérard, *Le Cycle,* 1971, 212 p. (1 000 $)
R-74 ) LaRocque, Gilbert, *Corridors,* 1971, 214 p. (1 250 $)
R-75 ) Ferron, Jacques, *Les Roses sauvages,* 1971, 177 p. (750 $)
R-76 ) Deyglun, Serge, *Ces filles de nulle part,* 1971, 134 p. (625 $)
R-77 ) Doré, Marc, *Le Raton-laveur,* 1971, 159 p. (625 $)
R-78 ) Beaulieu, Victor-Lévy, *Les Grands-pères,* 1971, 156 p.
R-79 ) Blais, Marie-Claire, *Le Loup,* 1972, 243 p.
R-80 ) Ferron, Jacques, *La Chaise du maréchal-ferrant,* 1972, 223 p. (750 $)
R-81 ) Beaulieu, Michel, *La Représentation,* 1972, 198 p. (1 000 $)
R-82 ) Cocke, Emmanuel, *L'Emmanuscrit de la mère morte,* 1972, 236 p. (1 125 $)

R-83 ) Beaulieu, Victor-Lévy, *Un rêve québécois,* 1972, 172 p.
R-84 ) LaRocque, Gilbert, *Après la boue,* 1972, 207 p.
R-85 ) Ferron, Jacques, *Le Saint-Elias,* 1972, 186 p.
R-86 ) Hébert, Louis-Philippe, *Récits des temps ordinaires,* 1972, 154 p. (875 $)
R-87 ) Mailhot, Michèle, *La Mort de l'araignée,* 1972, 102 p.
R-88 ) Paré, Yvon, *Anna-Belle,* 1972, 125 p. (900 $)
R-89 ) Billon, Pierre, *L'Ogre de barbarie***, Montréal / Paris, 1972, 222 p.
R-90 ) Brossard, Nicole, *Sold-out, Etreinte/illustration,* 1973, 114 p.
R-91 ) Brochu, André, *Adéodat I,* 1973, 142 p.
R-92 ) Leclerc, Félix, *Carcajou ou le Diable des bois***, Montréal / Paris, 1973, 263 p.
R-93 ) Carpentier, André, *Axel et Nicholas* suivi de *Mémoires d'Axel,* 1973, 176 p.
R-94 ) Tremblay, Michel, *C't'à ton tour, Laura Cadieux,* 1973, 131 p.
R-95 ) Samson, Bruno, *L'Amer noir,* 1973, 191 p.
R-96 ) Blais, Marie-Claire, *Un joualonais, sa joualonie,* 1973, 300 p.
R-97 ) Carrier, Roch, *Le Deux-millième Etage,* 1973, 168 p.
R-98 ) Poupart, Jean-Marie, *Chère Touffe, c'est plein plein de fautes dans ta lettre d'amour,* 1973, 261 p.
R-99 ) Beaulieu, Victor-Lévy, *Oh Miami Miami Miami,* 1973, 320 p.
R-100 ) Ouvrard, Hélène, *Le Corps étranger,* 1973, 141 p.
R-101 ) Lamirande, Claire de, *Jeu de clefs,* 1974, 139 p.
R-102 ) Turgeon, Pierre, *Prochainement sur cet écran,* 1973, 201 p.
R-103 ) Major, André, *L'Epouvantail,* 1974, 228 p.
R-104 ) Benoit, Jacques, *Les Princes,* 1973, 172 p.
R-105 ) Ferron, Jacques, *Du fond de mon arrière-cuisine,*

1973, 290 p.
R-106 ) Beaulieu, Michel, *Sylvie Stone,* 1974, 177 p.
R-107 ) Deyglun, Marie-Christine, *Juste à côté d'elle,* 1974, 183 p.
R-108 ) Villeneuve, Paul, *Johnny Bungalow,* 1974, 400 p.
R-109 ) Dupré, Yves, *Chélée ou la Passion selon Sainte-Catherine,* 1974, 101 p.
R-110 ) Larocque, Pierre-A., *Ruines,* 1974, 122 p.
R-111 ) Poupart, Jean-Marie, *C'est pas donné à tout le monde d'avoir une belle mort,* 1974, 146 p.
R-112 ) Brun, Régis, *La Mariecomo,* 1974, 129 p.
R-113 ) Moussette, Marcel, *Les Patenteux,* 1974, 91 p.
R-114 ) Châtillon, Pierre, *La Mort rousse,* 1974, 282 p.
R-115 ) Felx, Jocelyne, *Les Vierges folles,* 1975, 77 p.
R-116 ) Major, André, *L'Epidémie,* 1975, 218 p.
R-117 ) Lamirande, Claire de, *La Pièce montée,* 1975, 149 p.
R-118 ) Bolduc, Mario, *Les Images de la mer,* 1975, 131 p.
R-119 ) Bouyoucas, Pan, *Le Dernier Souffle,* 1975, 186 p.
R-120 ) Belleau, Romain, *Les Rebelles,* 1975, 206 p.
R-121 ) Felx, Jocelyne, *Les Petits Camions rouges,* 1975, 140 p.
R-122 ) Châtillon, Pierre, *Le Fou,* 1975, 107 p.
R-123 ) Martin, Ralph G., *La femme qu'il aimait****, Montréal / Paris, 1976, (c1975), 474 p.
R-124 ) MacKenzie, Colin, *Ronald Biggs: l'homme du train postal*****, 1976, 357 p.
R-125 ) Deniset, Louis, *L'Equilibre instable,* 1977, 136 p.
R-126 ) Gilbert, Normand, *La Marche du bonheur,* 1977, 166 p.
R-127 ) Châtillon, Pierre, *L'Ile aux fantômes,* 1977, 309 p.
R-128 ) Dore-Joyal, Yvette, *J'avais oublié que l'amour fut si beau,* 1979, 179 p.
R-129 ) Oslovik, *Oslovik fait la bombe,* 1980, (c 1979), 203 p.
R-130 ) Bellier, Marc, *Jean-Paul ou les Hasards de la vie,* 1980, 433 p.

R-131 ) Aucun ouvrage ne porte ce numéro.
R-132 ) Lamoureux, Henri, *Les Meilleurs d'entre nous,* 1980, 182 p.

---

* Simple réédition d'un ouvrage paru initialement dans la collection «Petite collection» 18.

** Coédition avec Robert Laffont.

*** Coédition avec Albin Michel.

**** Coédition avec Stock.

## COLLECTION : POÈTES DU JOUR (M)

M-1 ) Lapointe, Gatien, *Ode au Saint-Laurent* précédé de *J'appartiens à la terre,* 1963, 94 p. (400 $)
M-2 ) Colombo, John Robert et Godbout, Jacques, *Poésie 64 — Poetry 64,* 1963, 157 p.
M-3 ) Gagnon, Alphonse, *Intensité,* 1964, 111 p.
M-4 ) Baudot, Jean-A. *La Machine à écrire,* 1964, 95 p.
M-5 ) Cloutier, Cécile, *Cuivre et Soies* suivi de *Mains de sable,* 1964, 75 p.
M-6 ) Basile, Jean, *Journal poétique 1964-1965,* 1965, 95 p. (400 $)
M-7 ) Boucher, André-Pierre, *Chant poétique pour un pays idéal,* 1966, 109 p. (500 $)
M-8 ) Maillet, Andrée, *Le Chant de l'Iroquoise,* 1967, 75 p. (350 $)
M-9 ) Lapointe, Gatien, *Le Premier Mot* précédé de *Le Pari de ne pas mourir,* 1967, 99 p.
M-10 ) Lalonde, Michèle, *Terre des hommes,* 1967, 59 p.
M-11 ) Morand, Florette, *Feu de brousse,* 1967, 70 p.
M-12 ) Audet, Noël, *La Tête barbare,* 1968, 77 p. (400 $)
M-13 ) Champagne-Gilbert, Maurice, *Suite pour amour,* 1. *Clair de nuit,* 1968, 128 p.
M-14 ) Châtillon, Pierre, *Les Cris,* 1968, 96 p.
M-15 ) Marsolais, Gilles, *La Caravelle incendiée* précédé

de *Souillures et Traces* et de *L'Acte révolté,* 1968, 63 p. (400 $)

M-16 ) Théberge, Jean-Yves, *Entre la rivière et la montagne,* 1969, 76 p. (450 $)

M-17 ) Châtillon, Pierre, *Soleil de bivouac,* 1969, 93 p. (450 $)

M-18 ) Racine, Luc, *Opus I,* 1969, 74 p. (450 $)

M-19 ) Beauchamp, Germain, *La Messe ovale,* 1969, 96 p. (300 $)

M-20 ) Beaulieu, Michel, *Charmes de la fureur,* 1970, 75 p. (300 $)

M-21 ) Racine, Luc, *Villes,* 1970, 56 p. (250 $)

M-22 ) Geoffroy, Louis, *Le Saint rouge et la pêcheresse,* 1970, 95 p.

M-23 ) Des Roches, Roger, *Corps accessoires,* 1970, 55 p.

M-24 ) Boulerice, Jacques, *Elie, Elie, pourquoi,* 1970, 61 p. (250 $)

M-25 ) Châtillon, Pierre, *Le Journal d'automne de Placide Mortel,* 1970, 110 p. (350 $)

M-26 ) Hébert, Louis-Philippe, *Le Mangeur de terre,* 1970, 235 p. (700 $)

M-27 ) Marsolais, Gilles, *Les Matins saillants,* 1970, 50 p. (250 $)

M-28 ) Langevin, Gilbert, *Ouvrir le feu,* 1971, 60 p. (650 $)

M-29 ) Langevin, Gilbert, *Stress,* 1971, 47 p.

M-30 ) Bernier, Jacques, *Luminescences,* 1971, 72 p. (250 $)

M-31 ) Beaulieu, Michel, *Paysage,* précédé de *Adn,* 1971, 100 p. (440 $)

M-32 ) Racine, Luc, *Les Jours de mai,* 1971, 129 p. (625 $)

M-33 ) Geoffroy, Louis, *Empire State coca blues,* 1971, 75 p. (315 $)

M-34 ) Paré, Yvon, *L'Octobre des Indiens,* 1971, 53 p. (315 $)

M-35 ) Langevin, Gilbert, *Origines, 1959-1967,* 1971, 272 p. (950 $)

M-36 ) Bernier, Jacques, *Vaines-Veinules,* 1971, 91 p. (440 $)
M-37 ) Théberge, Jean-Yves, *Saison de feu,* 1972, 68 p. (315 $)
M-38 ) Des Roches, Roger, *L'Enfance d'yeux,* suivi de *Interstice,* 1972, 118 p. (560 $)
M-39 ) Beausoleil, Claude, *Intrusion ralentie,* 1972, 132 p. (560 $)
M-40 ) Beauchamp, Germain, *Le Livre du vent quoi,* 1973, 119 p. (560 $)
M-41 ) Boulerice, Jacques, *L'Or des fous,* 1972, 74 p.
M-42 ) Racine, Luc, *Le Pays saint,* 1972, 101 p. (750 $)
M-43 ) Gaulin, Huguette, *Lecture en vélocipède,* 1972, 167 p. (900 $)
M-44 ) Bessette, Gérard, *Poèmes temporels,* 1972, (c 1954), 59 p.
M-45 ) Laberge, Pierre, *La Fête,* 1973, 57 p. (315 $)
M-46 ) Châtillon, Pierre, *Le Mangeur de neige,* 1973, 121 p.
M-47 ) Clairoux, Jacques, *Cœur de hot dog,* 1973, 168 p.
M-48 ) Bernier, Jacques, *Réminiscences,* 1973, 121 p.
M-49 ) Beausoleil, Claude, *Bracelet d'ombre,* 1973, 62 p.

M-50 ) Langevin, Gilbert, *Novembre* suivi de *La Vue du sang,* 1973, 84 p.
M-51 ) Genest, Guy, *Le Parti pris de la vie,* 1974, (c 1973), 95 p.
M-52 ) Péloquin, Claude, *Eternellement vôtre,* 1974, 127 p.
M-53 ) Beausoleil, Claude, *Journal mobile,* 1974, 87 p.
M-54 ) Massé, Carole, *Rejet,* 1975, 120 p.
M-55 ) Juteau, Monique, *La Lune aussi...,* 1975, 72 p.

## COLLECTION : PROSES DU JOUR (O)

O-1 ) Hébert, Louis-Philippe, *Le Roi jaune,* 1971, 321 p. (850 $)
O-2 ) Saint-Pierre, Louis, *Mio dans les salles du désert,* 1972, 55 p. (440 $)
O-3 ) Magini, Roger, *Entre corneilles et Indiens,* 1972, 103 p.
O-4 ) Langevin, Gilbert, *Les Ecrits de Zéro Legel,* 1972, 156 p. (900 $)
O-5 ) Paquette, Albert G., *Quant les québécoisiers en fleurs...,* 1973, 206 p.
O-6 ) Raymond-Beaulieu, Luce, *Des bébelles pour l'éternité,* 1973, 144 p.
O-7 ) Lefort, Suzanne-Jules, *Sortie Exit Salida,* 1973, 119 p.
O-8 ) Robert, Suzanne, *La Dame morte,* 1973, 114 p.
O-9 ) Geoffroy, Louis, *Un verre de bière mon minou,* 1973, 177 p.
O-10 ) Langevin, Gilbert, *La Douche ou la seringue,* 1973, 114 p.
O-11 ) Hébert, Louis-Philippe, *Le Cinéma de Petite-Rivière,* 1974, 111 p.
O-12 ) Brossard, Nicole, *French Kiss**, 1974, 151 p.
O-13 ) Giard, André, *Manuscrits des longs vols transplutoniens,*
Janes, Jesse, *La Disparate,*
Major, Andrée-E., *Toucheste***, 1975, 202 p.

* La collection change de nom pour prendre celui de «Nouvelle culture».
** Trois textes réunis en un seul volume. La collection adopte encore un nouveau nom : «Les Ecrits du Jour».

# COLLECTION: BIBLIOTHÈQUE QUÉBÉCOISE (W) [1]

1. Le titre premier de la collection était «Répertoire québécois». Un seul ouvrage a été publié sous cette désignation.

W-1 ) Hémon, Louis, *Colin-maillard*, 1972, 190 p. (1 125 $)
W-2 ) Fréchette, Louis, *Originaux et Détraqués*, 1972, 285 p. (1 500 $)
W-3 ) Gobineau, Joseph-Arthur, comte de, *Voyage à Terre-Neuve* suivi de *La Chasse au caribou*, 1972, 262 p.
W-4 ) Lepailleur, François-Maurice, *Journal d'exil: la vie d'un patriote de 1838 déporté en Australie*, 1972, 198 p.
W-5 ) *Relations des Jésuites*, V. 1 1611-1636, 1972, non paginé.
W-6 ) *Relations des Jésuites*, V. 2 1637-1641, 1972, non paginé.
W-7 ) *Relations des Jésuites*, V. 3 1642-1646, 1972, non paginé.
W-8 ) *Relations des Jésuites*, V. 4 1647-1655, 1972, non paginé.
W-9 ) *Relations des Jésuites*, V. 5 1656-1665, 1972, non paginé.
W-10 ) *Relations des Jésuites*, V. 6 1666-1672, 1972, non paginé.
W-11 ) Tocqueville, Alexis de, *Tocqueville au Bas-Canada*, 1973, 187 p.
W-12 ) Globensky, Maximilien, *La Rébellion de 1837 à Saint-Eustache*, 1973, (c 1974), 466 p.
W-13 ) Prieur, François-Xavier, *Note d'un condamné politique de 1838*,
Ducharme, Léandre, *Journal d'un exilé politique aux terres australes*, 1974, 245 p.
W-14 ) Champlain, Samuel de, *Œuvres de Champlain*,

Tome 1, 1973, 475 p.

W-15 ) Champlain, Samuel de, *Œuvres de Champlain,* Tome 2, 1973, 509 p.

W-16 ) Champlain, Samuel de, *Œuvres de Champlain,* Tome 3, 1973, 494 p.

## COLLECTION : LITTÉRATURE DU JOUR (Y)

Y-1 ) Marcel, Jean, *Jacques Ferron malgré lui,* 1970, 221 p. (800 $)

Y-2 ) Laroche, Maximilien, *Le Miracle et la métamorphose,* 1970, 239 p. (1 125 $)

Y-3 ) Beaulieu, Victor-Lévy, *Pour saluer Victor Hugo,* 1971, 391 p. (1 625 $)

Y-4 ) Poupart, Jean-Marie, *Les Récréants,* 1972, 123 p.

Y-5 ) Beaulieu, Victor-Lévy, *Jack Kérouac,* 1972, 235 p.

Y-6 ) Jasmin, Claude, *Rimbaud, mon beau salaud!**, 1973, (c 1969), 142 p.

* Réédition d'un ouvrage paru initialement dans la collection «Hors-collection» C-29.

## COLLECTION : THÉÂTRE DU JOUR (K)

K-1 ) Basile, Jean, *Joli Tambour,* 1966, 167 p. (500 $)

K-2 ) Blais, Marie-Claire, *L'Exécution,* 1968, 118 p. (600 $)

K-3 ) Roux, Jean-Louis, *Bois-Brûlés,* 1968, 219 p. (800 $)

K-4 ) Carrier, Roch, *La Guerre, yes sir!,* 1970, 139 p. (500 $)

K-5 ) Shakespeare, William, *Le Drame de Julius Ceasar,*

1973, 198 p. (1 650 $)

K-6 ) Blais, Marie-Claire, *Fièvre et Autres Textes dramatiques,* 1974, 228 p.

K-7 ) Carrier, Roch, *Floralie,* 1974, 157 p.

## COLLECTION : UNIVERSITÉ (U)

U-1 ) Dupriez, Bernard-Marie, *Apprenez seul l'orthographe d'usage,* 1966, 255 p.

U-2 ) Dupriez, Bernard-Marie, *Apprenez seul l'orthographe grammaticale,* 1966, 255 p.

U-3 ) Sergerie, Adéla T. et Parent-Gagnon, Mathilde, *De la cellule à la morpho-psychologie humaine,* 1967, 332 p.

## COLLECTION : EXPLO-MUNDO

1 ) Major, Henriette, *Romulo enfant de l'Amazonie sur les ailes de l'espérance,* 1973, 36 p.

## COLLECTION : AVENTURE ET SCIENCE-FICTION (J)

J-1 ) Martel, Suzanne, *Quatre Montréalais en l'an 3000,* 1963, 157 p.

## COLLECTION : TOUT ÂGE (J) [1]

1. Deux collections différentes, mais toutes deux consacrées à la littérature de jeunesse, utilisent la même lettre.

J-1 ) Charland, Jean-Pierre, *Le Naufrage,* 1975, 110 p.
J-2 ) Aylwin, Louise, *Raminagradu,* 1975, 96 p.
J-3 ) Brochu, Yvon, *L'Extra-terrestre,* 1975, 187 p.
J-4 ) Charland, Jean-Pierre, *La Belle Rivière,* 1976, 142 p.
J-5 ) Marie, Jean-Pierre, *Les Mammifères canadiens,* 1976, 77 p.

## COLLECTION : SCIENCES / LOISIRS (G)

G-1 ) Cercles des Jeunes Naturalistes, *Les Plantes,* 1966, 127 p.
G-2 ) Mackenzie, Katherine, *Fleurs sauvages du Québec,* 1973, 96 p.
G-3 ) Delage-Chagnon, Françoise, *Trucs de jardinage,* 1976, 119 p.

## COLLECTION : ALBUMS (L)

L-1 ) Régnier, Michel, *Montréal, Paris d'Amérique — Paris of America,* 1961, 160 p.
L-2 ) Mia et Klaus, *Le Corps secret,* 1969, non paginé.
L-3 ) Withrow, William, *La Peinture canadienne contemporaine,* 1973, 223 p.

## COLLECTION : BOUT DE CHEMIN (N)

N-1 ) Harvey, Gérard, *Marins du Saint-Laurent,* 1974, 310 p.
N-2 ) Garneau, Renée, *L'Œuf de coq,* 1975, 117 p.
N-3 ) Gouin, Jacques, *Lettre de guerre d'un Québécois (1942-1945)*, 1975, 341 p.
N-4 ) Gouin, Jacques, *Antonio Pelletier: la vie et l'œuvre d'un médecin et poète méconnu 1876-1917,* 1975, 202 p.
N-5 ) Stewart, Roderick, *Bethune,* 1976, 221 p.

## COLLECTION : PAYS DU JOUR (P)

P-1 ) Poznanska-Parizeau, Alice, *Voyage en Pologne,* 1962, 155 p.
P-2 ) Gagnon, Alphonse, *Une lune de trop,* 1964, 246 p.
P-3 ) Cloutier, Eugène, *Journées japonaises,* 1969, 263 p. (700 $)
P-4 ) Cloutier, Eugène, *Eugène Cloutier en Turquie,* 1974, 254 p.
P-5 ) Cloutier, Eugène, *Eugène Cloutier au Japon moderne,* 1974, 253 p.
P-6 ) Corpataux, Francis, *Dis, papa... c'est encore loin l'Alaska?,* 1975, 149 p.

## COLLECTION : HORS-COLLECTION (C)

C-1 ) Languirand, Jacques, *Le Dictionnaire insolite,* 1962, 155 p.
C-2 ) Tremblay, Jacques-Norbert, *Scandale au D.I.P.,* 1962, 124 p.
C-3 ) Labarrère-Paulé, André, *Les Secrets de l'écriture,* 1963, 173 p.
C-4 ) Goldbloom, Alton, *Le Soin de l'enfant,* 1963, 182 p.
C-5 ) Lafortune, Ambroise, *Le Mot du père Ambroise,* Volume 1 : *Prêchez par dessus les toits,* 1963, (c 1962), 123 p.
C-6 ) Godin, Jean et Marier, Gérard, *Guerre à la guerre,* 1963, 107 p.
C-7 ) Cholette-Pérusse, Françoise, *Psychologie de l'enfant (de 0 à 10 ans)*, 1963, 181 p.
C-8 ) Berrols, C.C. et Corriveau, Gérard, *La Santé sans pilules,* 1963, 224 p.
C-9 ) Roberts, Leslie, *Le Chef,* 1963, 195 p.
C-10 ) Chaput-Rolland, Solange et Graham, Gwethalyn, *Chers Ennemis,* 1963, 126 p.
C-11 ) Baillargeon, Jacques et Pelletier-Baillargeon, Hélène, *La Régulation des naissances,* 1963, 157 p.
C-12 ) Francœur, Jean, Lefebvre, Jean-Paul, Roux, Jean-Louis et Vadeboncœur, Pierre, *En grève!,* 1963, 280 p.
C-13 ) Hébert, Jacques, *J'accuse les assassins de Coffin,* 1963, 176 p.
C-14 ) Robinson, Marie (Nyswander), *L'Epanouissement sexuel de l'épouse,* 1964, 255 p.
C-15 ) Bédard, Roger-J., *La Bataille des annexions,* 1965, 212 p.
C-16 ) Centre d'études Laënnec, *Le Psychiatre devant l'homosexuel,* 1965, 159 p.
C-17 ) A.G.E.U.M., *Votre avenir commence à l'univer-*

*sité*, 1966, 191 p.
C-18 ) Charbonneau, Hubert et Mongeau, Serge, *Naissances planifiées*, 1966, 153 p.
C-19 ) Cholette-Pérusse, Françoise, *Psychologie de l'adolescent (de 10 à 25 ans)*, 1966, 203 p.
C-20 ) Cloutier, François, *Le Mariage réussi*, 1967, 160 p.
C-21 ) Champoux, Roger, *L'Œuvre de chère*, 1967, 131 p.
C-22 ) Brillant, Jacques, *Sœur Jeanne à l'abbaye*, 1967, 88 p.
C-23 ) Sheppard, Claude-Armand, *L'Automobiliste et la loi**, 1968, (c 1962), 144 p.
C-24 ) Dubuc, Carl, *Lettre à un Français qui veut émigrer au Québec*, 1968, 158 p.
C-25 ) Tard, Louis-Martin, *Si vous saisissez l'astuce*, 1968, 122 p.
C-26 ) Bergeron, Gérard, *Ne bougez plus*, 1968, 223 p.
C-27 ) Lajeunesse, Jean et Janette, *Les Recettes de Janette et le grain de sel de Jean*, 1968, 189 p.
C-28 ) Brillant, Jacques, *L'Impossible Québec*, 1968, 210 p.
C-29 ) Jasmin, Claude, *Rimbaud, mon beau salaud!*, 1969, 142 p.
C-30 ) Mélançon, Claude, *Percé et les oiseaux de l'Ile Bonaventure***, 1969, (c 1963), 94 p.
C-31 ) Cloutier, François, *Dictionnaire des parents*, 1969, 235 p.
C-32 ) Bohémier, Guy, *L'Exercice physique pour tous*, 1969, 157 p.
C-33 ) Dauphin, Lise, *Recettes naturistes pour tous*, 1969, 255 p.
C-34 ) Dumais, Lucien-A., *Un Canadien-Français face à la Gestapo*, 1970, (c 1969), 280 p.
C-35 ) Desmarais, Marcel-Marie, *Le Bonheur à portée de la main*, 1970, 223 p.
C-36 ) Lafortune-Brunet, Gisèle, *La Beauté par la*

*nature,* 1970, 193 p.
C-37 ) Delsol, Paula, *Horoscopes chinois,* 1970, 151 p.
C-38 ) Duval, J.-Robert, *Le Guide du locataire,* 1970, 123 p.
C-39 ) Duguay, Raoul, *Le Manifeste de l'Infonie,* 1970, 111 p.
C-40 ) Brunet, Jean-Marc, *L'Alimentation naturelle,* 1970, 132 p.
C-41 ) Parti québécois, *La Souveraineté et l'économie,* 1970, 159 p.
C-42 ) Leblanc, Bertrand-B., *Baseball / Montréal,* 1970, 191 p.
C-43 ) Edmunston, Louis-Philippe, *Automobilistes, défendez-vous!****, 1970, 142 p.
C-44 ) Hébert, Jacques, *Obscénité et Liberté,* 1970, 191 p.
C-45 ) Gazon, Henri, *L'Homme dans l'univers,* 1970, 156 p.
C-46 ) Bergeron, Raymond et Guardo, Greg, *Chasse et Gibier du Québec,* 1970, 392 p.
C-47 ) Hubert, Rose, *Comment lire dans les lignes de la main,* 1970, 196 p.
C-48 ) Dussault, Jean-Claude, *500 millions de yogis?,* 1970, 125 p.
C-49 ) En collaboration, *Quand les écrivains québécois jouent le jeu,* 1970, 268 p.
C-50 ) Raynault, Adhémar, *Témoin d'une époque,* 1970, 237 p.
C-51 ) Leblanc, Bertrand-B., *Le Guide du chasseur,* 1970, 208 p.
C-52 ) Brunet, Jean-Marc, *Les Vitamines naturelles,* 1970, 132 p.
C-53 ) Mongeau, Serge, *Comment garder votre santé,* 1970, 154 p.
C-54 ) Monange, Suzanne et Chaput-Rolland, Solange, *Une cuisine toute simple,* 1970, 143 p.
C-55 ) Leduc, Paul, *Vos aliments sont empoisonnés,*

1970, 174 p.
C-56 ) Boudreau, André, *Connaissance de la drogue,* 1970, 204 p.
C-57 ) Mongeau, Serge, *Kidnappé par la police,* 1970, 128 p.
C-58 ) Baudoin, Jean-Louis, Fortin, Jacques et Szabo, Denis, *Terrorisme et Justice,* 1970, 175 p.
C-59 ) Bourguignon, Laurent et Payette, Lise, *Témoins de notre temps,* 1971, (c 1970), 217 p.
C-60 ) Larouche, Jean-Claude, *Alexis le trotteur,* 1971, 297 p.
C-61 ) Duguay, Raoul, *Musiques du Kébèk,* 1971, 331 p. (1 900 $)
C-62 ) Noguez, Dominique, *Essais sur le cinéma québécois,* 1971, (c 1970), 221 p.
C-63 ) En collaboration, *Les Clubs Richelieu,* 1971, 209 p.
C-64 ) Popovici, Adrien et Parizeau-Popovici, Micheline, *L'Amour et la loi,* 1971, 156 p.
C-65 ) Champagne-Gilbert, Maurice, *La Violence au pouvoir,* 1971, 255 p. (1 250 $)
C-66 ) Chaput, Marcel et Le Sauteur, Tony, *Dossier pollution,* 1971, 264 p.
C-67 ) Lalanne, Jacques, *Un cœur neuf sans greffe,* 1971, 256 p.
C-68 ) Hébert, Jacques, *Bla bla bla du bout du monde,* 1971, 275 p.
C-69 ) Grisé-Allard, Jeanne, *Mille trucs, madame,* 1971, 157 p.
C-70 ) Lamarche, Jacques-André, *Coop et Cooprix: revanche économique des Québécois,* 1971, 191 p.
C-71 ) Duguay, Raoul, *Lapokalipsô,* 1971, 333 p. (1 050 $)
C-72 ) En collaboration, *Cent ans d'histoire d'un régiment canadien-français: les fusiliers Mont-Royal,* 1971, 416 p.

C-73 ) Cardinal, Harold, *La Tragédie des Indiens au Canada,* 1971, (c 1970), 223 p.
C-74 ) Alarcon, Rodrigo, *Tortures au Brésil,* 1971, 187 p.
C-75 ) Devirieux, Claude-Jean, *Manifeste pour la liberté de l'information,* 1971, 223 p.
C-76 ) Forget-Casgrain, Thérèse, *Une femme chez les hommes,* 1971, 296 p.
C-77 ) Gros-Louis, Max, (En collaboration avec Marcel Bellier), *Le «Premier» des Hurons,* 1971, 241 p.
C-78 ) Bellavance, Michel et Gilbert, Marcel, *L'Opinion publique et la crise d'octobre,* 1971, 183 p.
C-79 ) Larocque, André, *Défis au Parti québécois,* 1971, 135 p.
C-80 ) Manolesco, John William, *Vaudou et Magie noire,* 1972, 142 p.
C-81 ) Bernard, Suzanne, *Quand les vautours...,* 1971, 173 p.
C-82 ) Hubert, Rose, *La Cuisine et l'amour,* 1971, 143 p.
C-83 ) Brunet, Jean-Marc, *Le Cœur et l'alimentation,* 1971, 118 p.
C-84 ) Payette, Lise, *Recettes pour homme libre,* 1971, 151 p.
C-85 ) Brunet, Jean-Marc, *La Santé par le soleil,* 1972, 126 p.
C-86 ) Champagne-Gilbert, Maurice, *Lettres d'amour,* 1972, 106 p. (950 $)
C-87 ) Lever, Yves, *Cinéma et Société québécoise,* 1972, 201 p.
C-88 ) Boudreau, Mireille, *La Santé par les minéraux,* 1972, 142 p.
C-89 ) Adam, Marcel, *La Démocratie à Montréal ou le Vaisseau dort,* 1972, 268 p.
C-90 ) Grisé-Allard, Jeanne, *1200 nouveaux trucs,* 1972, 193 p.
C-91 ) Adams, Martha, *Martha Adams,* 1972, 220 p.

C-92 ) Bertrand, Lionel, *Mémoires,* Volume 1: *De 1906 à 1958,* 1972, 308 p.
C-93 ) Brunet, Jean-Marc, *La Chaleur peut vous guérir,* 1972, 143 p.
C-94 ) Métayer, Maurice, *Mémoires d'un esquimau,* 1972, 191 p. (1 250 $)
C-95 ) Boyer, Raymond, *Barreaux de fer, hommes de chair,* 1972, 136 p.
C-96 ) Deyglun, Serge, *La Chasse sportive au Québec,* 1972, 331 p.
C-97 ) Lassonde, Juliette, *Mes recettes,* 1972, 122 p.
C-98 ) Corminbœuf, Fernand, *Les Merveilles de la nature,* 1972, 199 p.
C-99 ) Brunet, Jean-Marc, *Les Plantes qui guérissent,* 1972, 122 p.
C-100 ) Lauzon, Roland, *Une belle peau,* 1972, 112 p.
C-101 ) Ghys, Roger, *Le Cancer, une solution en vue,* 1972, 253 p.
C-102 ) Manolesco, John William, *Défense de l'astrologie,* 1972, 316 p.
C-103 ) Brunet, Jean-Marc, *Dossier fluor,* 1972, 160 p.
C-104 ) Carbonneau, Huguette, *Ma vie avec Marc Carbonneau,* 1972, 175 p.
C-105 ) Potvin, Gilles, *Mémoires d'Emma Albani,* 1972, 206 p.
C-106 ) Grisé-Allard, Jeanne, *Encore des trucs,* 1972, 229 p.
C-107 ) Mahig, Jean, *Dossier sur l'avortement,* 1973, (c 1972), 191 p.
C-108 ) Delorme, Roger, *Vos aliments: assassins en liberté,* 1972, 288 p.
C-109 ) DesRuisseaux, Pierre, *Croyances et Pratiques populaires au Canada français,* 1973, 224 p.
C-110 ) Parti libéral du Québec, *Le Québec, c'est ton affaire!,* 1973, 305 p.
C-111 ) Brunet, Jean-Marc, *Guérir votre foie,* 1973, 125 p.

C-112 ) Baillargeon, Pierre, *Les Médisances de Claude Perrin,* 1973, 197 p.
C-113 ) Verdon, Johanne, *Soins naturels de l'enfant,* 1973, 159 p.
C-114 ) Métayer, Maurice, *Contes de mon iglou,* 1973, 128 p.
C-115 ) DuRuisseau, Jean-Paul, *La Mort lente par le sucre,* 1973, 203 p.
C-116 ) Fédération des associations coopératives d'économie familiales du Québec, *Les Assoiffés du crédit,* 1973, 158 p.
C-117 ) Proulx, Gilles, *Pour une radio réformée,* 1973, 173 p.
C-118 ) Parti libéral du Québec, *Les 1000 premiers jours du gouvernement Bourassa,* 1973, 364 p.
C-119 ) Brunet, Jean-Marc, *Les Jus de santé,* 1973, 133 p.
C-120 ) Boucher, André-Pierre, *L'Astrologie et la vie quotidienne,* 1973, 162 p.
C-121 ) Grisé-Allard, Jeanne, *222 recettes pour 2,* 1973, 175 p.
C-122 ) Binet, Suzanne, *Breuvages pour diabétiques,* 1973, 135 p.
C-123 ) Lauzon, Jean-Luc, *Maigrir naturellement,* 1973, 150 p.
C-124 ) Plamondon, Monique, *Maigrir ou la Bataille de la taille,* 1973, 141 p.
C-125 ) Benoit, Jehane, *Ma cuisine au cidre,* 1973, 125 p.
C-126 ) Sansregret, Berthe, *Les Recettes de sœur Berthe,* Tome 1: *Cuisine d'automne,* 1973, 266 p.
C-127 ) Charneux-Helmy, Francine, *Choisir sa carrière au Québec,* 1973, 229 p.
C-128 ) Brunet, Jean-Marc, *Le Guide de la femme naturiste,* 1973, 156 p.
C-129 ) Desmarais, Marcel-Marie, *L'Avortement, une tragédie,* 1973, 162 p.
C-130 ) Grisé-Allard, Jeanne, *1 500 prénoms et leur signification,* 1973, 236 p.

C-131 ) Weider, Ben, *Les Hommes forts du Québec,* 1973, 242 p.
C-132 ) Bourassa, Robert, *La Baie James,* 1973, 139 p.
C-133 ) Desbiens, Jean-Paul, *Sous le soleil de la pitié*****, 1973, (c 1965), 167 p.
C-134 ) Gérin-Lajoie, Jean, *La Lutte syndicale chez les métallos,* 1973, 175 p.
C-135 ) Brunet, Jean-Marc, *La Nutrition de l'athlète et du sportif,* 1974, (c 1973), 131 p.
C-136 ) Sansregret, Berthe, *Les Recettes de sœur Berthe,* Tome 2: *Cuisine d'hiver,* 1973, 279 p.
C-137 ) Malouf, Albert, *La Baie James indienne,* 1973, 211 p.
C-138 ) Labelle, Yvan, *La Santé de l'arthritique et du rhumatisant,* 1974, 140 p.
C-139 ) Binet, Suzanne, *Soupes pour diabétiques et pour ceux qui veulent se bien porter,* 1974, 267 p.
C-140 ) Lamarche, Jacques-André, *La Crise du pétrole au Canada,* 1974, 128 p.
C-141 ) Blanchard, Bernard, *La Greffe des cheveux vivants,* 1974, 111 p.
C-142 ) Brunet, Jean-Marc, *La Vitamine E et votre santé,* 1974, 156 p.
C-143 ) Paquet, Pierre, *Comment acheter ses bijoux,* 1974, 85 p.
C-144 ) Sansregret, Berthe, *Les Recettes de sœur Berthe,* Tome 3: *Cuisine de printemps,* 1974, 263 p.
C-145 ) Binet, Suzanne, *Desserts pour diabétiques,* 1974, 207 p.
C-146 ) Sansregret, Berthe, *Les Recettes de sœur Berthe,* Tome 4: *Cuisine d'été,* 1974, 303 p.
C-147 ) Leblanc, Bertrand-B., *Horace ou l'Art de porter la redingote,* 1974, 213 p.
C-148 ) Bastien, Ovide, *Chili: le coup divin,* 1974, 254 p.
C-149 ) Martel, Emile, *L'Ombre et le silence,* 1974, 91 p.
C-150 ) Blais, Jacques, *Echec au vieillissement prématuré,*

1974, 149 p.
C-151 ) Société d'architecture de Montréal, *Découvrir Montréal,* 1975, 181 p.
C-152 ) Compas, Ray, *Pâtisserie et Desserts,* 1975, (c 1974), 107 p.
C-153 ) Grisé-Allard, Jeanne, *Toujours des trucs,* 1975, 203 p.
C-154 ) Brunet, Jean-Marc, *L'Alcool et la nutrition,* 1974, 139 p.
C-155 ) Aucun ouvrage ne porte ce numéro.
C-156 ) Aucun ouvrage ne porte ce numéro.
C-157 ) Boudreau-Pagé, Marthe, *Cuisine sans cholestérol,* 1975, 127 p.
C-158 ) Aucun ouvrage ne porte ce numéro.
C-159 ) Desmarais, Marcel-Marie, *Capsules d'optimisme,* 1975, 190 p.
C-160 ) Gilbert, Jules, *Vivre en santé,* 1975, 234 p.
C-161 ) Cuillerier, Lucie et Labelle, Yvan, *Recettes naturistes pour arthritiques et rhumatisants,* 1975, 107 p.
C-162 ) Marcoux, Jules, *Astronaute et Astronautique,* 1975, 191 p.
C-163 ) Aucun ouvrage ne porte ce numéro*****.
C-164 ) Verdon, Johanne, *Soins naturels de la femme enceinte,* 1975, 199 p.
C-165 ) Abraham-Chevigny, Pierrette, *Mes meilleures recettes de poulet,* 1976, 174 p.
C-166 ) Lassonde, Juliette, *Corbeille de fins desserts,* 1976, 179 p.
C-167 ) Binet, Suzanne, *Salades-santé: salades calculées pour diabétiques et autres,* 1976, 189 p.
C-168 ) Brunet, Jean-Marc, *Le Bruit et la santé,* 1976, 176 p.
C-169 ) Silicani, Gino et Grisé-Allard, Jeanne, *J'apprends l'anglais,* Tome I, 1976, 157 p.
C-170 ) Alexandre, Michel, *10 ans chez les nègres blancs; une histoire de «néo»...,* 1976, 189 p.

C-171 ) Teramon, Béhotéguy de, *Restez mince après avoir maigri,* 1976, 202 p.
C-172 ) Brunet, Jean-Marc, *Information santé,* 1978, 211 p.
C-173 ) Aubin, Hélène, *Zodiaque de femmes,* 1976, 140 p.
C-174 ) Aucun ouvrage ne porte ce numéro.
C-175 ) Brunet, Jean-Marc, *Les Dangers de l'énergie nucléaire,* 1977, 137 p.
C-176 ) Pinson, Noémie, *Une Française canadienne,* 1977, 285 p.
C-177 ) Dubé-Pelletier, Irène, *Les Secrets d'une chocolatière ou Comment ouvrir une fabrique de chocolat dans une cuisine,* 1977, 88 p.
C-178 ) Delisle-Lapierre, Isabelle, *Vivre en amour,* 1978, 158 p.
C-179 ) Charbonneau, Hubert et Mongeau, Serge, *Naissances planifiées******, 1978, (c 1966), 153 p.
C-180 ) Labrosse, Jean-Guy, *Orphelin, esclave de notre temps,* 1978, 126 p.
C-181 ) Monange, Suzanne et Chaput-Rolland, Solange, *Une cuisine toute simple: version 1978,* 1978, 188 p.
C-181 ) Norfolk, Donald, *Le Stress dans le monde des affaires*******, 1980, 213 p.
C-182 ) Holland, R.F. Raoul F., *Le Dragon d'eau: un aperçu des idéogrammes en Chine et au Japon,* 1979, 223 p.
C-182 ) Khalsa, Gurutej Singh, *Comment maîtriser le stress en 40 jours*******, 1980, 103 p.
C-183 ) Benoit, Jehane, *La Cuisine canadienne,* 1979, 250 p.
C-184 ) Vandal, Gilles, *Carnet de bord routier,* 1979, (c 1978), 47 [145] p.
C-185 ) Vandal, Gilles, *Car log book,* 1979, (c 1978), 47 [145] p.
C-186 ) Peretz, Erastia, *La Cuisine roumaine,* 1979,

190 p.

C-187 ) Sansregret, Berthe, *Recettes et Propos culinaires,* 1979, 610 p.

C-187 ) Silicani, Gino et Grisé-Allard, Jeanne, *J'apprends l'anglais********, Tome II, 1979, 159 p.

---

* Réédition d'un ouvrage paru antérieurement dans la collection «Petite collection» 15.

** Réédition d'un ouvrage paru antérieurement dans la collection «Petite collection» 27.

*** Textes français et anglais présentés tête-bêche.

**** Réédition d'un ouvrage paru antérieurement dans la collection «Petite collection» 37.

***** Le seul livre qui porte ce numéro est le roman de Jocelyne Felx, *Les Petits Camions rouges,* mais il représente en fait le numéro 121 de la collection «Romanciers du Jour». L'éditeur a fait une erreur en inscrivant C-163 sur l'épine du livre.

****** Réédition d'un ouvrage paru dans la même collection, au numéro C-18.

******* Deux titres différents ont été publiés sous ce même numéro.

## COLLECTION : IDÉES DU JOUR (D)

D-1 ) Institut canadien des affaires publiques (ICAP), *L'Eglise et le Québec,* 1961, 157 p.

D-2 ) Association des professeurs de l'université de Montréal, *La Crise de l'enseignement au Canada français,* 1961, 123 p.

D-3 ) En collaboration, *Justice et Paix scolaire,* 1962, 173 p.

D-4 ) Hamelin, Jean, *Le Renouveau du théâtre au Canada français,* 1962, 160 p. (1 000 $)

D-5 ) Parenteau, Hector-André, *Les Robes noires dans l'école,* 1962, 170 p.

D-6 ) En collaboration, *L'Eglise et les laïcs mariés,* 1962, 157 p.

D-7 ) Baillargeon, Pierre, *Le Scandale est nécessaire,* 1962, 154 p.
D-8 ) Brochu, Michel, *Le Défi du Nouveau-Québec,* 1962, 156 p.
D-9 ) Rodgers, Raymond Spencer, *Le Sexe et la loi au Canada,* 1962, 136 p.
D-10 ) Institut canadien des affaires publiques (ICAP), *Le Rôle de l'Etat,* 1963, (c 1962), 168 p.
D-11 ) Pellerin, Jean, *Faillite de l'Occident,* 1963, 155 p. (800 $)
D-12 ) Institut canadien des affaires publiques (ICAP), *Nos hommes politiques,* 1964, 119 p.
D-13 ) Dansereau, Pierre, *Contradictions et Biculture,* 1964, 220 p.
D-14 ) Cimon, Paul, *L'Entreprise au Québec — Quebec Business,* 1964, 130 p.
D-15 ) Institut canadien des affaires publiques (ICAP), *Le Canada face à l'avenir,* 1964, 134 p.
D-16 ) Pellerin, Jean, *Le Calepin du diable,* 1965, 125 p. (500 $)
D-17 ) Cercle juif de langue française, *Les Juifs et la communauté française,* 1965, 136 p.
D-18 ) A.G.E.L., *L'Université Laval démasquée,* 1965, 100 p.
D-19 ) Institut canadien des affaires publiques (ICAP), *L'Utilisation des ressources humaines,* 1965, 135 p.
D-20 ) Roussil, Robert, *Manifeste,* 1965, 88 p.
D-21 ) En collaboration, *Le Centre médical universitaire : un passé, une nécessité,* 1965, 106 p.
D-22 ) Paré, Gérard, *Au-delà du séparatisme : le Canada que j'ai revu,* 1966, 132 p.
D-23 ) Lefebvre, Jean-Paul, *Les Adultes à l'école,* 1966, 120 p.
D-24 ) Charpentier, Joffre, *Les Activités positives des associations parents-maîtres,* 1966, 123 p.
D-25 ) Institut canadien des affaires publiques (ICAP),

*Disparités régionales d'une société opulente,* 1966, 168 p.

D-26 ) Dagenais, Gérard, *Nos écrivains et le français,* 1967, 112 p.

D-27 ) Cercle juif de langue française, *Juifs et Canadiens,* 1967, 132 p.

D-28 ) Mercier-Gouin, Ollivier, *Comédiens de notre temps,* 1967, 139 p. (700$)

D-29 ) Hertel, François, *Louis Préfontaine, apostat,* 1967, 156 p.

D-30 ) Fédération libérale du Québec, *Pour une politique québécoise,* 1967, 211 p.

D-31 ) Kierans, Eric, *Le Canada vu par Kierans,* 1967, 158 p.

D-32 ) Mongeau, Serge, *Evolution de l'assistance au Québec,* 1967, 123 p.

D-33 ) Laprade, Gilles et Robichaud, Emile, *Adolescents en détresse,* 1968, 107 p.

D-34 ) Morin, René, *Un bourgeois d'une époque révolue: Victor Morin, notaire (1865-1960),* 1967, 159 p.

D-35 ) Association des diplômés de l'Université de Montréal, *Les Investissements universitaires,* 1968, 155 p.

D-36 ) Institut canadien des affaires publiques (ICAP), *Une ville à vivre,* 1968, 251 p.

D-37 ) Cloutier, Renée et Mongeau, Serge, *L'Avortement,* 1968, 173 p.

D-38 ) Bouchard, Roméo et Lambert, Charles, *Deux prêtres en colère,* 1968, 197 p.

D-39 ) Bédard, Roger-J., *L'Affaire du Labrador,* 1968, 124 p.

D-40 ) Marsolais, Gilles, *Le Cinéma canadien,* 1968, 160 p. (800 $)

D-41 ) Haumont, Roland, *La Grenouillère,* 1968, 320 p.

D-42 ) Association des diplômés de l'Université de Montréal, *L'Université électronique,* 1968, 174 p.

D-43 ) Cram, Jack S., *L'Eau, les besoins et les ressources du Canada,* 1968, 205 p.
D-44 ) Michaud, Yves, *Je conteste!,* 1969, 181 p.
D-45 ) Mongeau, Serge, *Paul VI et la sexualité,* 1969, 121 p.
D-46 ) Brunet, Jean-Marc, *La Réforme naturiste,* 1969, 139 p.
D-47 ) En collaboration, *Québec, le coût de l'indépendance,* 1969, 125 p.
D-48 ) En collaboration, *Quebec, the Price of Independence,* 1969, 124 p.
D-49 ) Chaput, Marcel, *Pourquoi je suis séparatiste**, 1969, (c 1961), 156 p.
D-50 ) Chaput, Marcel, *L'Ecole de la santé,* 1969, 176 p.
D-51 ) McLean, Walter F. et Phaneuf, Frédéric, *Les Eglises et la lutte contre la pauvreté,* 1969, 114 p.
D-52 ) Sauvageau, Philippe, *Comment diffuser la culture,* 1969, 144 p.
D-53 ) Rodriguez, Vittorio Marco Haim, *L'Etoile de David et la fleur de lys,* 1969, 195 p.
D-54 ) Laurin, Camille, *Ma traversée du Québec,* 1970, 170 p.
D-55 ) Trudeau, Pierre Elliott, *Les Cheminements de la politique,* 1970, 142 p.
D-56 ) Tremblay, Rodrigue, *Indépendance et Marché commun Québec — Etats-Unis,* 1970, 127 p.
D-57 ) Boily, Robert, *La Réforme électorale au Québec,* 1971, (c 1970), 181 p.
D-58 ) Association québécoise des professeurs de français, *Le Livre noir de l'impossibilité (presque totale) d'enseigner le français au Québec,* 1971, (c 1970), 109 p.
D-59 ) Angers, François-Albert, *Les Droits du français au Québec,* 1971, 189 p.
D-60 ) Pelletier, Gérard, *La Crise d'octobre,* 1971, 265 p.
D-61 ) Dussault, Jean-Claude, *Le Corps vêtu de mots,*

1972, 159 p. (1 125 $)
D-62 ) Trudeau, Pierre Elliott, *Trudeau en direct,* 1972, 139 p.
D-63 ) Marier, Gérard, *La Révolution scolaire,* 1972, 180 p.
D-64 ) Sheppard, Claude-Armand, *Dossier Wagner,* 1972, 107 p.
D-65 ) Marcel, Jean, *Le Joual de Troie,* 1973, 236 p.
D-66 ) Racine, Luc et Sarrazin, Guy, *Pour changer la vie,* 1973, 150 p.
D-67 ) Dagenais, Gérard, *Pour un Québec français,* 1973, 247 p.
D-68 ) Desbiens, Jean-Paul, *Dossier Untel,* 1973, 332 p.
D-69 ) Bessette, Gérard, *Trois romanciers québécois,* 1973, 240 p.
D-70 ) Leclerc, Gilles, *Journal d'un inquisiteur,* 1974, 332 p.
D-71 ) Aucun ouvrage ne porte ce numéro.
D-72 ) Gagnon, Mona Josée, *Les Femmes vues par le Québec des hommes,* 1974, 159 p.
D-73 ) Jean, Michèle, *Québécoises du 20e siècle,* 1974, 303 p.
D-74 ) Dufresne, Jacques, *Le 100 000e exemplaire,* 1975, 221 p.
D-75 ) Martigny, François L. de, *L'Energie, aujourd'hui et demain,* 1975, 111 p.
D-76 ) Davidovic, Georges, *Vers un monde coopératif,* 1975, 222 p.
D-77 ) Delisle-Lapierre, Isabelle, *J'ai le goût de vivre,* 1975, 136 p.
D-78 ) Smith, Bernard, *La Loi 22. Le Parti québécois aurait-il fait mieux?,* 1975, 135 p.
D-79 ) Alexandre, Marcel, *Le Paradis, c'est l'autre,* 1976, 155 p.
D-80 ) En collaboration avec les Artisans Coopvie, *Le Mouvement Coop vu par des étudiants québécois,* 1976, 229 p.

D-81 ) Béland, Claude, *Initiation au coopératisme,* 1977, 311 p.

D-82 ) Lamarche, Jacques-André, *Les 100 ans d'une Coopvie,* 1977, 244 p.

D-83 ) Laurin, Camille, *Le Français, langue du Québec,* 1978, 214 p.

D-84 ) Leduc, Murielle, *Les Coopératives d'habitation: nouvelles expériences et perspectives de développement,* 1978, 231 p.

D-85 ) Laflamme, Marcel et Roy, André, *L'Administration et le développement coopératif,* 1978, 317 p.

D-86 ) Bédard, Suzanne, *Histoire de Rougemont,* 1979, 235 p.

D-87 ) Larocque, Paul, *Pêche et Coopération au Québec,* 1979, 379 p.

D-88 ) Marcoux, Luc et Dumas, Alain, *L'Entreprise québécoise vue par des étudiants québécois,* 1979, 176 p.

D-89 ) Rainville, Jean-Marie, *Hiérarchie ethnique dans la grande entreprise: le cas des cadres canadiens-anglais et canadiens-français de Montréal,* 1980, 188 p.

D-90 ) Deschênes, Gaston, *Le Mouvement coopératif québécois: guide bibliographique***, 1980, 291 p.

D-91 ) Cardinal, Armand, *Histoire de Saint-Hilaire: les seigneurs de Rouville,* 1980, 113 p.

D-92 ) Desforges, Jean-Guy, *Stratégies et Développement des coopératives***, 1980, 106 p.

D-93 ) Desforges, Jean-Guy, *Stratégie et Organisation de l'entreprise coopérative***, 1980, 424 p.

D-94 ) Laflamme, Marcel, *Expériences de démocratie industrielle,* 1980, 276 p.

---

* Réédition d'un ouvrage paru initialement dans la collection «Petite collection» 8.

** Coédition avec la Revue interuniversitaire de recherche, d'information et d'enseignement sur les coopératives (CIRIEC).

## COLLECTION : PETITE COLLECTION

1 ) Knowles, Stanley, *Le Nouveau Parti,* 1961, 158 p.
2 ) Dubuc, Carl, *Les Doléances du notaire Poupart,* 1961, 125 p.
3 ) En collaboration, *L'Ecole laïque,* 1961, 125 p.
4 ) Gagnon, Alphonse, *En pleine forme,* 1961, 158 p.
5 ) Berthio, *Un monde fou,* 1961, 121 p.
6 ) Pagé, Jean-Charles, *Les Fous crient au secours,* 1961, 156 p.
7 ) Jean XXIII, *Encyclique «Mater et Magistra»,* 1961, 127 p.
8 Chaput, Marcel, *Pourquoi je suis séparatiste,* 1961, 156 p.
9 ) Chentrier, Théo, *Psychologie de la vie quotidienne,* Tome 1, 1961, 159 p.
10 ) Régnier, Michel, *Montréal, Paris d'Amérique — Paris of America,* 1961, 160 p.
11 ) Lefebvre, Jean-Paul et Parenteau, Roland, *Comment joindre les deux bouts,* 1961, 157 p.
12 ) Lapointe, Renaud, *L'Histoire bouleversante de Mgr Charbonneau,* 1962, 156 p.
13 ) Simard-Vallerand, Claudine, *Le Secret de Maman Fonfon,* 1962, 157 p.
14 ) Laurendeau, André, *La Crise de la conscription, 1942,* 1962, 157 p.
15 ) Sheppard, Claude-Armand, *L'Automobiliste et la loi,* 1962, 144 p.
16 ) En collaboration, *Chez Miville... Comme si vous y étiez!,* 1962, 158 p.
17 ) Pagé, Jean-Charles, *Comment je suis devenu alcoolique,* 1961, 126 p.
18 ) Thériault, Yves, *Si la bombe m'était contée,* 1962, 124 p.
19 ) Pauly, Robert, *La Cuisine du jour,* 1962, 154 p.
20 ) Chalvin, Michel et Solange, *Comment on abrutit*

*nos enfants,* 1962, 139 p.
21 ) Kostakeff, Yordan, *Qu'est-ce que le Crédit social?,* 1962, 128 p.
22 ) Adam, Marcel, *Qu'est-ce que le concile?,* 1962, 122 p.
23 ) Patenaude, J.-Z. Léon, *Le Vrai Visage de Jean Drapeau,* 1962, 126 p.
24 ) Fougières, Luc de, *Les Doléances d'un chauffeur de taxi,* 1962, 124 p.
25 ) Pickersgill, John Whitney, *Le Parti libéral,* 1963, 124 p.
26 ) Jean XXIII, *L'Encyclique «Pacem in Terris»,* 1963, 106 p.
27 ) Mélançon, Claude, *Percé et les oiseaux de l'Ile Bonaventure,* 1963, 94 p.
28 ) Savoie, Claude, *La Véritable Histoire du FLQ,* 1963, 120 p.
29 ) Gérin-Lajoie, Paul, *Pourquoi le bill 60?,* 1963, 142 p.
30 ) Chentrier, Théo, *Psychologie de la vie quotidienne,* Tome 2, 1963, 123 p.
31 ) Labrosse, Jean-Guy, *Ma chienne de vie,* 1964, 141 p.
32 ) Savoie, Reynald, *A joual sur les mots,* 1964, (c 1963), 123 p.
33 ) Cyr, Roger, *La Patente,* 1964, 127 p.
34 ) Paul VI, *Ecclesiam Suam,* 1964, 124 p.
35 ) Saumart, Ingrid, *La Vie extraordinaire de Jean Despréz,* 1965, 115 p.
36 ) Cholette-Pérusse, Françoise, *La Sexualité expliquée aux enfants,* 1965, 159 p.
37 ) Desbiens, Jean-Paul, *Sous le soleil de la pitié,* 1965, 122 p.
38 ) Chêné, Yolande, *L'Affaire Bradet,* 1965, 119 p.
39 ) Lamarche, Jacques-André, *Le Scandale des frais funéraires,* 1965, 127 p.
40 ) Léger, Pierre, *La Canadienne française et l'amour,*

1965, 125 p.
41 ) Hudon, Normand, *Parlez-moi d'humour,* 1965, 127 p.
42 ) Boucher, André-Pierre, *L'Astrologie et vous,* 1966, 125 p.
43 ) Lafortune, Ambroise, *Le Mot du père Ambroise,* Volume 2: *Liturgie et Pain quotidien,* 1966, 128 p.
44 ) Lamarche, Jacques-André, *Les Requins de la finance,* 1966, 114 p.
45 ) Hébert, Jacques, *Les Ecœurants,* 1966, 116 p.
46 ) Boucher, André-Pierre, *Ces mains qui vous racontent,* 1966, 137 p.
47 ) Lorrain, Roland, *La Mort de mon joual,* 1966, 127 p.
48 ) Pageau, Jean-Paul, *Tous les secrets de l'hypnose,* 1966, 144 p.
49 ) Dagenais, Gérard, *Des mots et des phrases pour mieux parler,* Volume 1, 1966, 128 p.
50 ) Bordeleau, Henri, *J'ai vu des soucoupes volantes,* 1966, 124 p.
51 ) Montjoye, Jacques de, *Savoir s'habiller,* 1966, 128 p.
52 ) Dagenais, Gérard, *Des mots et des phrases pour mieux parler,* Volume 2, 1966, 128 p.
53 ) D..., Fernand, *Sorti de prison,* 1966, 111 p.
54 ) Boucher, André-Pierre, *Votre destin par les cartes,* 1966, 152 p.
55 ) Hertel, François, *Cent ans d'injustice? Un beau rêve: le Canada,* 1967, 110 p.
56 ) Denis, Jean-Paul et Poupart, Gérard, *Camping-Caravaning, Guide 1967-1968** , 1967, 128 p.
57 ) Kochak, Paul-Vincent, *L'Homme bien habillé,* 1966, 112 p.
58 ) Grandmont, Eloi de et Tard, Louis-Martin, *Montréal-Guide,* 1967, 126 p.
59 ) De Gaulle, Charles, *De Gaulle vous parle,* 1967,

121 p.

60 ) Tainturier, Jean, *De Gaulle au Québec,* 1967, 119 p.

61 ) Mongeau Serge, *Cours de sexologie,* Volume I: *De la fécondation à l'âge adulte,* 1967, 128 p.

62 ) En collaboration, *Le Québec dans le Canada de demain,* Tome I, 1967, 192 p.

63 ) En collaboration, *Le Québec dans le Canada de demain,* Tome II, 1967, 192 p.

64 ) Piuze, Suzanne, *La Santé par le yoga,* 1967, 127 p.

65 ) Bureau, René, *Toué, tais-toué!,* 1968, 125 p.

66 ) Mongeau, Serge, *Cours de sexologie,* Volume 2: *Les Ages de l'amour et les rapports sexuels,* 1968, 128 p.

67 ) Trudeau, Pierre Elliot, *Réponses de Pierre Elliot Trudeau,* 1968, 127 p.

68 ) Daveluy, André, *Monsieur bricole,* 1968, 127 p.

69 ) Martucci, Jean, *Comment lire la Bible,* 1968, 128 p.

70 ) Lefin, Robert, *Manuel de plongée sous-marine,* 1968, 105 p.

71 ) De Lagrave, Jean-Paul, *Une encyclique à débattre,* 1968, 127 p.

72 ) Mongeau, Serge, *Cours de sexologie,* Volume 3: *La Grossesse et la planification familiale,* 1968, (c 1967), 128 p.

73 ) Beaulieu, Andrée, Garceau, Cécile B. et Mercier, Lucille, *Bien manger et maigrir,* 1968, 125 p.

74 ) Charron, Pierre et Perrault-Dorval, Gaby, *Décoration,* 1968, 171 p.

75 ) Mongeau, Serge, *Cours de sexologie,* Volume 4: *Les Difficultés sexuelles de l'individu et du couple,* 1969, (c 1968), 128 p.

76 ) Cardinal, Jean-Guy, *L'Union (vraiment) nationale,* 1969, 127 p.

77 ) Mongeau, Serge, *Cours de sexologie,* Volume 5:

*Sexualité et Société. La Vieillesse,* 1970, 128 p.

78 ) Parti québécois, *Oui, le Parti québécois vous offre la solution,* 1970, 31 p.

79 ) Charneux-Helmy, Francine, *550 métiers et professions pour les Québécois,* 1971, 281 p.

80 ) Hublard, La Fayette Ronald, *La Dianétique: la science moderne de la santé mentale***, 1976, 469 p.

81 ) Martucci, Jean, *Comment lire la Bible****, 1979, (c 1968), 128 p.

82 ) Poulin, Jacques, *Le Cœur de la baleine bleue*****, 1979, (c 1970), 200 p.

83 ) Baillargeon, Pierre, *La Neige et le feu,* 1979, (c 1948), 205 p.

84 ) Tremblay, Michel, *Contes pour buveurs attardés******, 1979, (c 1966), 158 p.

85 ) Tremblay, Michel, *C't'à ton tour, Laura Cadieux*******, 1979, (c 1973), 131 p.

86 ) Lamoureux, Henri, *L'Affrontement,* 1979, 231 p.

87 ) Carrier, Roch, *Il est par là, le soleil********, 1979, (c 1970), 142 p.

---

* Edition bilingue.

** A partir de ce titre, la collection adopte un nouveau nom, soit «Le Petit Jour».

*** Réédition d'un ouvrage paru dans la même collection, au numéro 69.

**** Réédition d'un ouvrage paru initialement dans la collection «Romanciers du Jour» R-66.

***** Réédition d'un ouvrage paru initialement dans la collection «Romanciers du Jour» R-18.

****** Réédition d'un ouvrage paru initialement dans la collection «Romanciers du Jour» R-94.

******* Réédition d'un ouvrage paru initialement dans la collection «Romanciers du Jour» R-65.

## COLLECTION : TECHNIQUES DU JOUR (T)

T-1 ) Denman, Norris, *Comment organiser une élection,* 1962, 140 p.
T-2 ) Denis, Jean-Paul, *Camping pour tous,* 1964, 173 p.
T-3 ) O'Connor, Lorne, *La Technique canadienne du ski,* 1970, 153 p.
T-4 ) Gagnon, Alphonse, *En pleine forme**, 1970, (c 1961), 158 p.
T-5 ) Anderson, Stanley F. et Hull, Raymond, *Je fais mon vin,* 1970, 200 p.
T-6 ) Robert, Gabriel-Aimé, *La Femme et l'exercice physique,* 1971, 126 p.
T-7 ) Hull, Bobby, *Le Hockey, c'est ma vie,* 1970, 220 p.
T-8 ) Denis, Jean-Paul, *Caravaning et Camping pour tous***, 1971, 198 p.
T-9 ) Dussault-Corbeil, Joanne, *Gymnastique aquatique pour la future maman,* 1971, 119 p.
T-10 ) Monin, Jean-Michel, *Guide du cyclotourisme québécois,* 1972, 174 p.
T-11 ) Deyglun, Serge, *La Pêche sportive au Québec,* 1972, 267 p.
T-12 ) Hébert, André, *Alpinisme au Québec,* 1972, 187 p.
T-13 ) Lortie, Gérard, *La Raquette,* 1972, 102 p.
T-14 ) Brady, M-Michael, *Ski nordique,* 1972, 101 p.
T-15 ) Béland, Claude, *Les Assemblées délibérantes (dans les coopératives),* 1972, 208 p.
T-16 ) Brousseau, Guy-Gilbert et Fortin, Réal, *Le Marketing et vous,* 1973, 238 p.
T-17 ) Grenier-Forest, Thérèse, *L'Art de garder les enfants,* 1973, 179 p.
T-18 ) Gauthier, Théodore, *Parlons mode, parlons style,* 1973, 139 p.
T-19 ) Hervieux, Paulette, *Technique du macramé,*

1973, 127 p.

T-20 ) Fédération québécoise de canot-kayac, *Guide des rivières du Québec,* 1973, 286 p.

T-21 ) Saint-Pierre, Hélène, *Vivre sur la terre,* 1973, (c 1972), 162 p.

T-22 ) Filiatrault, Pierre et Perrault, Yvon-G., *Introduction au marketing,* 1973, 159 p.

T-23 ) Thériault, Alain, *Canotage et canot-camping,* 1974, 206 p.

T-24 ) Brunet, Mario, *La Voile, un jeu d'enfant!,* 1974, 228 p.

T-25 ) Mecteau, Michel et Faguy, Claude, *Le Conditionnement physique du sportif,* 1974, 342 p.

T-26 ) Filiatrault, Pierre, *L'Administration et la prise de décision,* 1974, 139 p.

T-27 ) Limoges, Victor, *Voyager en avion,* 1974, 223 p.

T-28 ) Grossenger, Fabien et Marie, Jean-Pierre, *Je travaille le bois,* Tome I, 1975, 144 p.

T-29 ) Grossenger, Fabien et Marie, Jean-Pierre, *Je travaille le bois,* Tome II, 1975, 143 p.

T-30 ) Hébert, André, *Alpinisme au Québec****, (c 1972), 187 p.

T-31 ) Duncan, Peter Moncrieff, *Faites votre vin sans raisin,* 1976, 121 p.

T-32 ) Brousseau, Guy-Gilles et Fortin, Réal, *L'Entreprise, le marketing et vous,* 1976, 258 p.

T-33 ) Boulonne, Gérard, *L'Offensive rouge,* 1976, 126 p.

T-34 ) Bellemare, Daniel A., *L'Hébertisme au Québec,* 1976, 240 p.

T-35 ) Hervieux, Paulette, *Macramé: patrons,* 1977, 119 p.

T-36 ) Greiner, Jean L., *Le Guide de la conduite en hiver,* 1978, 75 p.

T-37 ) Lesage, Denis, *Le Bridge: notions de base,* 1977, 325 p.

T-38 ) Pétel, Pierre, *Entre deux vins,* 1977, 91 p.

T-39 ) Lupien, Gabriel et Marcotte, Lucie, *Le Cyclisme à l'école: cahier d'exercices du cycliste,* 1979, 87 p.

T-40 ) Lupien, Gabriel et Marcotte, Lucie, *Le Cyclisme à l'école: guide de l'éducateur,* 1979, 71 p.

T-41 ) Lupien, Gabriel et Marcotte, Lucie, *Le Cyclisme,* 1979, 147 p.

T-42 ) Côté, Guy, *Le Guide des pistes de ski de randonnée des Laurentides,* 1978, 167 p.

T-43 ) Lesage, Denis, *Le Backgammon: notions de base,* 1978, 141 p.

T-44 ) Pétel, Pierre, *Le Petit Sommelier: guide international des accords des vins et des mets,* 1979, 112 p.

T-45 ) Côté, Guy, *Le Guide des pistes de ski de randonnée de Montréal et ses banlieues,* 1980, (c 1979), 146 p.

T-46 ) Côté, Guy, *Le Guide des pistes de ski de randonnée de Lanaudière,* 1980, (c 1979), 156 p.

T-47 ) Côté, Guy, *Le Guide des pistes de ski de randonnée des Cantons de l'Est,* 1980, (c 1979), 146 p.

T-48 ) Côté, Guy, *Le Guide des pistes cyclables de Montréal et ses banlieues,* 1980, (c 1979), 158 p.

T-49 ) Brady, M.-Michael, *Ski nordique*****, 1980, (c 1972), 101 p.

T-50 ) Côté, Guy, *Le Guide des sentiers de raquette du Québec,* 1980, 149 p.

---

* Réédition d'un ouvrage paru initialement dans la collection «Petite collection» 4.

** Première édition parue en 1964, sous le titre «Camping pour tous», dans la même collection T-2.

*** Réédition d'un ouvrage paru dans la même collection T-12.

**** Réédition d'un ouvrage paru dans la même collection T-14.

## COLLECTION : VIVRE AUJOURD'HUI (Z)

Z-1 ) Folkenberg, Elman J. et McFarland, J. Wayne, *Comment s'arrêter de fumer en cinq jours,* 1972, 104 p.
Z-2 ) Hill, Napoleon, *Réfléchissez et devenez riche,* 1972, 194 p.
Z-3 ) Gabriel, H.W., *Comment dominer et influencer les autres,* 1973, 196 p.
Z-4 ) Le Cron, Leslie M., *L'Auto-hypnose : sa technique et son utilisation dans la vie quotidienne,* 1973, 250 p.
Z-5 ) Murphy, Joseph, *La Puissance de votre subconscient,* 1973, 213 p.
Z-6 ) Crowley, Lawrence, *La Vie sexuelle,* 1973, 227 p.
Z-7 ) Hill, Napoleon et Stone, W. Clement, *Le Succès par la pensée constructive,* 1973, 305 p.
Z-8 ) Wallis, Earl et Logan, Gene A., *Gymnastique de beauté pour la femme,* 1973, 93 p.
Z-9 ) Murphy, Joseph, *Le Miracle de votre esprit,* 1973, 201 p.
Z-10 ) Kotkin, Leonid, *Mangez, réfléchissez et devenez svelte,* 1973, 208 p.
Z-11 ) Stone, W. Clement, *Le Chemin infaillible du succès,* 1973, 245 p.
Z-12 ) Kohler, Marianne et Chapelle, Jean, *101 recettes pour bien dormir,* Montréal / Paris*, 1974, (c 1973), 304 p.
Z-13 ) Mary, Jean, *L'Armoire aux herbes : beauté-santé-cuisine,* Montréal / Paris*, 1974, 318 p.
Z-14 ) Cobbaert, Anne-Marie, *La Graphologie : connaître et interpréter les écritures,* 1974, (c 1973), 289 p.
Z-15 ) Tiphaine, *Qui êtes-vous? : l'astrologie répond,* Montréal / Paris*, 1974, 317 p.
Z-16 ) Hanot, Marc, *Réussir,* 1974, 303 p.
Z-17 ) Hanot, Marc, *Etre efficace,* Montréal/Paris**,

1974, 300 p.
Z-18 ) Baer, Brigitte, *Grande forme,* 1974, 542 p.
Z-19 ) Taylor, Eric, *40 ans, l'âge d'or,* Montréal / Paris*, 1974, 316 p.
Z-20 ) Silva, Raymond, *La Magie en médecine,* 1974, 296 p.
Z-21 ) Saponaro, Aldo, *Libérez-vous de vos troubles nerveux,* Montréal / Paris***, 1974, 190 p.
Z-22 ) Kurth, Hanns, *Se connaître et connaître les autres,* 1975, 208 p.
Z-23 ) Ryzl, Milan, *La Perception extra-sensorielle,* 1976, 197 p.
Z-24 ) Bloomfield, Harold H., *La M.T. ou Comment parvenir à l'énergie intérieure et surmonter le stress,* 1976, 247 p.
Z-25 ) Irwin, Yukiko, *L'Acupuncture sans aiguilles,* Montréal/Paris,**** 1976, 225 p.
Z-26 ) Lowen, Alexander, *Le Corps bafoué,* Montréal/Paris****, 1977, (c 1967), 282 p.
Z-27 ) Lowen, Alexander, *La Bio-énergie,* Montréal/Paris****, 1977, 309 p.
Z-28 ) Lowen, Alexander, *La Dépression nerveuse et le corps,* Montréal/Paris****, 1977, 298 p.
Z-29 ) Lowen, Alexander, *Le Plaisir,* Montréal/Paris****, 1977, 239 p.
Z-30 ) Gordon, Thomas, *Parents efficaces: une méthode de formation à des relations humaines sans perdant,* 1977, 445 p.
Z-31 ) Gordon, Thomas, *Parents efficaces: carnet du parent. Formation à l'efficacité humaine,* 1977, 91 p.
Z-32 ) Lowen, Alexander, *Amour et Orgasme,* Montréal / Paris****, 1977, 310 p.
Z-33 ) Rosenberg, Jack Lee, *Jouir. Techniques d'épanouissement sexuel,* Montréal / Paris****, 1976, 237 p.
Z-34 ) Roiter, Howard, *Echos de l'holocauste,* 1977,

255 p.

Z-35 ) Stark, Walter Otto, *Mara, la Bible en avance sur la science moderne,* 1976, 329 p.

Z-36 ) Howard, Jane, *Touchez-moi, s'il vous plaît... : à la recherche du corps perdu,* Montréal / Paris****, 1978, 267 p.

Z-37 ) Aucun ouvrage ne porte ce numéro.

Z-38 ) Gordon, Thomas, *Enseignants efficaces: enseigner et être soi-même,* 1979, 502 p.

Z-39 ) Ryzl, Milan, *La Parapsychologie,* 1979, 282 p.

Z-40 ) Weiss, Helen Ginandes et Weiss, Martin S., *La Maison, une école privilégiée: les enfants problèmes,* 1979, 355 p.

Z-41 ) Richards, Lyn, *La Famille moderne et son avenir,* 1980, 474 p.

Z-42 ) Robson, Bonnie, *Les Enfants du divorce se racontent,* 1980, 173 p.

Z-43 ) Aucun ouvrage ne porte ce numéro.

Z-44 ) Aucun ouvrage ne porte ce numéro.

Z-45 ) La Patra, Jack, *Facteur âge,* 1980, 276 p.

---

* Coédition avec les Ecrits de France.

** Coédition avec M.C.L.

*** Coédition avec les éditions de Vecchi.

**** Coédition avec Tchou.

## COLLECTION : HISTOIRE VIVANTE (H)

H-1 ) Hamelin, Jean et Marcel, *Les Mœurs électorales dans le Québec de 1791 à nos jours,* 1962, 124 p.

H-2 ) Osler, Edmund Boyd, *Louis Riel, un homme à pendre,* 1964, (c 1963), 295 p.

H-3 ) Gray, Clayton, *Le Vieux Montréal,* 1964, 146 p.

H-4 ) Lanctôt, Gustave, *Filles de joie ou Filles du roi?,*

1964, 156 p.

H-5 ) Duhamel, Roger, *Le Roman de Bonaparte,* 1969, 231 p.

H-6 ) Chaloult, René, *Mémoires politiques,* 1969, 295 p.

H-7 ) Laurendeau, André, *La Crise de la conscription, 1942**, (c 1962), 157 p.

H-8 ) Lanctôt, Gustave, *L'Administration de la Nouvelle-France,* 1971, 177 p. (1 125 $)

H-9 ) Bowsfield, Hartwell, *Louis Riel, le patriote rebelle,* 1973, (c 1971), 189 p.

H-10 ) Berton, Pierre, *Le Grand Défi,* Tome 1 : *Un rêve insensé,* 1974, (c 1975), 268 p.

H-11 ) Berton, Pierre, *Le Grand Défi,* Tome II : *Le Dernier Mille,* 1975, 300 p.

H-12 ) Dunn, Guillaume, *Les Forts de l'Outaouais,* 1975, 172 p.

H-13 ) Antonel, David, Jaubert, Alain et Kovalson, Lucien, *Les Complots de la C.I.A.,* Montréal / Paris**, 1976, 598 p.

* Réédition d'un ouvrage paru initialement dans la collection «Petite collection» 14.
** Coédition avec Stock.

## COLLECTION : CLUB DU LIVRE DU QUÉBEC (F)

F-1 ) Chaput, Marcel, *J'ai choisi de me battre,* 1965, 160 p.

F-2 ) Hébert, Jacques, *Trois jours en prison,* 1965, 128 p.

## COLLECTION : AURORE (V)

V-1 ) Paré, Roger, *Humour,* 1967, non paginé.
V-2 ) Mélançon, Claude, *Légendes indiennes du Canada,* 1967, 160 p. (1 200 $)
V-3 ) Colombo, John Robert et Godbout, Jacques, *La Grande Muraille de Chine,* 1969, non paginé. (700 $)
V-4 ) Tard, Louis-Martin, *Vingt ans de théâtre au Nouveau Monde,* 1971, 173 p. (2 200 $)
V-5 ) Lorrain, Roland, *Les Grands Ballets canadiens,* 1973, 219 p.
V-6 ) Aucun ouvrage ne porte ce numéro.
V-7 ) Schwarz, Herbert T., *Contes érotiques indiens,* 1974, 104 p.
V-8 ) Dunn, Guillaume, *La Partie de baggataoué,* 1976, 102 p.
V-9 ) LeBorgne, Odette, *Un pas vers les autres,* 1977, 151 p.

## COLLECTION : ARTS ET MÉTIERS (AM)

AM-1 ) Carrier, Diane et Houle, Nicole, *Décoration,* Tome 1, 1975, 241 p.
AM-2 ) Faucher, Lucille, et Mikolajczak, Lucille, *Diagrammes de courtepointe,* 1975, 59 p.
AM-3 ) Galerneau, Germaine et Grisé-Allard, Jeanne, *Le Tissage,* 1975, 106 p.

## COLLECTION : CAHIERS DE CITÉ LIBRE (CL)

CL-1 ) Beaupré, Louis, *La Guerre à la pauvreté,* 1968, 117 p.
CL-2 ) Lefebvre, Jean-Paul, *Réflexions d'un citoyen,* 1968, 120 p.
CL-3 ) Dussault, Jean-Claude, *Pour une civilisation du plaisir,* 1968, 134 p.
CL-4 ) Villeneuve, Paquerette, *Une Canadienne dans les rues de Paris,* 1968, 191 p.
Cl-5 ) Pellerin, Jean, *Lettre aux nationalistes québécois,* 1969, 142 p.
CL-6 ) Chevalot, Teddy, *Le Monopole de la médecine,* 1969, 191 p.
CL-7 ) Daoust, Roger, *Le Rose et le noir dans la Presse et le Devoir,* 1969, 125 p.
CL-8 ) Bergeron, Philippe, *Pour le mariage du prêtre,* 1970, 123 p.
CL-9 ) Blais, Martin, *Philosophie du pouvoir,* 1970, 157 p.
CL-10 ) Blais, André, Gilbert, Marcel et Lemieux, Vincent, *Une élection de réalignement,* 1970, 182 p.
CL-11 ) Pellerin, Jean, *Le 21e siècle est commencé,* 1971, 125 p.

## COLLECTION : QUÉBEC CHASSE ET PÊCHE (CP)

CP-1 ) Hébert, Fernand, *L'Ours noir,* 1973, 174 p.
CP-2 ) Godin, Serge, *Lecture de cartes et orientation en forêt,* 1973, 79 p.
CP-3 ) Ruel, Jeannot, *La Truite et la pêche à la mouche,* 1974, 211 p.
CP-4 ) Godin, Serge, *Le Manuel du campeur,* 1975, 121 p.

## COLLECTION : ÉDITION DE LUXE (X)

X-1 ) Blais, Marie-Claire, *Une saison dans la vie d'Emmanuel,* 1968, 136 p.
X-2 ) Blais, Marie-Claire, *Une saison dans la vie d'Emmanuel,* 1972, 128 p. (Edition semi-luxe).

## SANS DÉSIGNATION DE COLLECTION

A-1 ) Baillargeon, Hélène, *Vive la Canadienne,* 1962, 157 p.
A-2 ) Légaré, Ovila, *Les Chansons d'Ovila Légaré,* 1972, 160 p.
AA-1 ) Denman, Norris, *How to Organize an Election,* 1962, 138 p.
AA-2 ) Mélançon, Claude, *Percé and Bonaventure Island's Seabirds,* 1963, 91 p.
AA-3 ) Hébert, Jacques, *I Accuse the Assassins of Coffin,* 1964, 208 p.
B-1 ) Gagnon, Maurice, *L'Inspecteur Tanguay : meurtre sous la pluie,* 1963, 110 p.
E-1 ) Mélançon, Claude, *Charmants voisins,* 1964, 255 p.
E-2 ) Mélançon, Claude, *Nos animaux chez eux,* 1972, 173 p.
E-3 ) Laliberté-Robert, Louise et Robert, Jean-Pierre, *Le Guide du chien et de son maître,* 1972, 287 p.
E-4 ) Mélançon, Claude, *Les Poissons de nos eaux,* 1973, 455 p.
E-5 ) Laliberté-Robert, Louise et Robert, Jean-Pierre, *Le Guide du chat et de son maître,* 1972, 240 p.
E-6 ) Laliberté-Robert, Louise et Robert, Jean-Pierre, *Mon chien champion,* 1973, 61 p.
E-7 ) Laliberté-Robert, Louise et Robert, Jean-Pierre,

*Toutes les races de chat,* 1974, 135 p.
Conseil du patronat du Québec, *Des profits, oui, mais pour qui?,* 1976, 66 p.
Conseil du patronat du Québec, *Profits, certainly, but for whom?,* 1976, 66 p.
Lamarche, Jacques-André, *Alphonse Desjardins: un homme au service des autres,* 1977, 173 p.
Rosenblum, Arthur, *La Régulation naturelle des naissances,* 1978, (c 1976), 203 p.

## COLLECTION: ESSAIS (S)

S-1 ) Bissonnette, Bernard, *Essai sur la Constitution du Canada,* 1963, 199 p.
S-2 ) Sévigny, Pierre, *Le Grand Jeu de la politique,* 1965, 347 p.
S-3 ) Hostos, Eugenio Maria de, *Pages choisies,* 1967, 270 p.
S-4 ) Bessette, Gérard, *Une littérature en ébullition,* 1968, 315 p. (1 000 $)
S-5 ) Trudeau, Pierre Elliot, (sous la direction de), *La Grève de l'amiante,* 1970, (c 1956), 430 p.

## COÉDITION QUÉBÉCOISE

### COÉDITION AVEC ICI RADIO-CANADA (RC)

RC-1 ) Sarrazin, Jean, *De mémoire d'homme,* 1967, 423 p.
RC-2 ) Hébert, Jacques, *Ah! mes aïeux,* 1968, 367 p.
RC-3 ) Pellerin, Jean, *d'Iberville,* 1968, 128 p.
RC-4 ) Gloutnez, Germaine, *Votre cuisine, madame,* 1970, 149 p.
RC-5 ) Bertolino, Daniel et Nicole, *Le Guide de l'aventure,* 1970, 206 p.
RC-6 ) Daveluy, André, *Petite Encyclopédie du bricoleur,* 1970, 188 p.
RC-7 ) Cloutier, Eugène, *Eugène Cloutier en Tunisie,* 1970, 207 p.
RC-8 ) Cloutier, Eugène, *Eugène Cloutier en Suède,* 1970, 233 p.
RC-9 ) Gloutnez, Germaine, *Mes 500 meilleures recettes,* 1971, 238 p.
RC-10 ) Cloutier, Eugène, *Eugène Cloutier en Roumanie,* 1971, 202 p.
RC-11 ) Cloutier, Eugène, *Eugène Cloutier à Cuba,* 1971, 223 p.

### COÉDITION AVEC LES ÉDITIONS COMMERCE (EC)

EC-1 ) En collaboration, *Marketing,* 1970, 187 p.
EC-2 ) Aucun ouvrage ne porte ce numéro.
EC-3 ) Dauphin, Roma, *Les Options économiques du Québec,* 1971, 143 p.
EC-4 ) Centre des dirigeants d'entreprise, *Fusions et Regroupements d'entreprises,* 1971, 162 p.

## COÉDITION AVEC L'INSTITUT DE PERSONNALITÉ (IP)

IP-1 ) Lebœuf, Jean-Guy, *Arrêtez d'avoir peur et croyez au succès!,* 1972, (c 1962), 187 p.
IP-2 ) Lebœuf, Jean-Guy, *Nourrissez votre subconscient avec un grain de sagesse chaque jour,* Tome 1: *Observations,* 1975, 131 p.
IP-3 ) Lebœuf, Jean-Guy, *Nourrissez votre subconscient avec un grain de sagesse chaque jour,* Tome 2: *Etudes,* 1975, 122 p.
IP-4 ) Lebœuf, Jean-Guy, *Nourrissez votre subconscient avec un grain de sagesse chaque jour,* Tome 3: *Expériences,* 1975, 118 p.
IP-5 ) Lebœuf, Jean-Guy, *Le Québécois et l'indépendance personnelle,* 1976, 183 p.

## COÉDITION AVEC LES ÉDITIONS DU CIM (CENTRE INTERDISCIPLINAIRE DE MONTRÉAL)

Saint-Arnaud, Yves, *J'aime,* 1970, 120 p.

## COÉDITION AVEC L'HEXAGONE

Dostie, Gaétan, *L'Affaire des manuscrits ou la Dilapidation du patrimoine,* 1973, 93 p.

## COÉDITION AVEC LES ÉDITIONS LA PETITE-NATION

Lamarche, Jacques-André, *Cyrille Vaillancourt, homme d'action, homme d'unité, coopérateur émérite,* Montréal / Saint-André-Avellin, 1979, 187 p.

# COÉDITION ÉTRANGÈRE

## COÉDITION AVEC ALBIN MICHEL

Bennett, Gordon A., *Mémoires du garde rouge Dai Hsiao-ai,* 1971, 266 p.
Delorme, Roger, *Jésus H. Christ! ou les Utopies religieuses américaines,* 1971, 223 p.
En collaboration, *Le Dossier du Pentagone,* 1971, 694 p.
Simmel, Johannes Mario, *Et Jimmy se rendit à l'arc-en-ciel,* 1972, 579 p.
Sulzberger, Cyrus Leo, *Dans le tourbillon de l'histoire,* 1971, 729 p.
Villeneuve, Roland, *L'Univers diabolique,* 1972, 329 p.

## COÉDITION AVEC ÉDITIONS VOYAGES 2000

Grimot, Bernard, *Le Tour du monde avec cinq francs* (*ou un dollar canadien*), Montréal / Grenoble, 1972, 198 p.

## COÉDITION AVEC HACHETTE (ÉDITIONS DE CLERY)

Malenfant, Robert, *Guide de Montréal en jeans,* 1976, 144 p.

## COÉDITION AVEC ROBERT LAFFONT

Beach, Franck Ambrose et Ford, Clellan Stearns, *Le Comportement sexuel chez l'homme et l'animal,* 1970, 400 p.
Bell, Robert R., *Rapport sur la sexualité préconjugale,* 1970, (c 1966), 234 p.
Belline, *La Troisième Oreille à l'écoute de l'au-delà,* 1972, 307 p.
Bettelheim, Bruno, *Le Cœur conscient,* 1972, 332 p.
Bettelheim, Bruno, *Dialogues avec les mères,* 1973, 306 p.
Bettelheim, Bruno, *Les Enfants du rêve,* 1971, 392 p.
Bioy Casares, Adolfo, *Plan d'évasion,* 1972, 197 p.
Blatty, William Peter, *L'Exorciste,* 1971, 355 p.
Blier, Bertrand, *Les Valseuses,* 1972, 424 p.
Bortoli, Georges, *Mort de Staline,* 1973, 311 p.
Boulgakov, Mikhail, *Monsieur de Molière* suivi de *La Cabale des dévots,* 1972, 333 p.
Brecher, Edward M., *Les Sexologues,* 1971, (c 1969), 405 p.
Briskin, Jacqueline, *Printemps californien,* 1972, 542 p.
Brouillet, Jean-Claude, *L'Avion du blanc,* 1972, 329 p.
Catane, Moché, *Qui est Juif?,* 1971, (c 1972), 248 p.
Cesbron, Gilbert, *Des leçons d'abîme,* 1971, 270 p.
Cesbron, Gilbert, *Voici le temps des imposteurs,* 1972, 373 p.
Clavel, Bernard, *Le Seigneur du fleuve,* 1971, (c 1972), 363 p.

Clément, François, *Naissance d'une île,* 1973, 427 p.
Collange, Christiane, *Madame et le bonheur,* 1972, 227 p.
Crichton, Robert, *Les Cameron,* 1973, 442 p.
Diennet, Marcel, *Le Petit Paradis,* 1972, 280 p.
Dietrich, Noah et Thomas, Bob, *Trente-deux ans avec l'extravagant Howard Hughes,* 1972, 343 p.
Dodson, Fitzhugh, *Tout se joue avant six ans,* 1972, 430 p.
Douglas-Hamilton, Lord James, *Histoire secrète de la mission Rudolf Hess,* 1972, (c 1971), 341 p.
Doutiné, Heike, *Il faudrait être jeune,* 1972, 456 p.
Draper, Elizabeth, *Conscience et Contrôle des naissances,* 1971, (c 1965), 376 p.
Dreikurs, Rudolf, *Le Défi de l'enfant,* 1972, 298 p.
Droscher, Vitus B., *C'est arrivé au zoo,* 1971, 216 p.
Duché, Jean, *Le Premier Sexe,* 1972, 490 p.
Dun, Mao, *Minuit,* 1972, 542 p.
Duval, Marguerite, *L'Or de Crète,* 1972, 300 p.
En collaboration, *Enquête sur la conception, la naissance et l'avortement,* 1971, (c 1958), 362 p.
En collaboration, *L'Expérience scandinave,* 1971, 289 p.
Estrées, Jean d', *La Beauté, mon aventure,* 1972, 380 p.
Feinermann, Emmanuel et Thalmann, Rita, *La Nuit de cristal,* 1972, 243 p.
Feldenkrais, Moshé, *La Conscience du corps,* 1971, (c 1967), 284 p.
Felstein, Ivor, *La Sexualité du troisième âge,* 1971, (c 1970), 184 p.
Flanagan, Geraldine Lux, *Les Neuf Premiers Mois de la vie,* 1973, (c 1963), 95 p.
Folch-Ribas, Jacques, *Le Griffon,* 1971, 309 p.
Fournier-Aubry, Fernand, *Don Fernando,* 1972, 428 p.
Fraser, Lady Antonia Pakenham, *Marie Stuart, reine de France et d'Ecosse,* 1973, 616 p.
Gainham, Sarah, *La Nuit s'abat sur la ville,* 1971, (c 1967), 585 p.
Gallo, Max, *Le Cortège des vainqueurs,* 1972, 471 p.

Garaudy, Roger, *L'Alternative,* 1972, 251 p.
Golish, Vitold de, *L'Inde impudique des Maharajahs,* 1973, 258 p.
Gray, Martin, *Au nom de tous les miens,* 1971, 401 p.
Gray, Martin, *Le Livre de la vie,* 1973, 327 p.
Greene, Graham, *Un certain sens du réel,* 1971, (c 1963), 247 p.
Greene, Graham, *Une sorte de vie,* 1971, 266 p.
Greer, Germaine, *La Femme eunuque,* 1971, (c 1970), 431 p.
Haedrich, Marcel, *Coco Chanel secrète,* 1971, 322 p.
Hardy, René, *Ce n'était pas le moment d'avoir vingt ans,* 1972, 267 p.
Hastings, Donald Wilson, *L'Impuissance et la frigidité,* 1970, (c 1963), 175 p.
Hoffman, Martin, *L'Univers homosexuel,* 1971, 253 p.
Howatch, Susan, *Penmarric,* 1972, 652 p.
Israël, Gérard, *Le Dernier Jour de l'Algérie française: 1er juillet 1962,* 1972, 325 p.
Ivanov, Miroslav, *L'Attentat contre Heydrich: 27 mai 1942,* 1971, (c 1972), 317 p.
Johnson, Virginia E. et Masters, Williams Howell, *Les Mésententes sexuelles et leur traitement,* 1971, (c 1970), 412 p.
Jurgensen, Geneviève, *Les Folies des autres,* 1973, 328 p.
Kahn, Herman et Bruce-Briggs, B., *A l'assaut du futur,* 1973, (c 1972), 316 p.
Kédros, André, *Le Soleil de cuivre,* 1972, 182 p.
Khrouchtchev, Nikita Sergheïevitch, *Souvenirs de Khrouchtchev,* 1971, (c 1970), 589 p.
Knef, Hildegard, *A cheval donné...,* 1972, 427 p.
Kobler, John, *Al Capone et la guerre des gangs à Chicago,* 1972, 479 p.
Koenig, Pierre, *Bir-Hakeim: 10 juin 1942,* 1971, 427 p.
Laborde, Jean, *Un matin d'été à Lurs: 5 août 1952,* 1972, 447 p.
La Mazière, Christian de, *Le Rêveur casqué,* 1972, 315 p.

Le Breton, Auguste, *Les Pègriots,* 1973, 530 p.
Le Carré, John, *Un amant naïf et sentimental,* 1972, 525 p.
Lynn, Jack, *Le Professeur,* 1971, 314 p.
Mailer, Norman, *Bivouac sur la lune,* 1971, (c 1969), 526 p.
Mailer, Norman, *Prisonnier du sexe,* 1971, 238 p.
Maisch, Herbert, *L'Inceste,* 1970, 247 p.
Malpass, Eric, *Ce bon gros Jones,* 1972, 370 p.
Marabini, Jean, *Mao et ses héritiers,* 1972, 252 p.
Marshall, Peter, *Aujourd'hui plus qu'hier,* 1972, 348 p.
Mauge, Roger, *Jésus,* 1972, 386 p.
McCarthy, Mary, *Les Oiseaux d'Amérique,* 1972, 412 p.
McCarthy, Mary, *Rapport sur le procès du capitaine Médina,* 1973, 142 p.
Mingus, Charles, *Moins qu'un chien,* 1973, 344 p.
Morton, Robert Steel, *Les Maladies vénériennes,* 1970, 237 p.
Mossé, Claude, *Mourir pour Dacca,* 1972, 219 p.
Oudin, Bernard, *Plaidoyer pour la ville,* 1971, (c 1972), 252 p.
Page, Martin, *Mœurs et Coutumes tribales des cadres de l'entreprise moderne,* 1973, 341 p.
Palaiseul, Jean, *Nos grands-mères savaient... La vérité sur les plantes,* 1972, 422 p.
Paloczi-Horwath, Georgy, *Le Soulèvement mondial de la jeunesse, 1955-1970,* 1972, 499 p.
Paul-Marguerite, Yves, *Le Prix de l'équilibre,* 1971, 309 p.
Petrilli, Guiseppe, *L'Etat entrepreneur,* 1971, (c 1967), 244 p.
Raisner, Albert, *L'Aventure pop,* 1973, 312 p.
Ranque, Georges, *La Pierre philosophale,* 1972, 358 p.
Raspail, Jean, *Le Camp des saints,* 1972, (c 1973), 408 p.
Raucher, Herman, *Quelque temps avec tigre,* 1973, 249 p.
Reich, Charles Allen, *Le Regain américain,* 1971, 403 p.
Revel, Jean-François, *Les Idées de notre temps,* 1972, 510 p.

Robinson, Derek, *Les Abattoirs du ciel,* 1972, 341 p.
Roche, Georges et Saint-Germain, Philippe, *Pie XII devant l'Histoire,* 1972, 533 p.
Rodgers, William, *L'Empire IBM,* 1971, (c 1969), 379 p.
Rosenbauer, Karlheinz A., *Les Organes génitaux,* 1970, 207 p.
Rubinstein, Arthur, *Les Jours de ma jeunesse,* 1973, 650 p.
Rycroft, Charles, *L'Angoisse créatrice,* 1971, (c 1968), 216 p.
Schmidt, Helmuth et Voigt, Klaus Dieter, *Les Hormones sexuelles,* 1970, 255 p.
Seghers, Colette, *Martin Hanson,* 1973, 270 p.
Simonnot, Philippe, *L'Avenir du système monétaire,* 1972, 291 p.
Spock, Benjamin McLane, *Le Premier Guide de l'amour,* 1972, 291 p.
Storr, Anthony, *Les Déviations sexuelles,* 1970, 192 p.
Talese, Guy, *Ton père honoreras,* 1972, 470 p.
Thirion, André, *Révolutionnaires sans révolution,* 1972, 579 p.
Tiger, Lionel et Fox, Robin, *L'Animal impérial,* 1973, 359 p.
Uris, Léon, *Q.B. 7,* 1971, (c 1970), 444 p.
Ussel, Jozef Willem van, *Histoire de la répression sexuelle,* 1972, 348 p.
Wallace, Irving, *Sept minutes,* 1971, (c 1969), 496 p.
Weit, Erwin, *Dans l'ombre de Gomulka,* 1971, 311 p.
Wouk, Herman, *Le Souffle de la guerre,* Volume 1: *Natalie,* 1972, 528 p.
Wouk, Herman, *Le Souffle de la guerre,* Volume 2: *Pamela,* 1973, 520 p.
Zwang, Gérard, *La Fonction érotique,* V. 1: *Les Chemins de l'épanouissement sexuel,* 1972, 480 p.
Zwang, Gérard, *La Fonction érotique,* V. 2: *Les Entraves à l'épanouissement,* 1972, 680 p.

| LES COLLECTIONS DU JOUR | 1961 | 1962 | 1963 | 1964 | 1965 | 1966 | 1967 | 1968 | 1969 | 1970 | 1971 | 1972 | 1973 | 1974 | 1975 | 1976 | 1977 | 1978 | 1979 | 1980 | TOTAL |
|---|---|---|---|---|---|---|---|---|---|---|---|---|---|---|---|---|---|---|---|---|---|
| Romanciers du Jour (R) | 3 | 4 | 3 | 3 | 3 | 4 | 6 | 11 | 17 | 15 | 8 | 11 | 14 | 11 | 8 | 2 | 3 | | 1 | 3 | 130[1] |
| Poètes du Jour (M) | | | 2 | 3 | 1 | 1 | 4 | 4 | 4 | 8 | 9 | 7 | 7 | 3 | 2 | | | | | | 55 |
| Proses du Jour (O) | | | | | | | | | | | 1 | 3 | 6 | 2 | 1 | | | | | | 13 |
| Littérature du Jour (Y) | | | | | | | | | | 2 | 1 | 2 | | | | | | | | | 5[2] |
| Bibliothèque québécoise (W) | | | | | | | | | | | | 10 | 5 | 1 | | | | | | | 16 |
| Théâtre du Jour (K) | | | | | | 1 | | 2 | | 1 | | | 1 | 2 | | | | | | | 7 |
| Université (U) | | | | | | 2 | 1 | | | | | | | | | | | | | | 3 |
| Explo-Mundo | | | | | | | | | | | | | 1 | | | | | | | | 1 |
| Aventure et science-fiction (J) | | | 1 | | | | | | | | | | | | | | | | | | 1 |
| Tout âge (J) | | | | | | | | | | | | | | | 3 | 2 | | | | | 5 |
| Sciences/Loisirs (G) | | | | | | 1 | | | | | | | 1 | | | 1 | | | | | 3 |
| Albums (L) | 1 | | | | | | | | | 1 | | | 1 | | | | | | | | 3 |
| Bout de chemin (N) | | | | | | | | | | | | | | 1 | 3 | 1 | | | | | 5 |
| Pays du Jour (P) | | 1 | | 1 | | | | | 1 | | | | | 2 | 1 | | | | | | 6 |
| Histoire du Jour (H) | | 1 | | 3 | | | | | 2 | | 1 | | 1 | 1 | 2 | 1 | | | | | 12[3] |
| Essais (S) | | | 1 | | 1 | | 1 | 1 | | 1 | | | | | | | | | | | 5 |
| Techniques du Jour (T) | | 1 | | 1 | | | | | | 3 | 2 | 6 | 7 | 5 | 2 | 4 | 3 | 3 | 4 | 5 | 46[4] |
| Petite collection | 12 | 12 | 6 | 4 | 7 | 14 | 9 | 10 | 2 | 2 | 1 | | | | | 1 | | | 2 | | 82[5] |
| Club du livre du Québec (F) | | | | | 2 | | | | | | | | | | | | | | | | 2 |
| Aurore (V) | | | | | | | 2 | | 1 | | 1 | | 1 | 1 | | 1 | 1 | | | | 8[6] |
| Arts et métiers (AM) | | | | | | | | | | | | | | | 3 | | | | | | 3 |
| Cahiers de Cité libre (CL) | | | | | | | | 4 | 3 | 3 | 1 | | | | | | | | | | 11 |
| Québec chasse et pêche (CP) | | | | | | | | | | | | | 2 | 1 | 1 | | | | | | 4 |

| | | | | | | | | | | | | | | | | | | | | | |
|---|---|---|---|---|---|---|---|---|---|---|---|---|---|---|---|---|---|---|---|---|---|
| Edition de luxe (X) | | | | | | | | | | | | | | | | | | | | | 0[7] |
| Coédition avec Ici Radio-Canada (RC) | | | | | | | 1 | 2 | | 5 | 3 | | | | | | | | | | 11 |
| Coédition avec les éditions Commerce (EC) | | | | | | | | | | 1 | 2 | | | | | | | | | | 3[6] |
| Coédition avec l'Institut de personnalité (IP) | | | | | | | | | | | | 1 | | | 3 | 1 | | | | | 5 |
| Coédition avec les éditions du CIM | | | | | | | | | | 1 | | | | | | | | | | | 1 |
| Coédition avec l'Hexagone | | | | | | | | | | | | | 1 | | | | | | | | 1 |
| Coédition avec La Petite-Nation | | | | | | | | | | | | | | | | | | | 1 | | 1 |
| Sans désignation de collection | | 2 | 2 | 2 | | | | | | | | 4 | 2 | 1 | | 2 | 1 | 1 | | | 17 |
| Vivre aujourd'hui (Z) | | | | | | | | | | | | 2 | 9 | 10 | 1 | 5 | 8 | 1 | 3 | 3 | 42 |
| Idées du Jour (D) | 2 | 7 | 2 | 4 | 6 | 4 | 8 | 10 | 10 | 3 | 4 | 4 | 5 | 3 | 5 | 2 | 2 | 3 | 3 | 6 | 93[6] |
| Hors-collection (C) | | 2 | 11 | 1 | 2 | 3 | 3 | 5 | 4 | 25 | 25 | 24 | 28 | 15 | 9 | 8 | 3 | 4 | 7 | 2 | 181 |
| Coédition avec Robert Laffont | | | | | | | | | | 8 | 36 | 53 | 20 | | | | | | | | 117[8] |
| Coédition avec Albin Michel | | | | | | | | | | | 4 | 2 | | | | | | | | | 6[9] |
| Coédition avec les éditions Voyages 2000 | | | | | | | | | | | | 1 | | | | | | | | | 1 |
| Coédition avec Hachette | | | | | | | | | | | | | | | | 1 | | | | | 1 |
| TOTAL | 18 | 30 | 28 | 22 | 22 | 30 | 35 | 49 | 45 | 78 | 99 | 130 | 112 | 59 | 44 | 32 | 21 | 12 | 21 | 19 | 906 |

1. 130, parce qu'un numéro de série n'a pas été utilisé et parce qu'un autre n'est qu'une réédition d'un titre qui provient d'une autre collection.

2. Le dernier titre de cette collection n'est qu'une réédition d'un ouvrage paru dans une autre collection.

3. Un titre provient d'une autre collection.

4. Quatre titres ont été repris; ils ne sont donc pas nouveaux.

5. Cinq titres sont tout simplement des rééditions.

6. Un numéro de série n'a pas été utilisé.

7. Aucun titre, puisqu'il s'agit d'éditions de luxe d'un roman recensé ailleurs, *Une saison dans la vie d'Emmanuel* de Marie-Claire Blais.

8. Sans compter les deux coéditions inscrites dans la collection «Romanciers du Jour».

9. Sans compter une coédition inscrite dans la collection «Romanciers du Jour».

*Chapitre 2*

# *Index des auteurs littéraires québécois*

*Chapitre 2*

# *Index des auteurs littéraires québécois*

## *Edités au Jour*

*Chapitre 3*

# *Références des articles consacrés aux œuvres de la collection «Romanciers du Jour»*

*Chapitre 3*

# ***Références des articles consacrés aux œuvres de la collection «Romanciers du Jour»***

JEAN BASILE:

a) *Lorenzo*

1. Ethier-Blais, Jean, *le Devoir,* 25 mai 1963, p. 9.
2. Marcotte, Gilles, *la Presse,* 25 mai 1963, supplément p. 8.
3. Renaud, André, *le Droit,* 15 juin 1963, p. 20.
4. Robichaud, Raymond, *Livres et Auteurs canadiens 1963,* p. 12.

b) *La Jument des Mongols*

5. Bessette, Gérard, *Livres et Auteurs canadiens 1964,* pp. 13-14.
6. Daigneault, Claude, *le Soleil,* 19 décembre 1964, p. 12.
7. Deschamps, Nicole, *la Presse,* 3 avril 1965, supplément p. 5.
8. Ethier-Blais, Jean, *le Devoir,* 28 novembre 1964, p. 15.
9. Marcotte, Gilles, *la Presse,* 9 janvier 1965, supplément p. 7.
10. Renaud, André, *le Droit,* 28 novembre 1964, p. 7.
11. Robert, Guy, *le Petit Journal,* 27 décembre 1964, p. A 29.

MICHEL BEAULIEU:
a) *Je tourne en rond mais c'est autour de toi*
12. Bélanger, Yrénée, *Livres et Auteurs québécois 1969,* p. 41.
13. Mailhot, François, *le Soleil,* 18 octobre 1969, p. 32.
14. Martel, Réginald, *la Presse,* 6 septembre 1969, p. 29.

b) *La Représentation*
15. Vigneault, Robert, *Livres et Auteurs québécois 1972,* pp. 56-59.

c) *Sylvie Stone*
16. Ethier-Blais, Jean, *le Devoir,* 22 juin 1974, p. 15.
17. Gay, Paul, *le Droit,* 12 octobre 1974, p. 20.
18. Hébert, François, *Etudes françaises,* vol. 11, no 2, mai 1975, pp. 113-114.
19. Hébert, François, *Livres et Auteurs québécois 1974,* pp. 80-82.
20. Martel, Réginald, *la Presse,* 11 mai 1974, p. E 3.
21. Ricard, François, *le Jour,* 13 avril 1974, p. V 2.

VICTOR-LÉVY BEAULIEU:
a) *Race de monde!*
22. Anonyme, *le Droit,* 21 juin 1969, p. 7.
23. Dorion, Gilles, *Québec français,* no 37, mars 1980, pp. 7-8.
24. *Ibid.,* no 45, mars 1982, pp. 47-49.
25. Major, André, *le Devoir,* 10 mai 1969, p. 15.
26. *Ibid.,* 23 août 1969, p. 11.
27. Martel, Réginald, *la Presse,* 10 mai 1969, p. 35.
28. Pelletier, Jacques, *le Soleil,* 24 mai 1969, p. 30.
29. Pelletier, Jacques, *Voix et Images,* volume III, no 2, décembre 1977, pp. 201-229.
30. Poulin, Gabrielle, *Relations,* no 374, septembre 1972, pp. 249-251.
31. Thério, Adrien, *Livres et Auteurs québécois 1969,*

pp. 19-20.

b) *La Nuitte de Malcomm Hudd*

32. Beaulieu, Ivanhoé, *le Soleil,* 31 janvier 1970, p. 57.
33. Major, André, *le Devoir,* 17 janvier 1970, p. 14.
34. Martel, Réginald, *la Presse,* 17 janvier 1970, p. 26.
35. Poulin, Gabrielle, *Relations,* no 376, novembre 1972, pp. 312-314.
36. Renaud, André, *Livres et Auteurs québécois 1970,* pp. 17-18.
37. Vanasse, André, *Livres et Auteurs québécois 1972,* pp. 385-396.
38. Voir nos 29 et 30.

c) *Jos Connaissant*

39. Anonyme, *le Droit,* 20 février 1971, p. 7.
40. Gay, Paul, *le Droit,* 10 mars 1973, p. 15.
41. Martel, Réginald, *la Presse,* 30 janvier 1971, p. C 3.
42. Poulin, Gabrielle, *Relations,* no 378, janvier 1973, pp. 24-25.
43. Thério, Adrien, *Livres et Auteurs québécois 1970,* pp. 19-21.
44. Turgeon, Pierre, *l'Illettré,* décembre 1970, p. 5.
45. Voir nos 29, 30, 35 et 37.

d) *Les Grands-pères*

46. Beaulieu, Ivanhoé, *le Soleil,* 5 février 1972, p. 47.
47. Duhamel, Roger, *le Droit,* 10 mars 1972, p. 13.
48. Gay, Paul, *le Droit,* 10 mars 1973, p. 15.
49. Martel, Réginald, *la Presse,* 29 septembre 1979, p. C 3.
50. Michon, Jacques, *Voix et Images,* vol. 5, no 2, pp. 307-317.
51. Scully, Robert Guy, *le Devoir,* 5 février 1972, p. 17.
52. Thério, Adrien, *Livres et Auteurs québécois 1971,* pp. 37-38.

53. Verdier, Nathalie, *le Droit,* 4 mars 1972, p. 13.
54. Voir nos 29, 30, 37 et 42.

e) *Un rêve québécois*

55. Ethier-Blais, Jean, *le Devoir,* 14 octobre 1972, p. 19.
56. Martel, Réginald, *la Presse,* 16 septembre 1972, p. D 3.
57. Poulin, Gabrielle, *Relations,* no 377, décembre 1972, pp. 341-343.
58. Smart, Patricia, *Livres et Auteurs québécois 1972,* pp. 46-49.
59. Tremblay, Robert, *le Soleil,* 14 octobre 1972, p. 48.
60. Voir nos 29 et 37.

f) *Oh Miami Miami Miami*

61. Bessette, Gérard, *Voix et Images du pays IX,* février 1975, pp. 181-199.
62. Martel, Réginald, *la Presse,* 6 octobre 1973, p. D 3.
63. Martin-Thériault, Agathe, *Livres et Auteurs québécois 1973,* pp. 20-22.
64. Poulin, Gabrielle, *Relations,* no 393, mai 1974, p. 156.
65. Tremblay, Robert, *le Soleil,* 10 novembre 1973, p. 48.
66. Voir no 29.

ROMAIN BELLEAU:

a) *Les Rebelles*

67. France-Dufaux, Paule, *le Soleil,* 21 février 1976, p. D 3.
68. Gaulin, André, *Livres et Auteurs québécois 1975,* pp. 67-68.
69. Gaulin, André, *Québec français,* no 20, décembre 1975, pp. 8-9.
70. Martel, Réginald, *la Presse,* 27 septembre 1975, p. E 2.

MARC BELLIER:

a) *Jean-Paul ou les Hasards de la vie*

JACQUES BENOIT:

a) *Jos Carbone*

71. Bernier, Conrad, *le Petit Journal,* 3 décembre 1967, p. 58.
72. Labsade, Françoise de, *Livres et Auteurs canadiens 1967,* p. 49.
73. Lapointe, Gatien, *le Soleil,* 23 décembre 1967, p. 40.
74. Major, André, *le Devoir,* 25 novembre 1967, p. 12.
75. *Ibid.,* 9 décembre 1967, p. 27.
76. Merler, Grazia, *le Soleil,* 23 décembre 1967, p. 40.
77. Pontaut, Alain, *la Presse,* 2 décembre 1967, p. 23.
78. Poulin, Gabrielle, *Relations,* no 340, juillet / août 1969, pp. 208-209.
79. Vanasse, André, *Livres et Auteurs québécois 1980,* pp. 25-26.

b) *Les Voleurs*

80. Ethier-Blais, Jean, *le Devoir,* 7 février 1970, p. 15.
81. Gaulin, Michel, *Livres et Auteurs québécois 1969,* pp. 17-18.
82. Major, André, *le Devoir,* 22 novembre 1969, p. 14.
83. Martel, Réginald, *la Presse,* 29 novembre 1969, p. 34.

c) *Patience et Firlipon*

84. Anonyme, *le Droit,* 20 février 1971, p. 7.
85. Beaulieu, Ivanhoé, *le Soleil,* 31 décembre 1970, p. 29.
86. Henchiri, Michelle, *Livres et Auteurs québécois 1970,* p. 29.
87. Martel, Réginald, *la Presse,* 19 décembre 1970, p. C 2.

88. Poulin, Gabrielle, *Relations,* no 358, mars 1971, pp. 93-94.

d) *Les Princes*

89. Gay, Paul, *le Droit,* 20 juillet 1974, p. 14.
90. Martel, Réginald, *la Presse,* 15 décembre 1973, p. E 2.
91. Pelletier, Jacques, *Livres et Auteurs québécois 1973,* pp. 32-33.
92. Poulin, Gabrielle, *Relations,* no 392, avril 1974, p. 127.
93. Ricard, François, *Liberté,* no 92, mars / avril 1974, pp. 88-89, 94-99.

GÉRARD BESSETTE:

a) *Le Cycle*

94. Beaulieu, Ivanhoé, *le Soleil,* 29 mai 1971, p. 54.
95. Ethier-Blais, Jean, *le Devoir,* 5 juin 1971, p. 14.
96. Lasnier, Louis, *le Québec littéraire 1,* pp. 92-116.*
97. Martel, Réginald, *la Presse,* 12 juin 1971, p. C 3.
98. Poulin, Gabrielle, *Relations,* no 369, mars 1972, pp. 90-93.
99. Renaud, André, *le Droit,* 10 juillet 1971, p. 7.
100. *Ibid.,* 24 juillet 1971, p. 7.
101. *Ibid.,* 31 juillet 1971, p. 7.
102. *Ibid.,* 14 août 1971, p. 7.
103. *Ibid.,* 21 août 1971, p. 7.
104. *Ibid.,* 28 août 1971, p. 7.
105. *Ibid.,* 4 septembre 1971, p. 17.
106. *Ibid.,* 18 septembre 1971, p. 7.
107. Robidoux, Réjean, *Livres et Auteurs québécois 1971,* pp. 25-27.

* Ce numéro est entièrement consacré à l'œuvre de Gérard Bessette.

PIERRE BILLON:

a) *L'Ogre de barbarie*

108. Poulin, Gabrielle, *Relations,* no 379, février 1973, p. 55.
109. Tétu, Michel, *Livres et Auteurs québécois 1972,* p. 54.

MARIE-CLAIRE BLAIS:

a) *Le Jour est noir*

110. Boyer, Gilles, *le Soleil,* 17 février 1962, p. 4.
111. Gagnon, Lysiane, *le Petit Journal,* 18 février 1962, p. A 55.
112. Hamelin, Jean, *le Devoir,* 17 février 1962, p. 11.
113. Lamarche, Jacques-A., *Cité libre,* no 88, juillet 1966, pp. 27-32.
114. Marcotte, Gilles, *la Presse,* 10 février 1962, supplément pp. 8-9.
115. Ménard, Jean, *le Droit,* 24 février 1962, p. 12.
116. Renaud, André, *Livres et Auteurs canadiens 1962,* pp. 8-9.

b) *Une saison dans la vie d'Emmanuel*

117. Anonyme, *le Droit,* 3 décembre 1966, p. 7.
118. Dassylva, Martial, *la Presse,* 19 juin 1965, supplément pp. 1-3.
119. Ethier-Blais, Jean, *le Devoir,* 10 juillet 1965, p. 8.
120. Fournier, Roger, *le Petit Journal,* 18 décembre 1966, p. 55.
121. Frémont, Gabrielle, *Québec français,* no 43, octobre 1981, pp. 41-43.
122. Gay, Paul, *le Droit,* 10 décembre 1966, p. 12.
123. Greffard, Madeleine, *Cahier de Sainte-Marie I,* octobre 1968, pp. 19-24.
124. Leroux, Normand, *Livres et Auteurs canadiens 1965,* pp. 51-52.
125. Lockquell, Clément, *le Soleil,* 26 juin 1965, p. 14.

126. Major, André, *le Petit Journal,* 25 juillet 1965, p. 30.
127. Mitterand, Henri, *Voix et Images,* volume II, no 3, avril 1977, pp. 407-417.
128. O'Neil, Jean, *la Presse,* 3 juillet 1965, supplément p. 5.
129. Pelletier, Jacques, *le Soleil,* 3 décembre 1966, p. 4.
130. Voir no 113.

c) *L'Insoumise*

131. Cloutier, Cécile, *Livres et Auteurs canadiens 1966,* pp. 29-31.
132. Hardy, Jean, *Relations,* no 325, mars 1968, p. 95.
133. Huot, Maurice, *le Droit,* 30 juillet 1966, p. 12.
134. Lockquell, Clément, *le Soleil,* 7 mai 1966, p. 32.
135. Major, André, *le Petit Journal,* 8 mai 1966, p. 42.
136. Marcotte, Gilles, *la Presse,* 7 mai 1966, supplément p. 4.
137. Voir no 113.

d) *David Sterne*

138. Bernier, Conrad, *le Petit Journal,* 24 septembre 1967, p. 58.
139. Drolet, Simon, *Livres et Auteurs canadiens 1967,* p. 43.
140. Fecteau, Hélène, *Liberté,* no 55, janvier / février 1968, pp. 68-69.
141. Gay, Paul, *le Droit,* 16 septembre 1967, p. 10.
142. Lockquell, Clément, *le Soleil,* 9 septembre 1967, p. 26.
143. Pontaut, Alain, *la Presse,* 2 septembre 1967, pp. 24-25.

e) *Manuscrits de Pauline Archange*

144. Basile, Jean, *le Devoir,* 19 octobre 1968, p. 11.
145. Châtillon, Pierre, *Livres et Auteurs canadiens 1968,* pp. 241-245.

146. Duhamel, Roger, *le Droit,* 7 décembre 1968, p. 7.
147. Duhamel, Roger, *Livres et Auteurs canadiens 1968,* pp. 41-42.
148. Ethier-Blais, Jean, *le Devoir,* 30 novembre 1968, p. 16.
149. Girard, Réal, *Livres et Auteurs québécois 1972,* pp. 363-374.
150. Marchand, Alain-Bernard, *Voix et Images,* vol. 7, no 2, pp. 343-349.
151. Pontaut, Alain, *la Presse,* 19 octobre 1968, p. 25.
152. Rosbo, Patrick de, *le Devoir,* 14 décembre 1968, p. 14.
153. Roux, Paul, *le Soleil,* 9 novembre 1968, p. 38.

f) *Vivre! Vivre!*

154. Ethier-Blais, Jean, *le Devoir,* 29 novembre 1969, p. 13.
155. Gay, Paul, *le Droit,* 3 janvier 1970, p. 7.
156. Lepage, Yvon G., *Livres et Auteurs québécois 1969,* pp. 24-25.
157. Major, André, *le Devoir,* 8 novembre 1969, p. 14.
158. Martel, Réginald, *la Presse,* 15 novembre 1969, p. 28.
159. Roux, Paul, *le Soleil,* 15 novembre 1969, p. 52.
160. Voir no 149.

g) *Les Apparences*

161. Beaulieu, Ivanhoé, *le Soleil,* 26 septembre 1970, p. 50.
162. Cloutier, Cécile, *Livres et Auteurs québécois 1970,* pp. 60-61.
163. Duhamel, Roger, *le Droit,* 27 février 1971, p. 7.
164. Ethier-Blais, Jean, *le Devoir,* 3 octobre 1970, p. 14.
165. Martel, Réginald, *la Presse,* 24 octobre 1970, p. C 3.
166. Poulin, Gabrielle, *Relations,* no 360, mai 1971, p. 153.

167. Voir no 149.

h) *Le Loup*

168. Cossette, Gilles, *Livres et Auteurs québécois 1972,* pp. 68-69.
169. Lavoie, Charles, *Ecrits du Canada français,* tome 37, 3e trimestre 1973, pp. 153-210.
170. Martel, Réginald, *la Presse,* 4 mars 1972, p. D 3.
171. Scully, Robert Guy, *le Devoir,* 19 février 1972, p. 15.

i) *Un joualonais, sa joualonie*

172. Beaulieu, Ivanhoé, *le Devoir,* 2 juin 1973, p. 15.
173. Martel, Réginald, *la Presse,* 19 mai 1973, p. D 3.
174. Poulin, Gabrielle, *Relations,* no 395, juillet / août 1974, p. 221.
175. Rivard, Yvon, *Livres et Auteurs québécois 1973,* pp. 35-36.
176. Tremblay, Robert, *le Soleil,* 9 juin 1973, p. 42.

MARIO BOLDUC:

a) *Les Images de la mer*

177. Martel, Réginald, *la Presse,* 26 juillet 1975, p. C 3.

PAN BOUYOUCAS:

a) *Le Dernier Souffle*

178. Guérin, Pierre M., *Livres et Auteurs québécois 1975,* pp. 76-77.

ANDRÉ BROCHU:

a) *Adéodat I*

179. Beaulieu, Ivanhoé, *le Devoir,* 7 avril 1973, p. 19.
180. Bérubé, Renald, *Liberté,* no 86, pp. 67-74.
181. Martel, Réginald, *la Presse,* 17 février 1973, p. C 3.
182. Poulin, Gabrielle, *Relations,* no 388, décembre 1973, pp. 346-347.
183. Tremblay, Robert, *le Soleil,* 3 mars 1973, p. 57.

184. Vachon, Hélène, *Livres et Auteurs québécois 1973,* pp. 28-30.

NICOLE BROSSARD:

a) *Un livre*

185. Basile, Jean, *le Devoir,* 19 décembre 1970, p. 12.
186. Beaulieu, Ivanhoé, *le Soleil,* 19 décembre 1970, p. 43.
187. Bonenfant, Joseph, *Voix et Images du pays IX,* février 1975, pp. 223-235.
188. Cloutier, Cécile, *le Droit,* 13 mars 1971, p. 7.
189. Martel, Réginald, *la Presse,* 16 janvier 1971, p. D 3.
190. Verdier, Nathalie, *le Droit,* 16 janvier 1971, p. 7.
191. Verdier, Nathalie, *Livres et Auteurs québécois 1970,* pp. 55-56.

b) *Sold-out*

192. Beaulieu, Ivanhoé, *le Devoir,* 14 avril 1973, p. 17.
193. Tremblay, Régis, *le Soleil,* 28 avril 1973, p. 74.
194. Vidal, Jean-Pierre, *Livres et Auteurs québécois 1973,* pp. 36-37.

RÉGIS BRUN:

a) *La Mariecomo*

195. Lamontagne, Gilles, *Livres et Auteurs québécois 1974,* pp. 91-92.
196. Martel, Réginald, *la Presse,* 12 octobre 1974, p. E 3.
197. Tremblay, Robert, *le Soleil,* 12 octobre 1974, p. D 8.

ANDRÉ CARPENTIER:

a) *Axel et Nicholas* suivi de *Mémoires d'Axel*

198. Allard, Jacques, *Livres et Auteurs québécois 1973,* pp. 73-74.
199. Beaulieu, Ivanhoé, *le Devoir,* 26 mai 1973, p. 15.
200. Martel, Réginald, *la Presse,* 26 mai 1973, p. E 3.
201. Tremblay, Robert, *le Soleil,* 2 juin 1973, p. 44.

ROCH CARRIER:
a) *Jolis Deuils*

202. Châtillon, Pierre, *Livres et Auteurs canadiens 1964,* pp. 38-39.
203. Dansereau, Claude, *le Devoir,* 24 octobre 1964, p. 13.
204. Dionne, René, *Relations,* no 299, novembre 1965, pp. 323-324.
205. Lockquell, Clément, *le Soleil,* 17 octobre 1964, p. 14.
206. Major, Jean-Louis, *le Droit,* 24 octobre 1964, p. 17.
207. Marcotte, Gilles, *la Presse,* 16 janvier 1965, supplément p. 6.

b) *La Guerre, yes sir!*

208. Bernier, Conrad, *le Petit Journal,* 31 mars 1968, p. 60.
209. Bérubé, Renald, *Voix et Images du pays III,* pp. 145-164.
210. Dionne, René, *Relations,* no 331, octobre 1968, pp. 279-281.
211. Gallays, François, *Livres et Auteurs canadiens 1968,* p. 39.
212. Hudon, Jean-Paul, *Co-incidences,* vol. 3, no 2, mars / avril 1973, pp. 46-54.
213. Lapointe, Gatien, *le Soleil,* 13 avril 1968, p. 32.
214. Major, André, *le Devoir,* 2 mars 1968, p. 12.
215. *Ibid.,* 23 mars 1968, p. 15.
216. Pontaut, Alain, *la Presse,* 2 mars 1968, p. 25.
217. *Ibid.,* 9 mars 1968, p. 25.

c) *Floralie, où es-tu?*

218. Anonyme, *le Droit,* 21 juin 1969, p. 7.
219. Cloutier, Cécile, *Livres et Auteurs québécois 1969,* p. 22.
220. Dionne, René, *Relations,* no 341, septembre 1969,

pp. 242-244.
221. Major, André, *le Devoir,* 10 mai 1969, p. 15.
222. *Ibid.,* 16 août 1969, p. 35.
223. Martel, Réginald, *la Presse,* 10 mai 1969, p. 35.
224. Pelletier, Jacques, *le Soleil,* 24 mai 1969, p. 30.

d) *Il est par là, le soleil*

225. Basile, Jean, *le Devoir,* 5 décembre 1970, p. 13.
226. Beaulieu, Ivanhoé, *le Soleil,* 28 novembre 1970, p. 52.
227. Dionne, René, *Livres et Auteurs québécois 1970,* pp. 54-55.
228. Dionne, René, *Relations,* no 358, mars 1971, pp. 86-89.
229. Martel, Réginald, *la Presse,* 21 novembre 1970, p. D 3.

e) *Le Deux-millième Etage*

230. Beaulieu, Ivanhoé, *le Devoir,* 15 septembre 1973, p. 14.
231. Bérubé, Renald, *Livres et Auteurs québécois 1973,* pp. 16-19.
232. Gay, Paul, *le Droit,* 22 septembre 1973, p. 27.
233. Martel, Réginald, *la Presse,* 22 septembre 1973, p. E 3.
234. Simard, Clément, *le Soleil,* 29 septembre 1973, p. 47.

PIERRE CHÂTILLON:
a) *La Mort rousse*

235. Basile, Jean, *le Devoir,* 9 novembre 1974, p. 15.
236. Gagnon, Dominique, *Livres et Auteurs québécois 1974,* pp. 82-83.
237. Gay, Paul, *le Droit,* 16 novembre 1974, p. 18.
238. Hébert, François, *Etudes françaises,* vol. 11, no 2, mai 1975, pp. 115-116.

239. Martel, Réginald, *la Presse,* 9 novembre 1974, p. C 3.
240. Tremblay, Robert, *le Soleil,* 21 décembre 1974, p. D 8.

b) *Le Fou*

241. Martel, Réginald, *la Presse,* 20 décembre 1975, p. C 3.

c) *L'Ile aux fantômes*

242. Demers, Jeanne, *Livres et Auteurs québécois 1977,* p. 52.

JEAN-CLAUDE CLARI:
a) *Les Grandes Filles*

243. Bernier, Yvon, *Livres et Auteurs canadiens 1968,* pp. 45-46.
244. Ethier-Blais, Jean, *le Devoir,* 2 mars 1968, p. 13.
245. Major, André, *le Devoir,* 3 février 1968, p. 12.
246. Paradis, Suzanne, *le Soleil,* 23 mars 1968, p. 34.

MICHEL CLÉMENT:
a) *Confidences d'une prune*

247. Beaulieu, Ivanhoé, *le Soleil,* 21 mars 1970, p. 53.
248. Larche, Marcel, *Livres et Auteurs québécois 1970,* p. 63.
249. Martel, Réginald, *la Presse,* 14 mars 1970, p. 16.

EMMANUEL COCKE:
a) *Va voir au ciel si j'y suis*

250. Anonyme, *le Droit,* 29 mai 1971, p. 7.
251. Duciaume, Jean-Marcel, *Livres et Auteurs québécois 1971,* pp. 56-57.
252. Martel, Réginald, *la Presse,* 15 mai 1971, p. D 2.
253. Scully, Robert Guy, *le Devoir,* 31 juillet 1971, p. 9.

b) *L'Emmanuscrit de la mère morte*

254. Duciaume, Jean-Marcel, *Livres et Auteurs québécois 1972,* pp. 59-60.
255. Ethier-Blais, Jean, *le Devoir,* 14 octobre 1972, p. 19.
256. Martel, Réginald, *la Presse,* 30 septembre 1972, p. C 3.

LOUIS DENISET:

a) *L'Equilibre instable*

MARIE-CHRISTINE DEYGLUN:

a) *Juste à côté d'elle*

257. Fournier, Flore, *Livres et Auteurs québécois 1974,* pp. 72-73.
258. Martel, Réginald, *la Presse,* 13 avril 1974, p. D 3.

SERGE DEYGLUN:

a) *Ces filles de nulle part*

259. Ethier-Blais, Jean, *le Devoir,* 29 janvier 1972, p. 15.

MARC DORÉ:

a) *Le Billard sur la neige*

260. Basile, Jean, *le Devoir,* 3 octobre 1970, p. 16.
261. Beaulieu, Ivanhoé, *le Soleil,* 3 octobre 1970, p. 47.
262. Cloutier, Cécile, *Livres et Auteurs québécois 1970,* p. 75.
263. Martel, Réginald, *la Presse,* 19 septembre 1970, p. D 3.
264. Poulin, Gabrielle, *Relations,* no 360, mai 1971, pp. 151-152.
265. Verdier, Nathalie, *le Droit,* 10 octobre 1970, p. 7.

b) *Le Raton-laveur*

266. Anonyme, *le Droit,* 15 janvier 1972, p. 13.
267. Beaulieu, Ivanhoé, *le Soleil,* 27 novembre 1971, p. 57.

268. Karch, Pierre-Paul, *le Droit,* 12 février 1972, p. 13.
269. Renaud, André, *Livres et Auteurs québécois 1971,* pp. 71-72.

YVETTE DORE-JOYAL:
a) *J'avais oublié que l'amour fut si beau*

YVES DUPRÉ:
a) *Chélée ou la Passion selon Sainte-Catherine*

270. Ethier-Blais, Jean, *le Devoir,* 16 mars 1974, p. 21.
271. Janelle, Claude, *le Jour,* 25 mai 1974, p. V 2.
272. L'Hérault, Pierre, *Livres et Auteurs québécois 1974,* pp. 73-75.
273. Martel, Réginald, *la Presse,* 23 mars 1974, p. E 3.
274. Poulin, Gabrielle, *Relations,* no 399, décembre 1974, p. 348.
275. Tremblay, Robert, *le Soleil,* 2 mars 1974, p. 45.

JOCELYNE FELX:
a) *Les Vierges folles*

276. Janelle, Claude, *Livres et Auteurs québécois 1975,* pp. 69-70.
277. Martel, Réginald, *la Presse,* 1er février 1975, p. E 3.
278. Tremblay, Robert, *le Soleil,* 15 février 1975, p. D 10.

b) *Les Petits Camions rouges*

279. Bouchard, Jacques B., *Livres et Auteurs québécois 1975,* pp. 70-72.
280. Martel, Réginald, *la Presse,* 20 décembre 1975, p. C 3.
281. Poulin, Gabrielle, *Relations,* no 414, avril 1976, p. 127.

JACQUES FERRON:
a) *Historiettes*

282. Major, André, *le Devoir,* 24 mai 1969, p. 14.

283. Pelletier, Jacques, *le Soleil,* 17 mai 1969, p. 34.
284. Savard, Pierre, *Livres et Auteurs québécois 1969,* p. 181.

b) *Le Ciel de Québec*

285. Duhamel, Roger, *le Droit,* 4 octobre 1969, p. 7.
286. Ethier-Blais, Jean, *le Devoir,* 27 septembre 1969, p. 13.
287. Marcel, Jean, *l'Illettré,* février 1970, supplément pp. 2-3.
288. Marcotte, Gilles, *Etudes françaises,* vol. 12, nos 3-4, octobre 1976, pp. 217-236.*
289. Martel, Réginald, *la Presse,* 13 septembre 1969, p. 29.
290. Renaud, André, *Livres et Auteurs québécois 1969,* pp. 14-15.
291. Roux, Paul, *le Soleil,* 20 septembre 1969, p. 34.

c) *L'Amélanchier*

292. Beaulieu, Ivanhoé, *le Soleil,* 4 avril 1970, p. 51.
293. Beaulieu, Victor-Lévy, *l'Illettré,* février 1970, p. 3.
294. Ethier-Blais, Jean, *le Devoir,* 21 mars 1970, p. 15.
295. Marcel, Jean, *Livres et Auteurs québécois 1970,* pp. 11-14.
296. Martel, Réginald, *la Presse,* 11 avril 1970, p. 29.
297. *Ibid.,* 17 juin 1978, p. D 4.

d) *Cotnoir* suivi de *La Barbe de François Hertel*

298. Boucher, Jean-Pierre, *Voix et Images du pays IX,* février 1975, pp. 163-180.
299. Godin, Gérald, *Livres et Auteurs canadiens 1962,* pp. 14-15.

* Ce numéro est entièrement consacré à l'œuvre de Jacques Ferron.

e) *Le Salut de l'Irlande*

300. Anonyme, *le Droit,* 16 janvier 1971, p. 7.
301. Beaulieu, Ivanhoé, *le Soleil,* 9 janvier 1971, p. 46.
302. Dubois, Danielle, *Voix et Images du pays VI,* 2e trimestre 1973, pp. 111-121.
303. Ethier-Blais, Jean, *le Devoir,* 9 janvier 1971, p. 11.
304. Marcel, Jean, *Livres et Auteurs québécois 1970,* pp. 15-17.
305. Martel, Réginald, *la Presse,* 6 février 1971, p. C 3.

f) *Les Roses sauvages*

306. Beaudry, Albert, *Relations,* no 364, octobre 1971, p. 275.
307. Duhamel, Roger, *le Droit,* 22 janvier 1972, p. 13.
308. Martel, Réginald, *la Presse,* 16 octobre 1971, p. C 3.
309. Renaud, André, *Livres et Auteurs québécois 1971,* pp. 44-45.
310. Scully, Robert Guy, *le Devoir,* 18 septembre 1971, p. 13.

g) *La Chaise du maréchal-ferrant*

311. Beaudet, André, *Brèches,* no 1, printemps 1973, pp. 43-57.*
312. Beaulieu, Ivanhoé, *le Soleil,* 1er avril 1972, p. 46.
313. Ethier-Blais, Jean, *le Devoir,* 8 avril 1972, p. 14.
314. Martel, Réginald, *la Presse,* 1er avril 1972, p. E 3.
315. Renaud, André, *Livres et Auteurs québécois 1972,* pp. 42-43.

h) *Le Saint-Elias*

316. Martel, Réginald, *la Presse,* 2 décembre 1972, p. E 3.
317. Poulin, Gabrielle, *Relations,* no 377, décembre 1972, pp. 341-343.

* Ce numéro est entièrement consacré à l'œuvre de Jacques Ferron.

318. Renaud, André, *Livres et Auteurs québécois 1972,* pp. 43-45.
319. Tremblay, Régis, *le Soleil,* 4 novembre 1972, p. 72.

i) *Du fond de mon arrière-cuisine*

320. Cloutier, André, *Livres et Auteurs québécois 1973,* pp. 210-211.
321. Ferron, Jacques, *le Devoir,* 25 août 1973, p. 15.
322. Martel, Réginald, *la Presse,* 10 novembre 1973, p. B 3.
323. Tremblay, Robert, *le Soleil,* 24 novembre 1973, p. 44.
324. Vallières, Pierre, *le Devoir,* 5 mai 1973, p. 14.

JEAN-PAUL FILION:

a) *Un homme en laisse*

325. Gay, Paul, *le Droit,* 16 juin 1962, p. 8.
326. Godin, Marcel, *le Petit Journal,* 1er juillet 1962, p. A 40.
327. Hamelin, Jean, *le Devoir,* 9 juin 1962, p. 10.
328. Major, André, *le Petit Journal,* 17 juin 1962, p. A 57.
329. Marcotte, Gilles, *la Presse,* 9 juin 1962, supplément p. 8.
330. Thério, Adrien, *Livres et Auteurs canadiens 1962,* p. 15.

JEAN-LOUIS GAGNON:

a) *La Mort d'un nègre* suivi de *La Fin des haricots*

331. Boyer, Gilles, *le Soleil,* 28 octobre 1961, p. 4.
332. Ethier-Blais, Jean, *le Devoir,* 7 octobre 1961, p. 11.
333. Gay, Paul, *le Droit,* 30 septembre 1961, p. 11.
334. Joncas, Fernand, *Livres et Auteurs canadiens 1961,* pp. 11-14.
335. Marcotte, Gilles, *la Presse,* 16 septembre 1961, supplément p. 6.

336. Robillard, Jean-Paul, *le Petit Journal,* 1er octobre 1961, p. A 59.

PIERRE-O. GAGNON:
a) *A la mort de mes vingt ans*

337. Major, André, *le Devoir,* 30 novembre 1968, p. 15.
338. *Ibid.,* 11 janvier 1969, p. 15.
339. Thério, Adrien, *Livres et Auteurs canadiens 1968,* p. 47.

NORMAND GILBERT:
a) *La Marche du bonheur*

MARCEL GODIN:
a) *La Cruauté des faibles*

340. Anonyme, *le Devoir,* 17 juin 1961, p. 10.
341. Anonyme, *la Presse,* 17 juin 1961, p. 24.
342. Cléroux, Jean-Michel, *Livres et Auteurs canadiens 1961,* pp. 25-26.
343. Dufresne, Georges, *Cité libre,* no 40, octobre 1961, pp. 26-27.
344. Ethier-Blais, Jean, *le Devoir,* 24 juin 1961, p. 13.
345. Paré, Jean, *la Presse,* 30 juin 1961, p. 19.
346. Robillard, Jean-Paul, *le Petit Journal,* 2 juillet 1961, p. A 41.

LOUIS-PHILIPPE HÉBERT:
a) *Récits des temps ordinaires*

347. Janelle, Claude, *Solaris,* no 32, avril 1980, p. 30.
348. Ouellet, Réal et Vachon, Hélène, *Livres et Auteurs québécois 1972,* pp. 80-82.

FRANÇOIS HERTEL:
a) *Jérémie et Barabbas*

349. Ethier-Blais, Jean, *le Devoir,* 3 décembre 1966, p. 15.

350. Fournier, Roger, *le Petit Journal,* 11 décembre 1966, p. 49.
351. Gay, Paul, *le Droit,* 26 novembre 1966, p. 16.
352. Huot, Maurice, *le Droit,* 10 décembre 1966, p. 12.
353. Moisan, Clément, *le Soleil,* 3 décembre 1966, p. 4.
354. Vigneault, Robert, *Livres et Auteurs canadiens 1966,* pp. 53-54.

CLAIRE DE LAMIRANDE:
a) *Aldébaran ou la Fleur*

355. Daigneault, Claude, *le Soleil,* 22 juin 1968, p. 40.
356. Labsade, Françoise de, *Livres et Auteurs canadiens 1968,* p. 37.
357. Major, André, *le Devoir,* 25 mai 1968, p. 13.
358. Pontaut, Alain, *la Presse,* 22 juin 1968, p. 29.

b) *Le Grand Elixir*

359. Labsade, Françoise de, *Livres et Auteurs québécois 1969,* pp. 29-31.
360. Major, André, *le Devoir,* 26 septembre 1969, p. 10.
361. *Ibid.,* 18 octobre 1969, p. 28.

c) *La Baguette magique*

362. Martel, Réginald, *la Presse,* 22 mai 1971, p. D 2.
363. Racine, Claude, *Livres et Auteurs québécois 1971,* p. 64.
364. Verdier, Nathalie, *le Droit,* 2 octobre 1971, p. 7.

d) *Jeu de clefs*

365. Bélisle, Monique, *le Jour,* 6 avril 1974, p. V 2.
366. Cloutier, André, *le Droit,* 13 avril 1974, p. 18.
367. De Finney, James, *Livres et Auteurs québécois 1974,* pp. 65-66.
368. Lamirande, Claire de, *le Devoir,* 2 mars 1974, p. 19.
369. Martel, Réginald, *la Presse,* 23 mars 1974, p. E 3.
370. Robert, Jacques, *le Devoir,* 23 février 1974, p. 18.

e) *La Pièce montée*

371. Martel, Réginald, *la Presse,* 28 juin 1975, p. D 3.
372. Poulin, Gabrielle, *Relations,* no 421, décembre 1976, pp. 348-349.

HENRI LAMOUREUX:

a) *Les Meilleurs d'entre nous*

373. Martel, Réginald, *la Presse,* 31 janvier 1981, p. C 3.

GILBERT LAROCQUE:

a) *Le Nombril*

374. Basile, Jean, *le Devoir,* 16 mai 1970, p. 14.
375. Duhamel, Roger, *le Droit,* 8 août 1970, p. 7.
376. Ethier-Blais, Jean, *le Devoir,* 27 juin 1970, p. 15.
377. Martel, Réginald, *la Presse,* 6 juin 1970, p. 29.
378. Post-Pieterse, Els, *Voix et Images,* vol. 3, no 2, décembre 1977, pp. 277-301.
379. Poulin, Gabrielle, *Relations,* no 360, mai 1971, p. 152.
380. Savoie, Claude, *Livres et Auteurs québécois 1970,* pp. 65-66.

b) *Corridors*

381. Ethier-Blais, Jean, *le Devoir,* 12 juin 1971, p. 16.
382. Martel, Réginald, *la Presse,* 26 juin 1971, p. C 4.
383. Smith, Donald, *Livres et Auteurs québécois 1971,* pp. 32-34.
384. Voir no 378.

c) *Après la boue*

385. Ethier-Blais, Jean, *le Devoir,* 14 octobre 1972, p. 19.
386. Gay, Paul, *le Droit,* 16 décembre 1972, p. 15.
387. Martel, Réginald, *la Presse,* 25 novembre 1972, p. D 3.
388. Poulin, Gabrielle, *Relations,* no 379, février 1973, p. 56.

389. Smith, Donald, *Livres et Auteurs québécois 1972,* pp. 66-68.
390. Trait, Jean-Claude, *la Presse,* 30 septembre 1972, p. C 3.
391. Voir no 378.

PIERRE-A. LAROCQUE:
a) *Ruines*

392. Bouchard, Jacques-B., *Livres et Auteurs québécois 1974,* pp. 95-96.
393. Ethier-Blais, Jean, *le Devoir,* 6 juillet 1974, p. 10.
394. Martel, Réginald, *la Presse,* 4 mai 1974, p. E 3.

FÉLIX LECLERC:
a) *Carcajou ou le Diable des bois*

395. Gay, Paul, *le Droit,* 7 juillet 1973, p. 17.
396. Martel, Réginald, *la Presse,* 10 février 1973, p. D 3.
397. Poulin, Gabrielle, *Relations,* no 393, mai 1974, pp. 157-158.
398. Smith, Donald, *Livres et Auteurs québécois 1973,* pp. 24-25.
399. Tremblay, Régis, *le Soleil,* 3 février 1973, p. 69.

ROLAND LORRAIN:
a) *Perdre la tête*

400. Costisella, Joseph, *Livres et Auteurs canadiens 1962,* pp. 23-24.
401. Gay, Paul, *le Droit,* 17 mars 1962, p. 8.
402. Hamelin, Jean, *le Devoir,* 3 mars 1962, p. 10.
403. Marcotte, Gilles, *la Presse,* 3 mars 1962, supplément p. 8.

SERGE LOSIQUE:
a) *De Z à A*

404. Major, André, *le Devoir,* 11 janvier 1969, p. 15.
405. Martel, Réginald, *la Presse,* 4 janvier 1969, p. 23.

406. Théberge, Jean-Yves, *Livres et Auteurs canadiens 1968*, p. 50.

MICHÈLE MAILHOT:

a) *Le Fou de la reine*

407. Anonyme, *le Droit*, 21 juin 1969, p. 7.
408. Major, André, *le Devoir*, 10 mai 1969, p. 15.
409. *Ibid.*, 16 août 1969, p. 10.
410. Martel, Réginald, *la Presse*, 10 mai 1969, p. 35.
411. Pelletier, Jacques, *le Soleil*, 24 mai 1969, p. 30.
412. Trudel, Louise, *Livres et Auteurs québécois 1969*, pp. 46-48.

b) *La Mort de l'araignée*

413. Cloutier, Cécile, *Livres et Auteurs québécois 1972*, p. 61.
414. Martel, Réginald, *la Presse*, 11 novembre 1972, p. C 3.

ANDRÉE MAILLET:

a) *Les Montréalais*

415. Brochu, André, *Livres et Auteurs canadiens 1963*, pp. 67-68.
416. Godbout, Jacques, *Liberté*, no 25, janvier / février 1963, p. 67-68.
417. Hamelin, Jean, *le Devoir*, 2 février 1963, p. 10.
418. Lockquell, Clément, *le Soleil*, 2 février 1963, p. 15.
419. Marcotte, Gilles, *la Presse*, 2 février 1963, supplément p. 8.
420. Renaud, André, *le Droit*, 2 février 1963, p. 11.
421. Robert, Guy, *le Petit Journal*, 10 février 1963, p. A 44.

b) *Les Remparts de Québec*

422. Cloutier, Cécile, *Livres et Auteurs canadiens 1965*, pp. 61-62.

423. Dorion, Gilles, *Québec français,* no 30, mai 1978, pp. 5-6.
424. Ethier-Blais, Jean, *le Devoir,* 17 avril 1965, p. 11.
425. Lockquell, Clément, *le Soleil,* 20 février 1965, p. 34.
426. Major, André, *le Petit Journal,* 7 mars 1965, p. 32.
427. Marcotte, Gilles, *la Presse,* 6 mars 1965, supplément p. 6.
428. Renaud, André, *le Droit,* 17 avril 1965, p. 7.

ANDRÉ MAJOR:
a) *Le Vent du diable*

429. Basile, Jean, *le Devoir,* 23 novembre 1968, p. 12.
430. *Ibid.,* 18 janvier 1969, p. 15.
431. Gay, Paul, *le Droit,* 15 février 1969, p. 8.
432. Martel, Réginald, *la Presse,* 30 novembre 1968, p. 29.
433. Pelletier, Jacques, *Liberté,* no 109, janvier / février 1977, pp. 58-67.
434. Pelletier, Jacques, *Voix et Images du pays III,* juin 1970, pp. 57-59.
435. Ricard, François, *Liberté,* no 109, janvier / février 1977, pp. 67-74.
436. Thério, Adrien, *Livres et Auteurs canadiens 1968,* pp. 44-45.

b) *L'Epouvantail*

437. Brochu, André, *Livres et Auteurs québécois 1974,* pp. 23-26.
438. Ethier-Blais, Jean, *le Devoir,* 23 février 1974, p. 16.
439. Gay, Paul, *le Droit,* 15 juin 1974, p. 16.
440. Hébert, François, *Etudes françaises,* vol. 11, no 2, mai 1975, p. 116.
441. Martel, Réginald, *la Presse,* 23 février 1974, p. C 2.
442. Poulin, Gabrielle, *Relations,* no 397, octobre 1974, pp. 286-287.
443. *Ibid.,* no 416, juin 1976, pp. 188-190.

444. Poulin, Gabrielle, *Lettres québécoises,* no 7, août / septembre 1977, pp. 6-8.
445. *Ibid.*, no 18, été 1980, p. 79-80.
446. Ricard, François, *le Jour,* 2 mars 1974, p. 18.
447. Ricard, François, *Liberté,* no 92, mars / avril 1974, pp. 88-94, 99.
448. Ricard, François, *Québec français,* no 42, mai 1981, pp. 48-49.
449. Tremblay, Robert, *le Soleil,* 23 février 1974, p. 41.
450. Voir nos 433 et 435.

c) *L'Epidémie*

451. L'Hérault, Pierre, *Livres et Auteurs québécois 1975,* pp. 38-41.
452. Martel, Réginald, *la Presse,* 7 juin 1975, p. B 3.
453. Poulin, Gabrielle, *le Droit,* 1er mai 1976, p. 16.
454. Ricard, François, *Liberté,* no 101, septembre / octobre 1975, pp. 92-99.
455. Tremblay, Robert, *le Soleil,* 31 mai 1975, p. D 10.
456. Voir nos 433, 435, 443, 444 et 448.

ÉMILE MARTEL:
a) *Les Enfances brisées*

457. Anonyme, *le Droit,* 10 mai 1969, p. 7.
458. Cloutier, Cécile, *le Droit,* 31 mai 1969, p. 7.
459. Drolet, Simon, *Livres et Auteurs québécois 1969,* pp. 49-50.
460. Ethier-Blais, Jean, *le Devoir,* 22 mai 1971, p. 11.
461. Major, André, *le Devoir,* 26 avril 1969, p. 15.
462. Martel, Réginald, *la Presse,* 12 avril 1969, p. 21.

CLAIRE MONDAT:
a) *Poupée*

463. Hamelin, Jean, *le Devoir,* 6 avril 1963, p. 13.
464. Marcotte, Gilles, *la Presse,* 13 avril 1963, supplément p. 8.

465. Renaud, André, *le Droit,* 6 avril 1963, p. 14.
466. Renaud, André, *Livres et Auteurs canadiens 1963,* p. 29.

MARCEL MOUSSETTE:
a) *Les Patenteux*

467. Basile, Jean, *le Devoir,* 14 décembre 1974, p. 14.
468. Dorion, Gilles, *Livres et Auteurs québécois 1974,* pp. 86-87.
469. Martel, Réginald, *la Presse,* 14 décembre 1974, p. D 2.
470. Tremblay, Robert, *le Soleil,* 7 décembre 1974, p. D 12.

OSLOVIK:
a) *Oslovik fait la bombe*

471. Martel, Réginald, *la Presse,* 8 mars 1980, p. D 3.

HÉLÈNE OUVRARD:
a) *La Fleur de peau*

472. Anonyme, *la Presse,* 24 avril 1974, supplément p. 2.
473. Lockquell, Clément, *le Soleil,* 15 mai 1965, p. 30.
474. Lord, Michel, *Lettres québécoises,* no 24, pp. 25-28.
475. Major, André, *le Petit Journal,* 16 mai 1965, p. 38.
476. Marcotte, Gilles, *la Presse,* 8 mai 1965, supplément p. 4.
477. Tétu, Michel, *Livres et Auteurs canadiens 1965,* pp. 55-56.

b) *Le Cœur sauvage*

478. Cloutier, Cécile, *Livres et Auteurs canadiens 1967,* pp. 60-61.
479. Ethier-Blais, Jean, *le Devoir,* 20 mai 1967, p. 15.
480. Major, André, *le Devoir,* 15 avril 1967, p. 13.
481. Voir no 474.

c) *Le Corps étranger*

482. Mélançon, Joseph, *Livres et Auteurs québécois 1973,* pp. 34-35.
483. Poulin, Gabrielle, *Relations,* no 393, mai 1974, p. 158.
484. Voir no 474.

YVON PARÉ:

a) *Anna-Belle*

485. Duclos, Jocelyn-Robert, *Livres et Auteurs québécois 1972,* pp. 97-99.
486. Giroux, Joce-lyne, *le Soleil,* 20 janvier 1973, p. 46.
487. Martel, Réginald, *la Presse,* 16 décembre 1972, p. D 3.

JEAN-GUY PILON:

a) *Solange*

488. Basile, Jean, *le Devoir,* 10 septembre 1966, p. 13.
489. Dionne, René, *Relations,* no 318, juillet / août 1967, p. 220.
490. Duhamel, Roger, *Livres et Auteurs canadiens 1966,* p. 44.
491. Lockquell, Clément, *le Soleil,* 10 septembre 1966, p. 26.
492. Pontaut, Alain, *la Presse,* 10 septembre 1966, supplément p. 4.

JACQUES POULIN:

a) *Mon cheval pour un royaume*

493. Leroux, Odette, *Livres et Auteurs canadiens 1967,* p. 58.
494. Lockquell, Clément, *le Soleil,* 8 juillet 1967, p. 25.
495. Pontaut, Alain, *la Presse,* 1er juillet 1967, p. 21.
496. Ricard, François, *Liberté,* nos 95-96, septembre / octobre 1974, pp. 97-105.

b) *Jimmy*

497. Bourque, Paul-André, *Québec français,* no 34, mai 1979, pp. 38-39.
498. Cossette, Gilles, *Livres et Auteurs québécois 1969,* pp. 12-13.
499. Gay, Paul, *le Droit,* 19 juillet 1969, p. 7.
500. Major, André, *le Devoir,* 1er mars 1969, p. 15.
501. *Ibid.,* 22 mars 1969, p. 23.
502. Martel, Réginald, *la Presse,* 8 mars 1969, p. 23.
503. Roux, Paul, *le Soleil,* 15 mars 1969, p. 32.
504. Voir no 496.

c) *Le Cœur de la baleine bleue*

505. Beaulieu, Ivanhoé, *le Soleil,* 30 janvier 1971, p. 46.
506. Demers, Jeanne, *Livres et Auteurs québécois 1970,* pp. 46-47.
507. Ethier-Blais, Jean, *le Devoir,* 23 janvier 1971, p. 11.
508. Martel, Réginald, *la Presse,* 23 janvier 1971, p. D 3.
509. Poulin, Gabrielle, *Relations,* no 371, mai 1972, pp. 154-155.
510. Voir no 496.

JEAN-MARIE POUPART:

a) *Angoisse Play*

511. Duhamel, Roger, *le Droit,* 7 décembre 1968, p. 7.
512. Labsade, Françoise de, *Livres et Auteurs canadiens 1968,* p. 40.
513. Major, André, *le Devoir,* 14 septembre 1968, p. 12.
514. *Ibid.,* 28 septembre 1968, p. 16.

b) *Que le diable emporte le titre*

515. Anonyme, *le Droit,* 21 juin 1969, p. 7.
516. Larche, Marcel, *Livres et Auteurs québécois 1969,* p. 56.
517. Major, André, *le Devoir,* 10 mai 1969, p. 15.
518. *Ibid.,* 23 août 1969, p. 11.

519. Martel, Réginald, *la Presse,* 10 mai 1969, p. 35.
520. Pelletier, Jacques, *le Soleil,* 24 mai 1969, p. 30.

c) *Ma tite vache a mal aux pattes*

521. Anonyme, *le Droit,* 9 janvier 1971, p. 7.
522. Basile, Jean, *le Devoir,* 31 octobre 1970, p. 12.
523. Beaulieu, Ivanhoé, *le Soleil,* 7 novembre 1970, p. 57.
524. Larche, Marcel, *Livres et Auteurs québécois 1970,* p. 65.
525. Martel, Réginald, *la Presse,* 7 novembre 1970, p. D 2.
526. Poulin, Gabrielle, *Relations,* no 363, septembre 1971, pp. 251-252.

d) *Chère Touffe, c'est plein plein de fautes dans ta lettre d'amour*

527. Beaulieu, Ivanhoé, *le Devoir,* 1er septembre 1973, p. 15.
528. Bonenfant, Joseph, *Livres et Auteurs québécois 1973,* pp. 22-24.
529. Martel, Réginald, *la Presse,* 25 août 1973, p. E 3.
530. Trait, Jean-Claude, *la Presse,* 25 août 1973, p. E 3.
531. Tremblay, Robert, *le Soleil,* 25 août 1973, p. 45.

e) *C'est pas donné à tout le monde d'avoir une belle mort*

532. Ethier-Blais, Jean, *le Devoir,* 6 juillet 1974, p. 10.
533. Janelle, Claude, *le Jour,* 8 juin 1974, p. V 3.
534. Labine, Marcel, *Livres et Auteurs québécois 1974,* pp. 78-79.
535. Martel, Réginald, *la Presse,* 1er juin 1974, p. E 3.
536. Poupart, Jean-Marie, *le Devoir,* 13 juillet 1974, p. 15.

BRUNO SAMSON:

a) *L'Amer noir*

537. Beaulieu, Ivanhoé, *le Devoir,* 29 septembre 1973, p. 14.
538. Gay, Paul, *le Droit,* 11 mai 1974, p. 20.
539. Poulin, Gabrielle, *Relations,* no 395, juillet / août 1974, pp. 220-221.
540. Samson, Bruno, *le Devoir,* 3 novembre 1973, p. 15.
541. Smith, André, *Livres et Auteurs québécois 1973,* pp. 67-68.

CHARLOTTE SAVARY:

a) *Le Député*

542. Blouin, Jean, *Voix et Images du pays IX,* février 1975, pp. 63-85.
543. Cléroux, Jean-Michel, *Livres et Auteurs canadiens 1961,* p. 24.
544. Gay, Paul, *le Droit,* 16 décembre 1961, p. 12.
545. Hamelin, Jean, *le Devoir,* 16 décembre 1961, p. 10.
546. Marcotte, Gilles, *la Presse,* 25 novembre 1961, supplément p. 8.
547. Robillard, Jean-Paul, *le Petit Journal,* 10 décembre 1961, p. A 61.

JEAN TÊTREAU:

a) *Les Nomades*

548. Janelle, Claude, *Solaris,* no 35, octobre / novembre 1980, p. 11.
549. Labsade, Françoise de, *Livres et Auteurs canadiens 1967,* p. 59.
550. Olivier, Pierre, *la Presse,* 8 avril 1967, p. 24.

b) *Volupté de l'amour et de la mort*

551. Anonyme, *la Presse,* 10 août 1968, p. 21.
552. Duhamel, Roger, *le Droit,* 20 juillet 1968, p. 12.
553. Gaulin, Michel, *Livres et Auteurs canadiens 1968,*

p. 54.

554. Major, André, *le Devoir,* 6 juillet 1968, p. 11.
555. *Ibid.,* 7 septembre 1968, p. 12.
556. Paradis, Suzanne, *le Soleil,* 24 août 1968, p. 27.

c) *Treize histoires en noir et blanc*

557. Basile, Jean, *le Devoir,* 28 mars 1970, p. 12.
558. Ethier-Blais, Jean, *le Devoir,* 4 avril 1970, p. 26.
559. Hayne, David M., *Livres et Auteurs québécois 1970,* pp. 47-48.

YVES THÉRIAULT:

a) *Le Grand Roman d'un petit homme*

560. Gay, Paul, *le Droit,* 8 juin 1963, p. 19.
561. Hamelin, Jean, *le Devoir,* 8 juin 1963, p. 13.
562. Lockquell, Clément, *le Soleil,* 22 juin 1963, p. 8.
563. Major, André, *le Petit Journal,* 28 juillet 1963, p. A 36.
564. Marcotte, Gilles, *la Presse,* 1er juin 1963, supplément p. 9.
565. O'Neil, Jean, *la Presse,* 22 juin 1963, supplément p. 9.
566. Renaud, André, *Livres et Auteurs canadiens 1963,* pp. 36-37.

b) *La Rose de pierre*

567. Basile, Jean, *le Devoir,* 29 février 1964, p. 13.
568. Gobin, Pierre, *Livres et Auteurs canadiens 1964,* pp. 33-34.
569. O'Neil, Jean, *la Presse,* 22 février 1964, supplément p. 7.
570. Renaud, André, *le Droit,* 22 février 1964, p. 10.
571. Smith-Roy, Paulette, *le Soleil,* 28 mars 1964, p. 12.

c) *L'Appelante*

572. Bérubé, Renald, *Livres et Auteurs canadiens 1967,*

pp. 52-54.
573. Dionne, René, *Relations,* no 335, février 1969, p. 62.
574. Duhamel, Roger, *le Droit,* 22 juin 1968, p. 8.
575. Emond, Maurice, *Livres et Auteurs québécois 1979,* pp. 84-86.
576. Lockquell, Clément, *le Soleil,* 30 décembre 1967, p. 30.
577. Major, André, *le Devoir,* 16 décembre 1967, p. 13.
578. Pontaut, Alain, *la Presse,* 6 janvier 1968, p. 35.

d) *L'Ile introuvable*

579. Bérubé, Renald, *Livres et Auteurs canadiens 1968,* pp. 24-25.
580. Major, André, *le Devoir,* 14 septembre 1968, p. 12.

e) *Kesten*

581. Bérubé, Renald, *Livres et Auteurs canadiens 1968,* pp. 23-24.
582. Major, André, *le Devoir,* 8 février 1969, p. 15.
583. Martel, Réginald, *la Presse,* 11 janvier 1969, p. 27.
584. Roux, Paul, *le Soleil,* 8 février 1969, p. 36.
585. Voir no 575.

f) *Antoine et sa montagne*

586. Anonyme, *le Droit,* 21 juin 1969, p. 7.
587. Bérubé, Renald, *Livres et Auteurs québécois 1969,* pp. 35-36.
588. Major, André, *le Devoir,* 21 juin 1969, p. 13.
589. Martel, Réginald, *la Presse,* 10 mai 1969, p. 35.
590. Pelletier, Jacques, *le Soleil,* 21 juin 1969, p. 37.

g) *Si la bombe m'était contée*

591. Desmeules, Raynald, *Livres et Auteurs canadiens 1962,* p. 77.

MICHEL TREMBLAY:

a) *Contes pour buveurs attardés*

592. Blois, *le Petit Journal,* 26 juin 1966, p. 42.
593. Pontaut, Alain, *la Presse,* 3 septembre 1966, supplément p. 4.
594. Thério, Adrien, *Livres et Auteurs canadiens 1966,* pp. 54-55.

b) *La Cité dans l'œuf*

595. Major, André, *le Devoir,* 15 février 1969, p. 17.
596. *Ibid.,* 1er mars 1969, p. 15.
597. Martel, Réginald, *la Presse,* 8 mars 1969, p. 23.
598. Roux, Paul, *le Soleil,* 8 mars 1969, p. 40.
599. Turcotte, André, *Livres et Auteurs québécois 1969,* pp. 37-39.

c) *C't'à ton tour, Laura Cadieux*

600. Bélair, Michel, *le Devoir,* 21 avril 1973, p. 20.
601. Hébert, François, *Livres et Auteurs québécois 1973,* pp. 30-31.
602. Martel, Réginald, *la Presse,* 5 mai 1973, p. D 2.

PIERRE TURGEON:

a) *Faire sa mort comme faire l'amour*

603. Anonyme, *le Droit,* 10 mai 1969, p. 7.
604. Major, André, *le Devoir,* 29 mars 1969, p. 17.
605. *Ibid.,* 19 avril 1969, p. 14.
606. Martel, Réginald, *la Presse,* 12 avril 1969, p. 21.
607. Roux, Paul, *le Soleil,* 12 avril 1969, p. 40.
608. Thério, Adrien, *Livres et Auteurs québécois 1969,* pp. 18-19.

b) *Un, deux, trois*

609. Basile, Jean, *le Devoir,* 10 octobre 1970, p. 14.
610. Cossette, Gilles, *Livres et Auteurs québécois 1970,* p. 70.

611. Martel, Réginald, *la Presse,* 31 octobre 1970, p. D 3.
612. Poulin, Gabrielle, *Relations,* no 360, mai 1971, pp. 152-153.

c) *Prochainement sur cet écran*

613. Beaulieu, Ivanhoé, *le Devoir,* 26 janvier 1974, p. 14.
614. Lacroix, Yves, *Livres et Auteurs québécois 1973,* pp. 26-27.
615. Martel, Réginald, *la Presse,* 19 janvier 1974, p. D 3.
616. Poulin, Gabrielle, *Relations,* no 393, mai 1974, pp. 156-157.
617. Routhier, Benoit, *le Soleil,* 12 juillet 1980, p. C 5.
618. Tremblay, Robert, *le Soleil,* 12 janvier 1974, p. 54.

PAUL VILLENEUVE:
a) *J'ai mon voyage!*

619. Bernier, Yvon, *Livres et Auteurs québécois 1969,* pp. 42-43.
620. Major, André, *le Devoir,* 28 juin 1969, p. 13.
621. *Ibid.,* 23 août 1969, p. 11.
622. Martel, Réginald, *la Presse,* 5 juillet 1969, p. 23.
623. Roux, Paul, *le Soleil,* 2 août 1969, p. 33.

b) *Johnny Bungalow*

624. Ethier-Blais, Jean, *le Devoir,* 11 mai 1974, p. 15.
625. Janelle, Claude, *le Jour,* 22 juin 1974, p. V 2.
626. Martel, Réginald, *la Presse,* 20 avril 1974, p. C 3.
627. Morin, Louis, *Livres et Auteurs québécois 1973,* pp. 54-55.
628. Pelletier, Jacques, *Liberté,* nos 95-96, septembre / décembre 1974, pp. 106-111.
629. Tremblay, Robert, *le Soleil,* 20 avril 1974, p. 77.

*Chapitre 4*

# *Petite revue de presse*

*Chapitre 4*

# *Petite revue de presse*


1. Thériault, Jacques, «Pour cause d'incompatibilité d'option politique, Victor-Lévy Beaulieu quitte les éditions du Jour», *le Devoir,* 31 octobre 1973, p. 12.

2. Thériault, Jacques, «Hébert regrette ce départ 'mal inspiré', le Jour étant ouvert à 'toutes les options politiques'», *Le Devoir,* 31 octobre 1973, p. 12.

3. Tremblay, Robert, «La démission de Lévy Beaulieu: beaucoup de bruit pour rien...?», *le Soleil,* 10 novembre 1973, p. 48.

4. Comtois, Maurice, «Quand 'Victor-Hugo' Beaulieu fait sa petite crise d'octobre», *le Devoir,* 10 novembre 1973, p. 17.

5. Beaulieu, Ivanhoé, «De l'affaire Beaulieu à l'affaire Provencher», *le Devoir,* 24 novembre 1973, p. 17.

6. Tremblay, Robert, «André Major règle ses comptes avec Lévy Beaulieu», *le Soleil,* 16 février 1974, p. 40.

7. Tremblay, Robert, «Lévy Beaulieu André Major», *le Soleil,* 23 février 1974, p. 41.

8. Tremblay, Robert, «Une édition dans la vie d'Emmanuel», *le Soleil,* 30 mars 1974, p. 52.

9. Martel, Réginald, «L'éthique chez VLB», *la Presse,* 15 juin 1974, p. D 3.

10. Thériault, Jacques, «Un bilan général fort impressionnant», *le Devoir,* 7 septembre 1974, p. 13.

11. Scully, Robert Guy, «Ecrivain, imprimeur, journaliste, éditeur», *le Devoir,* 7 septembre 1974, pp. 13-16.

12. Beaulieu, Victor-Lévy, «Quelques questions, maintenant...», *le Devoir,* 7 septembre 1974, p. 15.

13. Ferron, Jacques, «Les bons sentiments d'un personnage considérable», *le Devoir,* 7 septembre 1974, p. 16.

14. Patenaude, J.-Z. Léon, «Presque un quart de siècle ensemble», *le Devoir,* 7 septembre 1974, p. 17.

15. Thériault, Jacques, «Aux éditions du Jour, on mettra de l'ordre en évitant de modifier la politique d'édition», *le Devoir,* 25 septembre 1974, p. 12.

16. Thériault, Jacques, «Priorité aux auteurs québécois, un prix Jacques-Hébert aux éd. du Jour», *le Devoir,* 4 octobre 1974, p. 16.

17. Thériault, Jacques, «Déménagements... et congédiements! Nouveau signe de crise au Jour», *le Devoir,* 27 février 1975, p. 10.

18. Basile, Jean, «L'Aurore déménage dans les locaux des éditions du Jour», *le Devoir,* 11 mars 1975, p. 13.

19. Royer, Jean, «De la fin du Jour jusqu'à l'Aurore», *le Soleil,* 15 mars 1975, p. D 3.

20. Royer, Jean, «L'Aurore... un an après», *le Soleil,* 19 avril 1975, p. D 10.

21. Thériault, Jacques, «Financièrement et intellectuellement... 12 écrivains s'estiment trompés par les éd. du Jour», *le Devoir,* 1er mai 1975, p. 16.

22. Royer, Jean, «Quinze: des écrivains choisissent de s'éditer», *le Soleil,* 18 octobre 1975, p. D 8.

23. Cloutier, Laurier, «Après les éditions du Jour, Sogides vise un autre achat majeur», *la Presse,* 13 décembre 1980, p. C 1.

24. Cloutier, Laurier, «France-Amérique dénonce Sogides», *la Presse,* 27 décembre 1980, p. A 15.

25. Martel, Réginald, «Le salaire des écrivains, des droits très volatils», *la Presse,* 26 janvier 1981, p. A 10.

## Cahiers du Québec

**1**
Champ Libre 1:
*Cinéma, Idéologie, Politique*
(en collaboration)
**Coll. Cinéma**

**2**
Champ Libre 2:
*La critique en question*
(en collaboration)
**Coll. Cinéma**

**3**
Joseph Marmette
*Le Chevalier de Mornac*
présentation par:
Madeleine Ducrocq-Poirier
**Coll. Textes et Documents littéraires**

**4**
Patrice Lacombe
*La terre paternelle*
présentation par:
André Vanasse
**Coll. Textes et Documents littéraires**

**5**
Fernand Ouellet
*Eléments d'histoire sociale du Bas-Canada*
**Coll. Histoire**

**6**
Claude Racine
*L'anticléricalisme dans le roman québécois 1940-1965*
**Coll. Littéraire**

**7**
*Ethnologie québécoise 1*
(en collaboration)
**Coll. Ethnologie**

**8**
Pamphile Le May
*Picounoc le Maudit*
présentation par:
Anne Gagnon
**Coll. Textes et Documents littéraires**

**9**
Yvan Lamonde
*Historiographie de la philosophie au Québec 1853-1971*
**Coll. Philosophie**

**10**
*L'homme et l'hiver en Nouvelle-France*
présentation par:
Pierre Carle
et Jean-Louis Minel
**Coll. Documents d'histoire**

**11**
*Culture et langage*
(en collaboration)
**Coll. Philosophie**

**12**
Conrad Laforte
*La chanson folklorique et les écrivains du XIXe siècle, en France et au Québec*
**Coll. Ethnologie**

**13**
*L'Hôtel-Dieu de Montréal*
(en collaboration)
**Coll. Histoire**

**14**
Georges Boucher de Boucherville
*Une de perdue, deux de trouvées*
présentation par:
Réginald Hamel
**Coll. Textes et Documents littéraires**

**15**
John R. Porter et Léopold Désy
*Calvaires et croix de chemins du Québec*
**Coll. Ethnologie**

**16**
Maurice Emond
*Yves Thériault et le combat de l'homme*
**Coll. Littérature**

**17**
Jean-Louis Roy
*Edouard-Raymond Fabre, libraire et patriote canadien 1799-1854*
**Coll. Histoire**

**18**
Louis-Edmond Hamelin
*Nordicité canadienne*
**Coll. Géographie**

**19**
J.P. Tardivel
*Pour la patrie*
présentation par:
John Hare
**Coll. Textes et Documents littéraires**

**20**
Richard Chabot
*Le curé de campagne et la contestation locale au Québec de 1791 aux troubles de 1837-38*
**Coll. Histoire**

**21**
Roland Brunet
*Une école sans diplôme pour une éducation permanente*
**Coll. Psychopédagogie**

**22**
*Le processus électoral au Québec*
(en collaboration)
**Coll. Science politique**

**23**
*Partis politiques au Québec*
(en collaboration)
**Coll. Science politique**

**24**
Raymond Montpetit
*Comment parler de la littérature*
**Coll. Philosophie**

**25**
A. Gérin-Lajoie
*Jean Rivard*
*le défricheur*
suivie de *Jean Rivard*
*économiste*
Postface de
René Dionne
**Coll. Textes et Documents littéraires**

**26**
Arsène Bessette
*Le Débutant*
Postface de
Madeleine
Ducrocq-Poirier
**Coll. Textes et Documents littéraires**

**27**
Gabriel Sagard
*Le grand voyage*
*du pays des Hurons*
présentation par:
Marcel Trudel
**Coll. Documents d'histoire**

**28**
Věra Murray
*Le Parti québécois*
**Coll. Science politique**

**29**
André Bernard
*Québec:*
*élections 1976*
**Coll. Science politique**

**30**
Yves Dostaler
*Les infortunes du roman*
*dans le Québec*
*du XIXe siècle*
**Coll. Littérature**

**31**
Rossel Vien
*Radio française*
*dans l'Ouest*
**Coll. Communications**

**32**
Jacques Cartier
*Voyages en*
*Nouvelle-France*
texte remis en français
moderne par
Robert Lahaise et
Marie Couturier
avec introduction et notes
**Coll. Documents d'histoire**

**33**
Jean-Pierre Boucher
*Instantanés de la*
*condition québécoise*
**Coll. Littérature**

**34**
Denis Bouchard
*Une lecture*
*d'Anne Hébert*
*La recherche d'une*
*mythologie*
**Coll. Littérature**

**35**
P. Roy Wilson
*Les belles vieilles*
*demeures du Québec*
Préface de
Jean Palardy
**Coll. Beaux-Arts**

**36**
*Habitation rurale*
*au Québec*
(en collaboration)
**Coll. Ethnologie**

**37**
Laurent Mailhot
*Anthologie*
*d'Arthur Buies*
**Coll. Textes et Documents littéraires**

**38**
Edmond Orban
*Le Conseil nordique:*
*un modèle de*
*Souveraineté-Association?*
**Coll. Science politique**

**39**
Christian Morissonneau
*La Terre promise:*
*Le mythe du Nord*
*québécois*
**Coll. Ethnologie**

**40**
Dorval Brunelle
*La désillusion tranquille*
**Coll. Sociologie**

**41**
Nadia F. Eid
*Le clergé et le*
*pouvoir politique*
*au Québec*
**Coll. Histoire**

**42**
Marcel Rioux
*Essai de sociologie*
*critique*
**Coll. Sociologie**

**43**
Gérard Bessette
*Mes romans et moi*
**Coll. Littérature**

**44**
John Hare
*Anthologie de la*
*poésie québécoise*
*du XIXe siècle*
*(1790-1890)*
**Coll. Textes et Documents littéraires**

**45**
Robert Major
*Parti pris: idéologies*
*et littérature*
**Coll. Littérature**

**46**
Jean Simard
*Un patrimoine méprisé*
**Coll. Ethnologie**

**47**
Gaétan Rochon
*Politique et contre-culture*
**Coll. Science politique**

**48**
Georges Vincenthier
*Une idéologie québécoise*
*de Louis-Joseph Papineau*
*à Pierre Vallières*
**Coll. Histoire**

**49**
Donald B. Smith
*Le «Sauvage»*
*d'après les historiens*
*canadiens-français*
*des XIXe et XXe siècles*
**Coll. Cultures amérindiennes**

**50**
Robert Lahaise
*Les édifices conventuels du vieux Montréal*
**Coll. Ethnologie**

**51**
Sylvie Vincent et Bernard Arcand
*L'image de l'Amérindien dans les manuels scolaires du Québec*
**Coll. Cultures amérindiennes**

**52**
Keith Crowe
*Histoire des autochtones du Nord canadien*
**Coll. Cultures amérindiennes**

**53**
Pierre Fournier
*Le patronat québécois au pouvoir: 1970-1976*
**Coll. Science politique**

**54**
Jacques Rivet
*Grammaire du journal politique à travers* Le Devoir *et* Le Jour
**Coll. Communications**

**55**
Louis-Edmond Hamelin
*Nordicité canadienne*
Deuxième édition revue
**Coll. Géographie**

**56**
René Lapierre
*Les masques du récit*
**Coll. Littérature**

**57**
Jean-Pierre Ducuette
*Fernand Leduc*
**Coll. Arts d'aujourd'hui**

**58**
Yvan Lamonde
*La philosophie et son enseignement au Québec (1665-1920)*
**Coll. Philosophie**

**59**
Jean-Claude Lasserre
*Le Saint-Laurent grande porte de l'Amérique*
**Coll. Géographie**

**60**
Micheline D'Allaire
*Montée et déclin d'une famille noble: les Ruette d'Auteuil (1617-1737)*
**Coll. Histoire**

**61**
Harold Finkler
*Les Inuit et l'administration de la justice Le cas de Frobisher Bay, T.N.-O.*
**Coll. Cultures amérindiennes**

**62**
Jean Trépanier
*Cent peintres du Québec*
**Coll. Beaux-Arts**

**63**
Joseph-Edmond McComber
*Mémoires d'un bourgeois de Montréal (1874-1949)*
Préface de Jean-Pierre Wallot
**Coll. Documents d'histoire**

**64**
Maurice Cusson
*Délinquants pourquoi?*
**Coll. Droit et criminologie**

**65**
Fernand Leduc
*Vers les îles de lumière Ecrits (1942-1980)*
**Coll. Textes et Documents littéraires**

**66**
André Bernard et Bernard Descôteaux
*Québec: élections 1981*
**Coll. Science politique**

**67**
Franklin K.B.S. Toker
*L'église Notre-Dame de Montréal son architecture, son passé*
Traduit de l'anglais par Jean-Paul Partensky
**Coll. Beaux-Arts**

**68**
Chantal Hébert
*Le burlesque au Québec Un divertissement populaire*
Préface de Yvon Deschamps
**Coll. Ethnologie**

**69**
Robert Harvey
Kamouraska *d'Anne Hébert: Une écriture de La Passion*
**Coll. Littérature**

**70**
Tardy, Gingras, Legault, Marcoux
*La politique: un monde d'hommes?*
**Coll. Science politique**

**71**
Gabriel-Pierre Ouellette
*Reynald Piché*
**Coll. Arts d'aujourd'hui**

**72**
Ruth L. White
*Louis-Joseph Papineau et Lamennais Le chef des Patriotes canadiens à Paris 1839-1845 avec correspondance et documents inédits*
**Coll. Documents d'histoire**

# *Table des matières*